成就商业阶层事业与生活的梦想

The Facebook Effect

facebook

效应

The Inside Story of the Company That Is Connecting the World

[美] 大卫·柯克帕特里克（David Kirkpatrick）著

沈路　梁军　崔筝　等译

译言网　审校

华文出版社

Sinoculture Press

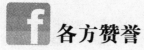

各方赞誉

Facebook 开创了互联网的一个新时代，实现了让每个人既是信息获取者也是内容贡献者。Facebook 更是自由、互动、分享的互联网精神的体现。

个人网站教父、著名天使投资人、北京联网时代科技有限公司董事长　蔡文胜

IT 产业在过去几十年经历了高速发展阶段，有一个非常奇特的"十年"规律，每十年经历一个王朝，产生一代霸主：第一个王朝属于"硬件"，王者属于 IBM；第二个王朝属于"软件或者 PC"，王者属于微软；第三个王朝属于"互联网"，王者属于 Google；我们正在共同经历的 21 世纪第二个十年是第四个王朝，多少企业家、创业者都希望自己成为这个王朝的王者。很多人预言 Facebook 将成为超越 Google 的新王者，在其流量超过 Google，活跃用户超过 5 亿人的时候，这个预言似乎更加可信。本书是对 Facebook 创始人的第一手访谈，对大家近距离了解这个潜在王者、他正在做的事以及背后许多有意思的故事，非常有帮助。

优视科技（UCWEB）CEO　俞永福

观察互联网的现在必须了解 Google，认识互联网的未来必须分析 Facebook；以人为核心的关系网络是互联网的 Next Wave，而实际上这一浪潮已经到来，互联网的核心正在变成人联网，关系、交互、信息、服务都以人际网络为基础重新组织起来；而《Facebook 效应》的核心，就是解析一家公司正在如何将世界连接起来。这是 2010 年度最值得推荐的一本书！

DCCI 互联网数据中心总经理　胡延平

由于个人经历，之前对 Google 了解的多一些，Google 的成功在于强大的技术支持带来很好的产品体验。刚好上个月去了一趟硅谷，受朋友的邀请去参观了 Facebook 并和那里的工程师聊天，同样聪明的一群人，给我印象最深刻的是他们不同于 Google 的模式：用简单实用的技术实现产品的快速迭代以及良好的用户体验。

读这本书的时候很感慨，因为我也是个在路上的创业者，理想的创业就该是 Facebook 的故事，一群非常聪明、追求完美的人在一起做一个事业，不仅是为了钱的回报，更为了一个使命：改变这个世界。

伟大的互联网应用要么改变人们对信息的获取方式，要么改变人们的沟通方式。就像继 eBay 之后的下一个互联网巨人一定不是更好的拍卖一样，Google 之后的下一个巨人也不是更好的搜索，而是 Facebook，一家必将改变世界的公司。

赶集网联合创始人、CEO　杨浩涌

我仔细数了一下，这本书采访的 Facebook 创始人、员工、投资人、意向投资人、合作伙伴，包括了各种"名人"和"人名"超过 130 人。书中解密了 Facebook 缘起、创始人内讧、放弃《华盛顿邮报》的投资、第一个广告客户、第一轮融资如何获得 1 亿美元估值、让人痴迷的图片产品如何上线，面对 Twitter 的竞争……

有了详实的访谈，故事更精彩。所以，我只花了 4 个小时，就在烈日炎炎的周末草坪，一口气"吞读"了《Facebook 效应》。

一个创办仅 7 年，就拥有 5 亿活跃用户，年收入超过 5 亿美元，估值超过 100 亿美元的传奇企业再加上一个 20 出头的 CEO，在你面前"裸奔"。你还等什么？

著名限时团购网站 F 团创始人　林宁

Facebook 堪称本世纪最伟大的发明之一，从改进学生之间的人际关系入手，逐步发展成为一个庞然大物。其影响力已经跨越互联网，跨越商业世界，影响到社会、法律、政治等方方面面。众多的 SNS 网站中，必将诞生继雅虎、Google 之后的第三代互联网霸主。

知名互联网专家　刘兴亮

平均每年增长 1 亿用户——Facebook 只用了 5 年时间，就成为了当今全球互联网用户最多的网站。这个由哈佛大二男生创立的社交网站，正在以"国家人口级"的量级速度蓬勃发展。这到底是一个充满了什么魅力的互联网世界？

如果通过时间隧道倒转回 5 年前，Facebook 上的用户只能是小小的蝴蝶效应。但 5 年后，Facebook 几乎成了一场全球运动，成了一次又一次飓风。在这个开放世界里，几乎所有的文艺、体育、经济、政治、商业活动，都得到了极大的互动性扩展。虚拟和现实，已经结合得如此紧密。

互联网工具的第一次替代，是 IM 替代电话、电子邮件替代邮局、BBS 替代公告板。我们即将迎来第二次替代，即 Google 替代门户网站、Facebook 替代 IM。这是一次新的革命。

应用还是技术，谁将成为未来互联网方向的主导？ Facebook 在技术上并没有太多的过人之处，但是，正如搜索改变的是"人们获取信息的方式"，Facebook 正在改变"人与人之间的交往方式"！

玄鸟传媒 CEO　郭开森

四川上空的蝴蝶振翅，引起了东太平洋的飓风；哈佛大学的花名册，覆盖了地球村民的网络生活——微小的变化，带动整个系统持久巨大的连锁反应。和蝴蝶效应、温室效应一样，Facebook 效应也值得我们追根溯源。41 岁的互联网，有了"非试不可"的新面孔，也就有了无限可能的未来。

视讯联合制作副总裁　董崇飞

Facebook 的成长就是一部"对外节制规模诱惑,对内强化用户体验,对左深入平台开放,对右坚持真实关系"的、鲜活的互联网应用产品的发展史。任何生长在这个正在变化时代的人们将不得不关注,无论是在美国还是中国,不同的是适应还是被淘汰。

这本《Facebook 效应》准确地描写了你、朋友、公司、社会和全球"变脸"的过程。译言的翻译也体现了社会聚合的魅力,每个章节看似独立成章又能融为一体,这是一本商战小说＋报告文学＋校园散文＋微博的结合体,看的不累还有继续读的欲望。如果再出一版 iPad 版就更加完美了。

搜狐 IT 名博　毕朝晖

如果说 Facebook 是另一个互联网的传奇,那么这本书记下的就是这个传奇的开始;Facebook 影响了全世界,相信这本书也能影响到也可能成为传奇的你。

知名科技博客 MOBINODE.com 创始人　卢刚

Web2.0 的精髓是互动、交流、网民的自娱自乐;Facebook 是如何秉承这个理念,深度挖掘网民需求的?我想你在《Facebook 效应》中可以寻找到答案。

新媒体营销专家　唐兴通

有趣比赚钱更重要,这是 Facebook 始终张扬的创业声明。它不仅是可口可乐与百事可乐之战"输赢并不重要,重要的是有趣"观念的互联网版本,也是 Facebook 开创互联网真正进入人人参与的互动时代的娱乐宣言。IT 企业如何跨越市场鸿沟,突破品牌瓶颈?娱乐,也只有娱乐,才是达到巅峰体验的致胜法宝!

中国首席娱乐官、文硕娱乐产业策划机构总裁　文硕

Facebook 是互联网发展历程中的一个典型代表,值得学习和了解。

中国互联网协会　孙永革

又一个哈佛辍学生开创的帝国传奇,正如微软之于 IBM,Google 之于微软,Facebook 通过网络化"六度空间"也正在成为 Google 之后的新王者。《Facebook 效应》生动展现了 Facebook 产品如何打造、团队如何磨砺、领袖如何成长的创业历程。做企业,以正合,境界决定高度,要想成为 Facebook 之后新神话的续写者,这本书值得一读。

禹容网络创始人兼 CEO　李瑜

3 年后的 Google 将会如今天的微软一样过时,因为边界被打破,模式被创新;Google 整合全球的信息,而 Facebook 则整合全球的人,成为人类的大脑。

腾讯网科技中心总监、FT 中文网专栏作家　程苓峰

从一个校园论坛到 5 亿用户的 Web2.0 社区,Facebook 到底做对了哪些事情?读完

《Facebook 效应》，你会知道答案，同时更想知道为什么中国还出不了一个 Facebook？

《创业家》杂志总编辑兼社长　牛文文

马克思说，"人是一切社会关系的总和。"作为网络时代社会关系的聚合地，Facebook 既是一种人生哲学，又是一个商业传奇。

《第一财经日报》总编辑　秦朔

Google 眼里的互联网是由服务器和搜索算法组成的，是冰冷但准确的工具；而 Facebook 眼里的互联网是由人和关系构成的，是人和人组成的复杂而模糊的社区。从长期来看，Facebook 会更深刻地影响我们的未来，因为它正在改变我们和别人交往的方式。

《商业价值》出版人　刘湘明

短短几年内，Facebook 从一家创业公司成长为全球知名的网站，在很大程度上改变了人们的交往方式。某种意义上，这可以看作是一个由年轻人的创意梦想、风险资本和信息技术催生的互联网神话。仔细阅读这个神话的缔造过程，是在回顾刚刚翻过去的一页短短的历史，更是在展望有着众多可能性和无限想象力的未来。

《IT 经理世界》副主编　贺志刚

互联网及其应用正以超乎我们想象的速度，在一个超越我们生活的平台上塑造着更真实和更新鲜的生活，可以同时体验被超越的生活和更真实的生活，这是互联网应用的奇妙之处。Facebook 是这个潮流的引领者，其效应值得关注。

《中国经营报》副总编　王立鹏

互联网深远影响 21 世纪世界政治、经济、文化生活的格局及命脉，目前由这场信息革命引爆的社会渗透还在继续。《Facebook 效应》将从 Facebook 网站的关注推动到现实干预、情感链接和营销运作等方面，把我们带入更成熟的思考。非常值得一看。

媒体人、著名网络评论员　鲁国平

柯克帕特里克的报道令人叫绝。在他细腻的笔触下，我们能看到一种黑客文化产物在摇身变为一家数万亿美元的公司时发生的点点滴滴。马克·扎克伯格一直在寻求保留那种黑客精神之源，而让人神往之处就是读到这样做时产生的结果。

《连线》杂志编辑、《长尾理论》作者　克里斯·安德森（Chris Anderson）

这本书对互联网网站产生的影响作了深刻、甚至是不厌其详的分析……它使读者对 Facebook 及其公司理念、最令人惊叹的公司实力都有了深入了解。

《纽约时报》专栏记者　大卫·波格（David Pogue）

柯克帕特里克让读者详实地了解到，一家网络公司怎样从 2004 年哈佛大学学生宿舍里的项目发展成为一家访问量在全球仅次于谷歌的大型网站。

《纽约时报》专职书评家　角谷美智子（Michiko Kakutani）

这实际上是两本书合二为一。一部分是详尽地报道 Facebook 怎样创建，以及这个网站如何火箭般地迅速蹿红，让自己的身影无处不在；另一部分是周密地分析了它带来的深刻影响。

《波士顿环球报》书评、影评家　伊森·吉尔斯多夫（Ethan Gilsdorf）

这本书很神奇，全篇都是震撼的报道和精彩的叙述。从马克·扎克伯格及其同事们的传奇人生经历中，我们能看到他们如何创立了一家改变业内游戏规则的新型企业，实在是令人激动。

《爱因斯坦：生活和宇宙》作者　沃尔特·艾萨克森（Walter Isaacson）

节奏很快……是引人注意的作品。

《旧金山纪事报》 G·帕斯卡尔·扎卡里（G. Pascal Zachary）

作者讲述 Facebook 早期创业的经历很让人兴奋……他这种叙事技巧给人印象深刻。

美联社编辑　雷切尔·梅茨（Rachel Metz）

作为几乎从第一天开始连载就追看的读者，那些丰富、细腻又绘声绘色的内容直到现在还让我备受启发，从中得到快乐，有时甚至不能自拔。

多伦多《环球邮报》作家　唐·泰普斯科特（Don Tapscott）

引人入胜……详细又不失公平客观地展现了一段 Facebook 历史。

《彭博新闻》专栏作家　里奇·雅罗斯洛夫斯基（Rich Jaroslovsky）

让这个世界上的人们自己组织起来

北京大学新闻与传播学院副教授
胡 泳

Facebook 是一种现象，它的创始人和首席执行官马克·扎克伯格是另外一种现象。

Facebook 现象

Facebook 是什么？柯克帕特里克的这本《Facebook 效应》在 Facebook 上有一个主页，读者讨论区中有人贴了一个问题：Facebook 难道比性还要流行吗？回答者说：我访问 Facebook 的次数比做爱多，所以答案是肯定的。

Facebook 是全球最大的社交网站，也许是历史上由完全不同的人聚合在一起的速度最快的团体。2010 年 7 月 22 日，Facebook 全球活跃用户突破了 5 亿大关。对于一个仅有 6 年历史和 1 400 名员工的社交网站来说，这是一个里程碑式的纪录。这里的活跃用户指的是在过去 30 天内访问过 Facebook 的用户。事实上，Facebook 可以夸耀的是，注册用户有一半以上每天都登录网站。而且，用户平均每天在 Facebook 上花费 1 小时的时间。

Facebook 也是世界上访问量第二大的网站，一度还抢占过 Google 的第一宝座。美国互联网流量监测机构 Hitwise 公布，在截至 2010 年 3 月 13 日的一周里，

Facebook 的访问量超过 Google，成为美国访问量最大的网站。现在，在硅谷，很多人津津乐道 Facebook 何时会超越 Google，成为互联网的新霸主。

Facebook 也是至今互联网上最大的分享网站。Facebook 效应可以即刻集结一群同好，他们共同喜爱的可能是一则新闻、一首歌或是一个 YouTube 视频。每个月，用户会上传 10 亿张照片和 1 000 万个视频；每一周，超过 10 亿条内容（网站链接、新闻报道、博客文章、消息、照片等）被分享；每个月会发起 250 万个以上的事件或活动；在网站上活跃着超过 4 500 万个用户小组。

正是因为这些骄人的战绩，扎克伯格才敢于不无夸张地声称："我们拥有整整一个世代里最具威力的信息传播机制。" 关键是，围绕 Facebook 还有更大的想象空间。据报道，Facebook 把自己的上市时间推迟到 2012 年，目的是为了发展更多的用户和提升更多的销售。预计公司 2010 年的营收将达到 14 亿美元，但它在私人公司的在线交易市场上的估价已然高达 240 亿美元。Facebook 的 IPO 必定成为硅谷的一个分水岭，造就与 Google、雅虎、亚马逊和亿贝等并驾齐驱的下一个互联网巨头，成为众多的小企业可以依附的大象。

当你将 5 亿用户的资料整合在一起，不仅了解他们住在哪儿，朋友是谁，还知道他们对什么感兴趣，在线上做什么，那么，你不仅是在运营一家公司，而是在打造"互联网基因工程"。这项基因工程能够做的事情太多了，比如，通过信用点和虚拟货币，Facebook 可能跨越国界成为一个全球化的经济体；又如，通过 Facebook Connect，Facebook 企图控制我们在网上的所有社交体验，其俄罗斯大股东将此比喻为"在世界范围内给人们签发护照"，这种护照指向的是一种全球公民身份。

这些都意味着，Facebook 会超越仅仅一个"网站"，它把自己看作全球村里的城市广场，正在改变着我们对社区、邻里和整个星球的认识。

扎克伯格现象

马克·扎克伯格是谁？这个总蹬着橡胶凉鞋、套着 T 恤衫和毛绒夹克的大男孩，怎样把哈佛集体宿舍的一个想法办成了一家惊天动地的公司？26 岁的他没有拿到大学文凭，却创办和掌管了全世界最大的社交网站。他是如此少年得志，以至于保罗·艾伦评价说："我无法在世界历史上找到一个先例，这么年轻的人却拥有这么大的影响力——等一等，只有一个人，那就是亚历山大大帝。"

　　扎克伯格的 Facebook 个人页面上这样描述自己的兴趣："开放，创造事物帮助人们彼此联系和分享对自己而言重要的事情，革命，信息流，极简主义"。Facebook 的创始人是一个哲学与实践的奇异混合体。

　　首先，扎克伯格是一个"产品天才"。从一开始在哈佛寝室里敲敲打打，直到 Facebook 取得巨大的成功，扎克伯格始终希望能使自己的注意力集中在媒体与用户互动的产品上，在他看来这才是 Facebook 的真正价值所在。他永远把产品管理当作自己的首要工作。"我觉得那些最成功的科技公司的领导者们最关注的永远是产品，"他说道，"我们希望能够使世界更美好，而我们所采取的途径是制作出合适的产品。"

　　产品的背后是用户体验，而用户体验的背后是扎克伯格独特的经商哲学。柯克帕特里克有句总结很让人震动："让网站有趣比让它赚钱更重要。"这样的声明在 Facebook 不长的历史中始终掷地有声。在书中我们可以看到扎克伯格思考的完整链条：做最好的、最简单的、让用户以最方便的方式分享信息的产品——用户的体验和增长比盈利更重要，将 Facebook 看作是一个永远需要不断完善的项目，而不是一台赚钱机器。一句话：追逐用户而不是金钱。

　　正是因为怀着这样的坚定信念，扎克伯格才勇于拒绝来自维亚康姆、微软、雅虎、Google 等巨头的并购橄榄枝，因为驱使他的不是致富欲望。否则，他早就可以把公司卖掉，在 20 多岁的年华成为一个游手好闲的退休亿万富翁。

　　驱动他的是什么呢？在扎克伯格的常见词典中，有这样一些词汇：透明度、信任、联系、分享。"一个透明度很高的世界，其组织会更好，也会更公平。""你必须得善良，才能得到人们的信任。在过去，人们从来不指望商业公司能够善良，我认为这种观念正在改变。"Facebook 的目标是"帮助人们理解他们身边的世界"；让人们了解更多身边人的信息会"制造出更多的关心"，"在全球化的世界里人们之间的距离应该更近"。当记者追问 Facebook 为何会成功，扎克伯格的回答是："如果你提供了更好的分享信息的方式，就会改变人们的生活。"这些想法对扎克伯格而言，是核心价值观，它们深刻影响了 Facebook 这家公司的气质。

　　扎克伯格坚称自己运作 Facebook 为的是给用户提供一种服务，帮助他们过上更加开放和彼此互联的生活。所以他常常在公司里说，他的目标绝不仅是创造一家公司。一个不想创造公司的人却成就了一家杰出的公司，我们或许可以将此称为"扎克伯格悖论"。在哈佛，扎克伯格不过是个热爱编程的天才小伙，他和他的朋友们并不是像 MBA 教科书通常所描写的那样开始创业的：构思商业

8

计划书，绘制各种业务增长图表，研究市场利润趋势。他们既没有做过市场分析，也没有撰写过行动纲要，也许正是因为在他们的头脑里从来没有装过那些有关何为好企业的教条，他们才做到了一门心思关注用户需求，最终催生了一个充满偶然性的商业帝国。

命中之战

当然，如果事情纯属偶然，我们就要把一切归于命运了——Facebook 闻名硅谷的"F8 开发者大会"就巧妙地意喻着"命运"（fate）。显而易见，就连命运也自有其必然性，比如，Facebook 与 Google，命中注定要有一战。

这场大战必然会发生的一个证据就是，有人企图否认战事的存在。Google 的 CEO 埃里克·施密特驳回了两家公司正起冲突的说法，尽管 Google 正在努力开展社交和游戏服务。首先，施密特认为，Facebook 与 Google 眼下并没有直接竞争广告市场，说两家公司是对手"在数学算法上就不对"；其次，Facebook 正在带来越来越多的网络用户，这对 Google 只有好处。施密特说，Facebook 用户比其他服务的用户更多使用 Google 产品，两家不会互斥，"赢家在哪里都会赢"。

他的话听上去像是对一家傲慢的后起之秀的吹嘘不屑一顾，毕竟，Google 就好比世界重量级拳王，每个人都想夺取其头上的桂冠。但在过去几年里，Facebook 已经从毛头小子般蝇量级的选手成长为一个合法的挑战者了。战火已开始燃烧：Facebook 挖走了好几位 Google 的要角，从首席运营官到大厨都来自 Google；员工中有将近 10% 的人曾效力于这家搜索巨人。而就施密特的两点反驳来看，第一，Facebook 完全可以凭借自己的用户网搭建整合多个网站的广告网，这将直接冲撞 Google 的 AdSense 业务；第二，Facebook 与 Google 之战根本不是产品和服务之战，而是入口之战，互联网正从大众化入口（如门户和搜索引擎）转向个人化入口（如社交网络）。当年，雅虎的信息中枢曾经是互联网用户的第一入口，Google 凭借自己强有力的搜索引擎，把互联网的前门硬从雅虎手中拿下，直到今天雅虎都在努力复原。而互联网的下一个前门在哪里？Google 的人不会傲慢到迟钝的地步。

施密特自己也承认，互联网正变得"社交化"，对社会网（the social web）制高点的争夺——甚至对搜索引擎的争夺——都远远没有结束。Google 与 Facebook 之战不仅进行得如火如荼，而且正在演变成有关互联网未来的全面战争，

9

涉及网络的结构、设计和用途。施密特有个词用得很准确：Facebook 的互联网"算法"的确与 Google 不同。

在过去 10 年里，Google 的算法统治着互联网——遵循着严格而有效的方程式，对在线活动的每个字节进行语法分析，最后建立起一幅不带感情的世界网络地图。然而，扎克伯格却预见到一个更加个人化、更富人情味的互联网，在那里，由朋友、同事、同伴和家人组成的网络成为信息的主要来源，人们通过彼此披露各自的内心而建立互信和丰富人生，就像在线下一样。扎克伯格把这种情形命名为"社交图谱"（social graph），用户将通过这样的图谱寻找医生，了解最好的相机，或是雇用员工——这和 Google 搜索的冷静逻辑相差不可以道里计。这是对人类如何在网络中遨游的一种完全不同的思考，在这种思考中，Facebook 才是互联网的中心——换句话说，今天的那个中心要被无情地替换掉。

扎克伯格对此的认识毫不含混，千万不要低估这个 26 岁的青年的思考力。在《Facebook 效应》中，他说得十分坦率：

我给大家描绘两个场景，和硅谷中的两间公司有关。当然，实际情况没这么极端，但他们代表两个极端。一面是 Google，主要取得和追踪已有信息。他们称为爬网。他们爬网，取得网络上的资料放入他们自己的系统。他们想打造 Google 地图，于是他们派出拍摄车辆，认认真真地去拍你家，然后做出 Google 街景系统。他们利用搜集整理的用户资料做广告，通过 DoubleClick 和 AdSense 的 Cookies 追踪用户的上网记录。就这样他们建立了一套用户的兴趣档案。

另一个场景是在我们公司。通过允许人们分享他们想分享的东西，给他们提供优秀的工具控制如何分享，你可以获得越来越多的共享信息。可是，想想那些在 Facebook 上人们不想分享的内容，好不好？你可不想这样的信息被爬网、被索引——比如你和你家人的度假照片，你的电话号码，所有发生在公司局域网里的事儿，所有私人短信和邮件。所以，很大一部分信息变得越来越透明化了，但是仍然有另外一大部分不可以对所有人开放。

Facebook 的信息不对 Google 搜索开放，这正是 Google 的软肋所在。在 Facebook 上发生的事情只存在于它的数万台服务器中。它们几乎构成了第二个互联网，其中的数据量非常可观，据 Facebook 自己估计，仅状态更新的字数，就已超过了世界上所有的博客的 10 倍之多。然而任何想要读取这些数据的人只能通过 Facebook，公司把这些数据设为专有，屏蔽了 Google 的爬虫。这是

Google 的一个巨大盲点，并且，这个盲点还在不断扩大。如果一个最大且增长最快的网站中的数据对 Google 禁止使用，那么，Google 还怎么能够宣称自己的目标是"组织全世界的信息"？

虽然所谓的社会性搜索（social search）永远取代不了传统搜索，Facebook 的确打开了新的发现的空间。2009 年 5 月的东京会议上，Google 的一个产品经理非常罕见地公开对媒体承认，当信息来自某个朋友时，用户会觉得更加可靠，而 Facebook 有潜力在这一方面帮助用户做得更好。而在 2009 年底的一次公开露面中，施密特谈到 Google 面临的许多挑战，其中最大的挑战之一就是：解决如何搜索、索引和呈现类似于 Facebook 的服务中的社交媒体内容。施密特称此问题为"这个时代的大挑战"。

Facebook 不仅尝试击穿 Google 的膝盖，它还开始与 Google 搜索引擎正面竞争。它在不断改进自己的搜索工具，并鼓励用户在站内使用 Google 的宿敌微软的必应搜索。而 Facebook 搜索不会仅仅局限于自身。因为 Facebook 好友们会传播站外链接，用户最终可以把 Facebook 搜索作为通向网络的大门，这就构成了对 Google 的直接威胁。一件新闻发生后，为何要听取 Google News 算法的推荐，而不是听从朋友的指引？Facebook 企图取 Google 而代之的野心已经昭然若揭。

Google 与 Facebook 对阵时有个不利的地方：Facebook 与人息息相关，而 Google 关注的是数据。Google 一直未能成为互联网社交风潮中的大玩家，尽管它十分渴望这样做，其原因在 Facebook 董事会成员彼得·泰尔看来，在于 Google 的深层价值观出了问题。"Google 的模型认为，信息和组织来自全世界的信息是最重要的事情。而 Facebook 的模型从根本上是不同的……让这个世界上的人们自己组织起来，才是最重要的事情。"

👍 推荐序二

理解社会网络化

中国社科院信息化研究中心秘书长、《互联网周刊》主编
姜奇平

读了这本《Facebook 效应》，我第一次产生重新推敲 SNS（Social Networking Services）译法的感觉。

现在把 SNS 译成什么的都有，如社会化网络服务、社会性网络服务、社交网络服务等，我认为准确的译法也许应是社会网络化服务。

因为在了解了 Facebook 的历史，特别是进一步了解了 SNS 的缘起和初衷后，就会发觉人们对 SNS 的一个相当普遍的理解，也许是不准确的。对于 SNS，目前人们强调的重心，一直放在社会或社会化上，但 SNS 实际的重心在社会网络化，也就是社会资本化。

理解社会资本化与社会化的区别，就成为读这本书获得的最有价值的启发。

从表面看，包括 Facebook 在内的 SNS 网站给人们印象最深的就是，呼啸山林式的事件。例如书中所举的，哥伦比亚人通过 Facebook 发起的有 1 000 万人参加的反 FARC 全国大游行，以及 1 000 人参加的枕头大战等。似乎 Facebook 最大的优势就是用来聚众。包括 Facebook 的社交功能，人们看中它的也是，把非社会化的行为，变得更加社会化。

初看起来，用社会化来解释 SNS，很合理，也符合事实，但细想一下这种理解是有误区的。

我回想起十年前与托夫勒在凯宾斯基饭店的一次对话。我当时为了赞赏他

30年前关于体验业兴起的预见，举了一个体验的例子，就是北京人当年为了足球而亢奋地上街游行。托夫勒非常不赞成这个例子，而且直摇头。沟通了半天我才了解到原因。原来托夫勒认为第三次浪潮的体验，是个性化的体验，是小众行为；他反对人们涌上街头的行为，无论是为了什么原因，认为这种大规模的从众和趋同行为，是第二次浪潮的特征。第三次浪潮的特征不是大众化、社会化，而是小众化、个性化。当时这给了我很大的震动。

SNS确实可以为大规模的社会化推波助澜，正如Facebook上发生的各种事实所证明的那样。但是，这只是一种返祖现象。社会化是工业化的进步之处。SNS以更有效率的方式实现了社会化（无论是聚众还是社交），只不过是新技术与工业化旧有的社会化模式的加强性结合，是用新技术更好地做旧的事。SNS真正革命性的意义并不在这里。

馈赠型经济的内涵，你知道吗

这是本书的华彩乐章。馈赠型经济强调的重心在于分享。分享是一种社会行为，但社会行为不一定是分享。要区分两种社会化，一种是不分享的社会化，一种是分享的社会化，SNS是指后者。社会网络化的意思，就是分享化，所以社会网络化服务的实际意思，是分享服务。社会网络是社会资本的别称，社会资本就是可分享资本。

这样的感觉就对了。细想一下，是不是SNS的每个行为,都具有分享的内涵？1 000万人聚在一起，是在分享同一个主题；两个人聚在一起，也是在分享同样的体验。如果只说社会化，不说是专有的社会化，还是分享的社会化，就成为新旧不分了，就抓不住SNS的实质。从这个意义上，我们将来不应再把SNS说成社会化网络服务。

馈赠型经济（又称为礼品经济）才是SNS真正革命性的意义所在。产权倒过来了，从专用变为分享，不是革命是什么，这无异于是对工业社会根基的撼动。Facebook的力量在这里。

抓住这个纲，再读《Facebook效应》，就一通百通了。

观察互联网这么多年，我有一个体会，一种模式往往在第一个创造者那里，最能体现出真经。后来的模仿者往往把经念歪，让人们搞不明白这件事的精髓是什么。对 SNS 来说也是这样，Facebook 的创始人马克·扎克伯格吐露的真言，最接近 SNS 的本义。扎克伯格在解释 Facebook 的初衷到底是干什么时，反复提及印第安人的冬宴（在人类学中叫"夸富宴"）。

"你知道馈赠型经济吗？"扎克伯格问道，"在一些不太发达的地区，相较于市场经济，这是种非常有趣的非主流经济形式，我拿出一些成果分享给大家，出于感激和表达慷慨之情，人们会回馈给我一些东西。整个文化就建立在这种彼此的馈赠框架下。"

作者通过与扎克伯格的对话最终了解到："事实上他的意思是，他视每个人在 Facebook 上的表达为对另一个人的'馈赠'。"也就是说，不是社会化，而是分享，才是 SNS 的魂。

分享的对象，不光是简单的产品、服务，对它们来说，馈赠只是从等效用的交换变为等价值的交流；一旦分享到资本和权力，还涉及到社会组织从等级型向对等型的转变。如书中所引加里·哈梅尔所说："正在网络上发生的社会变革将会完全颠覆我们判断一个组织是大还是小的方式。"在政府和市场之外，出现了第三种组织——网络。书中举了山列纳软件公司和路透社由于社会网络化而出现的"削弱掌权者的力量"的有趣情况。

分享在人类历史上，经历了一个从现实到空想，又从空想变为现实的发展过程。在原始礼品经济中，分享是一种不发达的现实。在工业化经济中，分享变成了彻底的空想，只有专用是现实的。在高科技礼品经济中，分享又从空想变为现实。

支配这种文明转变的关节点在哪里呢？比较一下人民公社大锅饭和 Facebook，为什么一种分享是空想，另一种却成了现实，就可以发现，问题的关键在于看分享对象的性质，是否具有共同消费性。大锅饭中的馒头不具有共同消费性，吃一口就少一口；而 Facebook 中的信息和体验具有共同消费性，越分享越增值。

那么分享对象的性质，又是由什么决定的呢？这本书没有说，我可以告诉你答案。这就是一个社会的生产力发展水平。工业社会以物质资本为基础，这决定了专有的产权形式，不是资本专有，就是社会专有；网络社会以社会资本为基础，这决定了分享的产权形式，既不姓社，也不姓资（托夫勒认为二者都属于第二次浪潮），社会网络扬弃了社会和资本的矛盾，变成全社会人人所有。生产力的进步表现在从以物质资本为主，以物质需求满足为主，转向以社会资本为主，以文化需求满足为主。从不可分享事物，转向了可分享事物。SNS 就是越分享越多的模式。

有意思的是"我一定要投资这家公司"这一章。人民公社费尽九牛二虎之力无法实现的分享，在这里，却变成资本家争先恐后要投资 Facebook 这种分享模式，令人感慨生产力的威力。生产力不够先进，分享就只能是空想——谁叫你非得分享吃一口少一口的东西呢；生产力达到了社会资本自然而然成为主要资源时，想不分享都难，当梅特卡夫法则成为生存法则，网络价值随参与分享的节点呈指数增长时，连资本家都眼馋了。在这里，每个资本家都想参与进来，实际上是在不自觉地埋葬他们自己的生产方式和生活方式，从专用资本转向社会资本。当参与普遍化后，他们将不再是资本家，而是"社会资本"的"家"，即以社会资本为生的家伙。他们投资的是用来分享的社会网络，提供的是社会网络化服务，通过分享服务获得想要得到的东西。

什么是 Facebook 效应？就是从社会原子化向社会网络化的转变，就是由此带来的网络效应从技术上的可能性转变为社会上的可能性，就是越分享越多的效应。

写在前面的话

The Facebook Effect

在收集撰写《Facebook 效应》一书的资料时，我得到了 Facebook 及其首席执行官马克·扎克伯格的全力配合。没有他鼓励我写作，并且毫无保留地与我合作，就不会有这本书的问世。在创作过程中，我经常告诉自己，也告诉别人，为如此坦率的人写一本书是多么开心的事。即使遇到尴尬的问题，他也会尽力作出回答。

马克·扎克伯格接受了我的多次采访，而 Facebook 公司的另一些重要人物也为我的采访安排了充裕的时间。

几乎没有一位 Facebook 发展历程中的相关人士拒绝接受我的采访。而对这样的支持，他们没有向我提出任何交换条件。据我所知，Facebook 公司既没有要求也没有得到任何批准出版权，在本书付梓以前，公司的管理层从未要求过审读书稿。

Facebook 公司的员工在面对我所提出的尤为尖锐的问题时，常常会不再作答，转而征询经常坐在他们身边的公司公共关系顾问的意见。但结果无一例外，Facebook 公司的公共关系顾问们都是积极鼓励他们回答我的问题。而且，我与许多人的谈话都是在无人监管的情况下进行的。

衷心感谢这些为本书出版贡献了心力的人们，因为他们我才能交出一部让大家满意的作品。

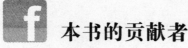

本书的贡献者

Facebook公司

马克·扎克伯格 (Mark Zuckerberg)，Facebook 创始人兼首席执行官。

达斯汀·莫斯科维茨 (Dustin Moscovitz)，马克·扎克伯格的校友兼盟友，Facebook 联合创始人之一。

克里斯·休斯 (Chris Hughes)，扎克伯格大学好友，Facebook 联合创始人之一。

亚当·德安杰罗 (Adam D'Angelo)，扎克伯格高中时的好友，曾同扎克伯格一起研发了 Synapse 和音乐推荐软件，曾任 Facebook 首席技术官。

马特·科勒 (Matt Cohler)，耶鲁大学音乐系毕业，Facebook 早期的灵魂人物。

谢丽·桑德伯格 (Sheryl Sandberg)，Facebook 首席运营官。

克里斯·考克斯 (Chris Cox)，Facebook 产品副总裁。

查玛斯·帕里哈皮提亚 (Chamath Palihaptiya)，Facebook 负责增长和国际化的副总裁。

丹·罗斯 (Dan Rose)，Facebook 商业开发副总裁。

吉迪昂·余 (Gideon Yu)，Facebook 首席财务官。

戴夫·莫瑞 (Dave Morin)，扎克伯格密友，Facebook 高级平台经理。

亚伦·西锡格 (Aaron Sittig)，编程员，一流的平面设计员和排版高手，Facebook 网站的美术设计兼程序员。

麦克·墨菲 (Mike Murphy)，Facebook 广告销售主管。

兰蒂·扎克伯格 (Randi Zuckerberg)，马克·扎克伯格的姐姐，在 Facebook 做高级市场推广。

克里斯·凯利 (Chris Kelly)，Facebook 公司的法律顾问。

加雷思·戴维斯 (Gareth Davis)，负责监督 Facebook 平台上的游戏。

达夫·费特曼（Dave Fetterman），程序员。

安尼卡·弗拉戈特（Anikka Fragodt），扎克伯格的私人助理。

斯科特·玛利特（Scott Marlette），退出了斯坦福大学电子工程系的研究生学习，Facebook 早期招募的高级员工之一。

杰夫·罗斯柴尔德(Jeff Rothschild)，大型商业软件公司 Veritas 的创始人之一，退休后开始担任 Facebook 的顾问。

彼得·泰尔（Peter Thiel），Facebook 董事之一。

其他员工：

卡罗琳·阿伯拉姆（Carolyn Abram）、阿迪特亚·阿加沃（Aditya Agarwal）、伊森·比尔德（Ethan Beard）、鲁奇·桑格威（Ruchi Sanghvi）、凯文·科勒兰（Kevin Colleran）巴里·施尼特（Barry Schnitt）、麦克·斯科洛普夫（Mike Schroepfer）、查理·切沃（Charlie Cheever）、达夫·费特曼(Dave Fetterman)、安尼卡·弗拉戈特（Anikka Fragodt）、内奥米·格雷特（Naomi Gleit）、乔纳森·海里格（Jonathan Heiliger）、马特·雅各布森（Matt Jacobson）、梅根·马克斯（Meagan Marks）、斯科特·玛格丽特(Scott Marlette)、卡梅隆·玛洛（Cameron Marlow）、扎维尔·欧利文（Javier Olivan）。

Facebook发展历程中的重要外部人士以及关心Facebook的人

吉姆·布雷耶（Jim Breyer），投资人，阿克塞尔合伙公司最知名的合伙人。正是在他的委托下，凯文·埃法西才找到了社交网站 Facebook 。

凯文·埃法西（Kevin Efrusy），投资人，阿克塞尔合伙公司的一名资深合伙人。Facebook 创始之初，他就看到了这个小公司光辉的前景。正是由于他的坚持，阿克塞尔合伙公司的股东们才愿意为 Facebook 注入大量资金。

罗恩·康韦（Ron Conway），硅谷著名天使投资人，Google 和 Facebook 的早期投资者。

乔纳森·阿伯拉姆斯（Jonathan Abrams），程序员，社会化网络 Friendster 创始人。

马克·安德森（Marc Andreessen），硅谷受人尊敬的投资者兼实业家，扎克伯格的亲密顾问。

丹·格雷厄姆（Don Graham），《华盛顿邮报》公司首席执行官，扎克伯格的导师。

崔西娅·布莱克(Tricia Black)，Facebook 的广告代理商 Y2M 公司的一位主管。

马克·平卡斯（Mark Pincus），"部落"（Tribe）网站从前的创始人，六度社交网络专利的共同拥有人，也是 Facebook 早年的投资者，美国当前最知名社交网络游戏开发商 Zynga CEO。

罗宾·里德（Robin Reed），为创业公司招聘的著名猎头，曾为 Facebook 招聘到了不少人才，为公司的成长做出了贡献。

比尔·盖茨，微软创始人。

扎伊尔德·阿米德(Saeed Amidi)，硅谷的技术开发中心 Plug and Play 投资人。

马克·安德森（Marc Andreessen），互联网浏览器之父。

蒂姆·阿姆斯特朗（Tim Armstrong），AOL 首席执行官。

萨米尔·奥罗拉（Samir Arora），广告网络 Glam Media CEO。

汉克·巴里（Hank Barry），Napster 公司 CEO。

汤姆·贝德凯尔（Tom Bedecarre），互动营销公司 AKQA CEO。

吉娜·比安奇尼（Gina Bianchini），社交网站 Ning 创始人兼 CEO。

雷内·波凡尼（Rene Bonvanie），Networks 全球营销副总裁。

苏米特拉·达塔（Soumitra Dutta），《全球信息技术报告》主要撰写人，IN-SEAD 商学院对外关系主任。

塞思·戈尔茨坦（Seth Goldstein），AttentionTrust.org 网站的 CEO。

雷德·霍夫曼（Reid Hoffman），美国知名商务人士社交网站 |LinkedIn| 创始人兼 CEO。

丽贝卡·雅各比（Rebecca Jacoby），思科的首席信息技术官。

布鲁斯·杰菲（Bruce Jaffe），曾在微软负责并购的高管，微软的第 3 号人物。

麦克·拉泽罗（Mike Lazerow），社交网络广告公司 Buddy Media 的创始人。

山姆·莱辛（Sam Lessin），Drop.io 公司创始人兼 CEO。

麦克斯·拉夫琴（Max Levchin），美国在线支付网站 Paypal 创始人。

玛丽莎·梅耶尔（Marissa Mayer），Google 第一位女工程师。

尤里·米尔纳（Yuri Milner），俄罗斯数字天空技术投资集团(Digital Sky Technologies，DST) 的联合创始人。

雷·奥兹（Ray Ozzie），微软首席软件架构师。

菲利普·派巴（Philipp Pieper），Proximic 公司 CEO。

谢尔文·皮什瓦尔（Shervin Pishevar），Social Gaming Network 网站负责人。

斯科特·雷弗（Scott Rafer），美国知名社交网站 Facebook 广告网络 Lookery 创始人。

安德鲁·拉斯（Andrew Rasiej），TechPresident.com 联合创始人。

马克·罗滕伯格（Marc Rotenberg），美国隐私保护机构电子隐私信息中心执行主任。

罗伯特·赖特（Robert Wright），《纽约时报》专栏作家。

目录

The Facebook Effect

 序言
The Facebook Effect

Facebook效应

哥伦比亚的巴兰基利亚港现在正处于 2008 年新年后的假期之中。在沙滩边的庄园里，奥斯卡·莫拉莱斯（Oscar Morales），这位性情随和的电脑天才、土木工程师正和他的家人一起度假。尽管现在正是假期，但在他所处的国度中那些黑暗的地方，人们却像一名叫做艾曼纽尔（Emmanuel）的小男孩那样时刻承受着生活的煎熬。

克莱拉·罗哈斯（Clara Rojas）6 年前被劫持到哥伦比亚的森林里，艾曼纽尔是她 4 岁的儿子，在她被哥伦比亚革命武装力量（FARC）游击队劫持时出生。FARC 共劫持了 700 名人质，其中包括哥伦比亚总统候选人英格丽特·贝当古（Ingrid Betancourt），她是在 2002 年竞选时和罗哈斯一起被劫持的。

对于被 FARC 劫持的人质的境遇，哥伦比亚人普遍感到同情和悲伤，同时也担心这些凶残而又势力强大的革命军下一步将会毁灭这个国家。艾曼纽尔的情况最近受到了大众的广泛关注。邻国委内瑞拉的总统乌戈·查韦斯（Hugo Chavez）已经在尝试和 FARC 进行谈判以求释放贝当古等人。12 月底，事件突然有了进展，游击队声称他们将很快向查韦斯移交罗哈斯和她的儿子艾曼纽尔

以及另外一名人质。对于一个几十年来倾全国之力与武装游击队抗争的国家来说，这是个极好的消息。"人们期待着礼物，期待着奇迹，"32 岁的莫拉莱斯说道，"而艾曼纽尔事件就是一个标志。整个国家都觉得这是很有希望的，'请让艾曼纽尔重新获得自由。我们会将这件事当作是 FARC 给我们的圣诞礼物。'"

查韦斯出动了两架直升机进入哥伦比亚的丛林，预计人质将会在 30 号释放，但是一直到新年时艾曼纽尔都没有获得自由。1 月 1 日，哥伦比亚总统阿尔瓦罗·乌里贝（Alvaro Uribe）在国家电视台上发布重大新闻，称艾曼纽尔并不在哥伦比亚革命武装的手中。原来艾曼纽尔早些时候病得很重，于是 FARC 将他从他母亲罗哈斯那里带走，然后丢给了一位农民。1 月 4 日的 DNA 测试结果显示，他就是真正的艾曼纽尔，而在同一天 FARC 也发表声明称，他们手上已经没有那个男孩了。艾曼纽尔现在意外地回到了政府的手中。

整个国家依然处于假日之中，人们有大量的时间来看有关可怜的艾曼纽尔的新闻。而白天在沙滩上休息时，莫拉莱斯和他那些关心政治的家人就一起讨论下面会发生什么事。"人们会因为这个孩子是安全的而感到高兴，但是我们却他妈的非常生气。"莫拉莱斯说道，"很抱歉我说了脏话，但是我们真的感觉到被 FARC 侮辱了。他们怎么能用一个根本不在他们手上的孩子和我们谈判？这样实在太过分了。他们打算耍我们到什么时候？"

莫拉莱斯特别想做些什么，于是他登录了 Facebook。尽管 Facebook 并没有提供西班牙语的服务，不过在哥伦比亚有很多像莫拉莱斯那样受过良好教育的人，他们的英语也非常熟练。莫拉莱斯在 Facebook 上有一个用了一年多的帐号，在上面有他的西班牙语个人信息，还有很多大学和高中好友。他几乎每天都会在 Facebook 上泡着。

莫拉莱斯在 Facebook 的搜索栏输入"FARC"四个字母后按回车却没有任何结果。没有群组、没有活动、没有相关的帖子，而已有的那些群组却都只关注世界上阳光的一面。当谈到 FARC 的时候，哥伦比亚人却都是愤怒而又畏缩的，这实在是一个禁忌的话题。结果导致整个国家都被劫持了，而这种状态将会保持几十年。

莫拉莱斯花了一整天时间犹豫是否在网上公开讨论这一话题。后来他打算冒一次险，并在 1 月 4 日建立了一个反对 FARC 的群组。"这就像一种治疗，"他说道，"我必须表达出自己的愤怒。"他在简介中写下了他建立这个群组的目的——站出来反对 FARC。他自称是个"电脑迷"，擅长进行图像处理，于是便制作了一个竖着的哥伦比亚国旗作为群组的图标。他在图标上面加上了四条标语，每条都比前面一个大——反对绑票、反对谎言、反对杀戮、反对 FARC。"我想在人群中怒吼一声，"他解释道，"是时候来和 FARC 抗争了，现在发生的事情简直让人难以忍受。"

但是他该如何给这个群组命名呢？在 Facebook 上人们给群组起的标题大多是诸如"我打赌我能找到 100 万个讨厌乔治·布什的人"此类，但莫拉莱斯不喜欢这样的标题，尽管他觉得这 100 万的想法很好，但是这个标题太幼稚了。有一首著名的西班牙歌曲叫"100 万个朋友"。一百万个反对哥伦比亚革命武装力量的人？"声音"一词听起来很有味道，于是他决定给群组起名为"反对哥伦比亚革命武装力量的 100 万个声音"。

在 1 月 4 日午夜过后他建立了这个群组。他将群组公开化，这样所有的 Facebook 用户都可以加入。他在 Facebook 上大约有 100 个好友，他向所有的好友都发出了邀请。全部做完以后他觉得很累，于是在凌晨 3 点上床睡觉。

第二天早上 9 点他查看了这个群组，已经有 1 500 人加入了进来。"哇！"莫拉莱斯惊讶地叫了出来，这比他所期望的要多得多。那天在沙滩上他告诉自己的家人，自己建立了一个群组并希望他们邀请自己的 Facebook 好友加入。他的家人大多是 Facebook 的铁杆用户，而且他们也对 FARC 深恶痛绝。当天下午莫拉莱斯回家后再看时，群组里已经有 4 000 名成员了。

"当时我是这样对自己说的，'好吧，再也不去沙滩了，再也不要出门了。'"他准备严肃地对待这件事。"我当时的感觉是'天哪！这就是我要的效果，能建立一个紧密围绕这个主题的坚定群组'。"

Facebook 的群组有一面"墙"，成员们可以在上面发表言论，就像论坛一样可以让很多成员参与发帖讨论。很快莫拉莱斯就与一些很活跃的成员取得了联系，他们交换了即时通信帐号、Skype 帐号和手机号，这样就可以在线下联系了。

随着越来越多的哥伦比亚人加入这个群组，成员们谈论的话题已经不仅仅是他们对 FARC 有多么的深恶痛绝，而是转变成该对他们采取什么措施。1 月 6 日，也就是群组成立的第二天，群组中有人提议说现在这个不断壮大的群组应该公开，这得到了成员们的一致赞同。当群组的成员达到 8 000 人时，人们在留言板上一遍又一遍地号召"行动起来吧"。

6 日下午晚些时候，莫拉莱斯在 Facebook 上新结识的朋友们，尤其是两个曾电话联系过的朋友劝说莫拉莱斯，让他提议举行一次游行。于是他在"墙"

上发布了这一消息，获得了成员们的一致赞成。莫拉莱斯在他家楼上的卧室中完成了一项重大决定，准备举行一次全国性的反对 FARC 大游行。时间定在 2 月 4 日，也就是群组成立一个月时。而作为一个居住在首都以外的人，莫拉莱斯坚称这个游行不仅仅要在首都圣菲波哥大进行，也要在全国其他地方进行，其中当然包括他的家乡巴兰基利亚市。

于是莫拉莱斯发起了一项名为"反对 FARC 全国大游行"的活动，很快，从别的意想不到的地方也得到了响应。来自迈阿密、布宜诺斯艾利斯、马德里、洛杉矶、巴黎和其他地方的成员认为，需要把这个活动办成一次全球性的大游行。莫拉莱斯尚未料到居住在哥伦比亚以外的人会加入到这个群组中来。这些哥伦比亚的移民通常也在 Facebook 上与自己家乡的人保持联系，他们也想参与进来，于是这又演变成了全球性的示威游行。

最终这成了一场由互联网世界推动的史无前例的全球性活动。2 月 4 日，据估计，在哥伦比亚近百座城市里有 1 000 万人参与了反对 FARC 的游行，另外在全世界各个城市还有近 200 万人参与了游行。而这次史上规模最大，也是范围最大的示威游行仅仅起源于一位沮丧的年轻人在自家卧室里向 Facebook 发布的一篇措辞激烈的文章。

Facebook 的新奇特性帮助莫拉莱斯的游行获得了整个哥伦比亚的关注。几百个正在使用 Facebook 的人，其实并不能影响到普通大众。当报刊媒体开始报道即将进行的游行时，他们的重心主要集中在 Facebook 这一陌生的美国舶来品和那些被报纸电视广播报道的"Facebook 小鬼"上。

这个群组成功的另一个重要原因，则是他们的行为主旨和哥伦比亚总统阿尔瓦罗·乌里贝的任务是相通的。自从 2002 年竞选成功后，他把对 FARC 的斗争当作自己任职期内的第一要务。当他和哥伦比亚当局发现了 Facebook 上的动静时，就全力推动此事的发生。一两周后，当地军队长官开始为莫拉莱斯提供了三名保镖和一辆车，供他使用到 2 月 4 日。各地的市长、市政府和游行志愿者们通力合作，为游行大开方便之门。

而真正具有重要意义的是，有如此多的哥伦比亚人以实名加入了这个群组。到了游行当天，群组成员数达到了 350 000 人。尽管几十年来一直生活在恐惧与恫吓之中，Facebook 中庞大的用户人数还是使哥伦比亚的年轻人勇敢地表达出了自己的不满。

即使电视新闻已经开始密切跟踪报道这一事件，Facebook 依然处于整个事件的核心。"Facebook 就是我们的总部，"莫拉莱斯说道，"它就是报纸，就是司令部、实验室——满足你的一切需求。Facebook 随时提供需要的服务，直到整个事件结束。"

莫拉莱斯自愿参与协调巴兰基利亚市当地的游行。期望参与的人数是 5 万人，实际上露面的只有 3 万人，大约是该城市人口的 15%。他们站满了城里的十个街区。入夜之后，莫拉莱斯宣读了一份声明，宣布了他所建立的群组的一致意见。这份声明被拉美国家的所有电视台转播了。甚至一些远在迪拜、悉尼、东京的人都参与了游行。当地的电视台采访参与游行的一位妇女，问她是否被 FARC 伤害过时，她是这样回答的："是的，我被伤害过，因为我是哥伦比亚人。"莫拉莱斯和他的群组成员们成功地发泄出了国民心中的压抑。

在乌里贝总统施压大大削弱 FARC 势力的时候，此次游行是哥伦比亚人以自己的方式对 FARC 进行了反击。有征兆显示，游击队察觉到了即将进行的游行，在游行举行的前一个周六他们发表声明称将会释放 3 名人质和所有的哥伦比亚议员，做出一种"人道主义"的姿态。2008 年 7 月，英格丽特·贝当古和其他 14 名人质在一次哥伦比亚政府军的突击行动中获救。在后来的访谈中，她回忆起 2 月 4 日和 FARC 的绑匪一起听收音机时的情况。她说当她听到游行的人们一遍遍整齐地喊着"反对 FARC！我们要自由！自由！"的时候，她被深深感动了。而游击队的人则明显难以忍受，于是关上了收音机。这些是后来在 2008 年末，奥斯卡·莫拉莱斯和我在曼哈顿的一间咖啡厅里聊天时说的。当说到这里的时候，他声音哽咽，热泪盈眶。他的群组和随后的游行示威使他在国内外都获得了很高的声誉。他建立"反对 FARC 的 100 万个声音"时获得的信仰和思考延续至今，现在他打算将毕生精力都投入到反对哥伦比亚武装力量的事业中去。

尽管 Facebook 并没有被设计成一种政治工具，但他的创始人早前就已经发现了 Facebook 所具有的独特潜能。2004 年，Facebook 刚在哈佛大学上线一个礼拜，就有学生开始将自己的个人照片换成包含政治格言的文字图片，以此来表达他们的政治观点。"人们使用它来表达自己认为重要的观点，"Facebook 联合创始人达斯汀·莫斯科维茨（Dustin Moscovitz）如是说，"甚至他们对于学校的不满也要表达出来。"人们从一开始就直觉地意识到，如果在互联网世界中仍然能够表现出自己在现实世界中的性格特点，那么他们所选择的表达方式应该是在网上对每天发生的事情表达出自己的看法。

而 Facebook 的创始人马克·扎克伯格（Mark Zuckerberg）则认为："哥伦比亚的此次事件是政府管理方式改变的风向标——展现出政治组织能够拥有什么样的影响力。这些事情能真正影响到每个人的民主自由诉求，这也是政府需要努力达成的……在 15 年内，也许这样的事情在哥伦比亚每天都会上演。"

而现在，在莫拉莱斯的行动成功两年以后，我们可以发现由 Facebook 助力的激进活动出现在了 Facebook 能够到达的各个国家和地区——大部分是在发展中国家。Facebook 和 Twitter 在 2009 年伊朗大选后的反对风潮中扮演了极其重要的角色。正如《纽约时报》外交事务专栏作家汤姆·弗雷德曼（Tom Friedman）所指出的那样："这是有史以来，一直生存在拥有全部国家资源的极权政府和拥有所有伊斯兰教资源的穆斯林教派之间的夹缝中的温和派，首次拥有了展现自己力量的舞台——网络。"落选的候选人米尔·侯赛因·穆萨维（Mir Hussein Mousavi）在 Facebook 上告诉他的追随者们什么时候该走上街头。当一位年轻女孩在抗议过程中被射杀时，人们在 Facebook 上发布了她被害的视频，然后很快这个视频就被传播到了世界上的各个角落，后来其成为伊朗政府镇压民众的象征。而陷入被动境地的伊朗政府多次努力封禁 Facebook，但由于 Facebook 的应用太广泛而很难实现。

为什么反对 FARC 的行动能够取得如此成就——从卧室里的一个人发展到街头的数百万人，而这个过程又是如此迅速？为什么 Facebook 变成了一个如此有效的政治组织工具？其创始人扎克伯格是如何在公司历史上的紧要关头做出至关重要的决定的？而 Facebook 又是如何凭借其优秀品质成为全世界上亿人每天都要登录的网站？本书剩下的部分将会探讨这些问题，而很多答案则存在于一系列的现象之中，我把它们称作 Facebook 效应。

作为一种全新的交流方式，Facebook 将用户引入了全新的社会交际效应之中。Facebook 效应发生在人和人的相互联系之中。这些联系通常是意外的，可以是相同的体验、爱好、问题或目标。其形式可大可小——从一个群组中的两三个朋友到一个家族，或像哥伦比亚那样的上百万人。Facebook 的各项功能使信息如病毒般迅速传播。在 Facebook 上，人们的想法能够轻易在各个群组间飞速传递，使所有人几乎同时了解到那些事情。你可以以一种不经意的方式向别人传递信息，这就是为什么"反对 FARC 的 100 万个声音"能从它诞生的第一夜起就成长得如此迅速。

　　任何加入这一群组的人只不过是表达出了这样一个观点，即"是的，我反对 FARC"。新成员加入的时候甚至根本不需要说"把这些消息发送给我的朋友"，他们仅仅是加入了这个群组。但是在一个人加入的时候，Facebook 会把这个消息发给此人的所有朋友。莫拉莱斯的反 FARC 运动就是利用了一种潜在的需求或欲望，然后以闪电般的速度扩散开来，使得这样的群组在一夜之间壮大起来。

　　大范围的信息广播实际上属于电子媒体的范畴——比如广播和电视。但是 Facebook 效应意味着普通个体成为信息的最初源头，就像在哥伦比亚和伊朗所发生的事情那样，你根本不需要有什么特别之处或有什么专长。Twitter 则是另外一项功能精简的服务，它也可以让任何人通过互联网发布消息。Twitter 同样也拥有很强的政治影响力。

　　而 Facebook 和 Twitter 也可能会变得具有建设性或破坏性。它们使全世界生活在不同社会环境中的人拥有了社会化的影响力，这样也许会带来破坏性的变革，在有些社会条件下甚至会破坏那些人们已经习惯了的稳定。但同时也给人们带来了希望——在埃及、印度尼西亚等地，人们利用它们来挑战长期以来对人民进行残酷镇压的政权和法规。Facebook 使人们能够更加容易地组织起来。

　　我实在不知道为什么 Facebook 效应的自我组织能力能如此理所当然地被应用到了集会中。

　　在 2008 年，由 Facebook 群组组织的大型打水仗活动在英国利兹市举行。紧随其后在 2008 年 9 月，有超过 1 000 个人在密歇根州的大急流城（Grand Rapids）进行了 20 多分钟的枕头大战，参与者都是在 Facebook 上听说的这次枕头大战。当 Facebook 上的年轻人通过这种方法发泄的同时，枕头大战也成了全世界的流行风尚。

　　作为一项营销工具，Facebook 也并未有丝毫逊色，如果商人们掌握了发起活动的方法，他们就能产生更加深远的影响。同样，Facebook 效应还代表了它所具有的类似于媒体的影响力。在 Facebook 上，每个人都可以成为编辑，成为内容的创作者、制作人或散布者。大家可以扮演传统媒体中的任何角色。Facebook 效应可以即刻集结一群同好，他们喜爱的可能是同一则新闻、一首歌或是一个 YouTube 视频。最近在写这本书的时候，有一天我不经意地看到朋友的新闻源里有"道琼斯指数上涨 3.5%"的字样，过去我只可能从雅虎新闻、广播或电视里获得这样的消息。

　　游戏，作为 Facebook 发展中最重要的元素之一，也意识到了 Facebook 效应的价值所在。好的游戏借助 Facebook 效应可获得每周 1 200 万忠实玩家的青睐。PlayStation、X-box 和任天堂 Wii 已经成为上一代人的玩具。而现在，所有的游戏平台都在尝试与 Facebook 连通。

　　当 Facebook 的用户增长到 5 亿时，我们在想的是，Facebook 效应是否会因为人群数量变得庞大而有所不同呢？它是否能够成为一种将当今政治宗教混乱、环境经济条件恶劣的世界重新聚合起来的力量呢？拥有一个聚合了来自世界上不同国家、不同种族、不同宗教信仰的人的通信工具，应该不是一件坏事吧，你说呢？

　　说到 Facebook 将世界聚合起来的能力，没有人能比彼得·泰尔（Peter Thiel）更相信这一点了。泰尔是一个典型的少数派，他对石油、外汇和股票的灵敏嗅觉使他拥有了上亿身家。同时他也是一位企业家，是现在被 eBay 收购了的 PayPal 的联合创始人和首席执行官。在 2004 年夏天，他是第一位向 Facebook 投资的风险资本家，从那时起，他就成了 Facebook 董事会的一员。

　　泰尔告诉我说：“21 世纪上半叶，投资行业最重要的主题是全球化的实现方式。没有全球化就没有全世界的未来。不断扩大的冲突和战争是阻碍全球化进程的重要因素之一，而现在拥有的技术能使全世界毁灭。如果全球化失败就没法进行投资。”这位世界上最伟大的投资人之一的言论让人振奋。“于是现在的问题就变成了进行什么样的投资能加速全球化的实现，而 Facebook 即是再理想不过的投资目标。”

　　2006 年夏天，一位公关人员打电话询问我是否想和马克·扎克伯格会面，在此之前我并没有过多注意 Facebook。我知道这会是很有趣的事情，于是答应了。身为《财富》杂志的高级科技编辑，我见过各种科技公司的领导人。不过当在曼哈顿市中心的高档餐厅和这位 22 岁的年轻人会面时，我实在难以相信他就是时下最著名科技公司的首席执行官。他看起来实在太年轻了！他开口说话了：“我们讲究效用，”他的声音很严肃，“我们并不是想让用户在网站停留尽可能长的时间。我们所做的是让人们可以在网站拥有好的体验，使他们在上面所花的时间有价值。”他不大喜欢开玩笑，并努力让我把注意力集中在他的公司和看法上，而且他做得很成功。

　　和他交谈得越多，我就越觉得他很像我经常会面的那些成功的但也更成熟的首席执行官和企业家，于是我不经意地跟他提到我觉得他是一个天生的首席执行官。在我看来，这是很大的褒扬，我从不轻易对人作出这样的评价，而他却觉得像被侮辱了一样，表情有些扭曲，厌恶之情溢于言表。"我从来没想过要运营一家公司，"几分钟后他这样说道，"对我来说，商业只是一种完成事情的方式。"在剩下的访谈过程中，他一直在说着那些只有拥有远见卓识的商业领袖才会有的见解。从那时起，我就坚信 Facebook 的价值将会提升。那次会面后，我写了一篇名为《为何 Facebook 如此有意义》的专栏文章。一年之后，扎克伯格邀请我去他的公司参观，以便写一篇关于 Facebook 将引入外部开发软件这一突破性进展的独家报道，我对 Facebook 的了解也开始更加深入。那一次的变革使全世界都改变了对 Facebook 的看法。在 2007 年末，我开始觉得它将成为世界上最重要的公司之一。如果真是这样的话，难道不应该写本书来说说它吗？

现在，Facebook 在加州帕洛阿尔托的总部有 1 200 名员工，年收入达到 5 亿美元。25 岁的扎克伯格依然是公司的首席执行官。由于他的决策力、战略头脑以及一点点运气，他依然掌控着公司的财政大权。如果不是这样的话，Facebook 很有可能会成为某个大型媒体或网络公司名下的附属站点。收购者们不断递出橄榄枝——如果他同意，几十亿美元就能成为他的囊中之物。而扎克伯格更多关注的是"把事情做好"和让更多人使用他的服务，而不是从中盈利。他将自己的想法、人格和价值观融入到公司的精神之中，使 Facebook 成了一个独立的个体。

作为公司的首席执行官，扎克伯格在过去几年中最大的任务是为公司招募经验丰富的商业拓展、营销和技术人员。他希望能使自己的注意力集中在媒体与用户进行互动的产品上，在他看来，这才是 Facebook 的真正价值所在。因此他把产品管理当作自己的首要工作。"我觉得那些最成功的科技公司的领导者们最关注的永远是产品，"他说道，"因为只有这样，才能保证其他工作的顺利进行。我们希望能够使世界更美好，而我们所采取的途径是制作出合适的产品。在我们公司，技术所占的比重最大。"

从 Facebook 成立之初，它就一直保持着简洁的界面，作为一个界面设计控，扎克伯格在上面花了很多心血。在他自己的 Facebook 个人页面上，他是这样描述自己的："率真、破坏欲、革命性、信息流、保守、动手制作、心无杂念。"尽管 Facebook 的创始人是一个保守的人，但 Facebook 却一直在开拓创新。Facebook 一直拥有最大的信息量，同时也是至今互联网上最大的分享网站。每个月有近 7 亿张图片添加到站点中，还有 400 万个视频和 1 500 万个诸如链接、日志、新闻之类的新内容，更不用说网站上那些小道消息、重大新闻、政治挑衅、生日祝福、挑逗、邀请、辱骂、俏皮话、冷笑话、散文和"捅一下"了。Facebook 上还有很多没有提到的东西。

对于那些有人认为没有必要上传的照片，很多在 Facebook 上对自己大吹特吹的年轻人是这样理解的：发布在互联网上的东西是没法完全删掉的。信息一旦曝光，想要再隐藏起来就没那么容易了。

Facebook 虽然流行，但永远无法替代面对面的交流。尽管很多人使用的目的不是这个，但是扎克伯格和他的同事们开发 Facebook 的初衷就是为了让人们能在网络上和现实中认识的人保持联系——你的朋友、熟人、同学或同事。本书将在记述 Facebook 及其竞争者的章节中详细交代 Facebook 和其他网络社交服务的不同之处。

Facebook 效应经常出现在一个小群体里的朋友之间。它使交流更加有效，可以培养共同点，增加亲密度。你的朋友会从你的状态更新中获得信息，比方说其他人会知道你过一会儿要去商场。

如果 Facebook 被在现实生活中已经认识的人用于在线上保持联系——这也是它的设计初衷，那么它将具有很强的感情影响力。它是一种基于两人之间真实关系的新型交流工具，能够使人们以一种新的方式进行互动。它会带来快乐，抑或痛苦，但是毫无疑问将改变 Facebook 用户生活的大方向。科技权威、作家、投资人伊瑟·戴森（Esther Dyson）认为："Facebook 是人们的首选平台。"

Facebook 和它之前的网络服务有很大的不同。首先，Facebook 的用户使用真实的身份登录网站。匿名、角色扮演、假名和冒充名人一直都是互联网上的主旋律，但是在 Facebook 上，你扮演的是自己。如果你在 Facebook 上使用假身份或浮夸信息的话，你可能体验不到 Facebook 的优越性所在。如果不使用真实的身份，你的朋友不会去找你，而 Facebook 上的好友却是验证你身份的重要证据。但归根结底，想要通过这样的严格验证，你还是得用自己的真名。还有人直接在个人页面上放了自己的照片。

坚持使用真实身份意味着隐私保护和对用户的控制。虽然有时不太奏效，但是扎克伯格和公司的其他员工称他们非常关注隐私保护。"交友使用的真实身份是保护隐私的最终关键。"Facebook 隐私总监克里斯·凯利（Chris Kelly）说道，他最近离职竞选州司法部长。"如果你不认识网上的好友，那你的隐私就有危险。

如果你网上的好友都是你认识的人，那么你就能够做出正确的选择来决定谁能看到、谁不能看到你的信息。"

在本书的后几个章节中，我们将对于隐私这一用户关心的问题进行详细描述。Facebook 的用户们感觉不到他们的隐私受到了保护，所以经常会对此抱怨不停，不过 Facebook 能够很快平息用户的怨气。然而事情却没有那么简单——不仅仅是用户关注隐私问题，扎克伯格对此也很在意，他意识到 Facebook 最终能够成功的关键在于它能否保护用户的隐私。最近公司正在努力简化并加强隐私设置。

Facebook 效应带来的社会变革并不一定全是积极的。每个人都开始公开自己的个人生活意味着什么？我们是否已经变成了一个由展示者组成的国家或世界呢？很多人仅仅把 Facebook 看作生活的一小部分，这些人把 Facebook 作为自恋的平台而不是交流工具。其他人则质疑如果一个人的行为甚至想法始终能够被朋友知道的话，他的成长和改变的能力会受到什么样的影响？这是否会导致大量模式化的生活呢？那些天天呆在 Facebook 上的年轻人失去了体验真实世界变革的能力了？我们是否过分依赖朋友作为信息的来源？ Facebook 是否只能带来信息过载？我们是否会变得不那么消息灵通呢？

Facebook 上成为他人的一个"好友"意味着什么呢？ Facebook 的用户平均拥有 130 个好友。而在现实生活中，你是否有可能真的有 500 个好友呢？（我有 980 个好友，在书中会详细写到这些。）那么 Facebook 的上限是 5 000 个好友，谁有可能达到？对于有些人来说，Facebook 会产生一种友谊的错觉，时间长了以后会产生孤独感。至今还没有相关数据显示这一现象的范围有多广，不过基于我们对电子媒体的应用，在今后几年这样的问题将会受到广泛关注。

有一次，我和扎克伯格去了距离 Facebook 总部一两英里的一个很低调的法式餐馆吃饭。我们边等上菜边聊天。我问他在他刚建立 Thefacebook（Facebook 的前身）时是怎么想的，以及他是如何看待 Facebook 的演变的。得到的回答很直率，点到即止。他的耿直让人着迷。

"我的意思是说，假设你在大学里，整天会学习理论，对不对？然后你就会用这种抽象的方法来思考事情，这样非常理想化，也非常自由。所以诸如世界需要由人来治理这样的理论就会天天萦绕在你耳边，这些说法让我定了型，这也是 Facebook 将要改变的状况。"

"达斯汀、克里斯（他的哈佛室友）和我们一起上计算机科学课程的几个人经常坐下来聊天。我们会谈到世界的透明化趋势，（由于互联网的作用）随着信息的开放和分享程度越来越高，将会不可避免地改变重大事件的走向，但是当时我们并不知道我们处于这些改变的风口浪尖之上……我们只是一群在上学的孩子。一点一点地——越来越多的学校想加入进来，然后是越来越多的人想要这个……然后这样的情况会越来越多，最后我们就只能'哇噢'了。"

"后来有一天，我们发现自己成了推动这些事情发生的领路人，然后就有点震惊了……我们那帮人一看就知道都是那种只说不做的知识分子，基本上只是在学校里聊聊关于信息透明后，人们改变世界或者管理机构的方式的变化——简单说来就是'也许其他人不是去推动变化，只不过是让这个群组里的那些本来就有这种想法的人把这种价值观推广出去。那么我们就不应该放弃，应该继续下去'。"他笑了起来。

马克·扎克伯格是那种从来都不服从权威的人，Facebook 的建立就是因为他看不惯哈佛自己不愿意建立 Facebook 站点。然而他建立的 Facebook 使个体拥有了成为权威的可能，Facebook 所提供的服务加强了每个人的档案和行为的影响力，使原有的权威黯然失色。扎克伯格在建立 Facebook 的同时也将自己的力量加入进来，这使得用户们的影响力更加强大。

Facebook 把全世界聚合在了一起，成了全世界不同地区的人们，尤其是年轻人所共有的文化体验。尽管它在刚刚起步时仅仅是一个 19 岁男孩的校内制作，然而现在它已经成了现代生活中前所未有的技术奇迹，无论在公共领域还是私人空间都有着很强的影响力。加入 Facebook 的用户年龄各异，来自不同地区的不同阶层，说着不同的语言。Facebook 也许是历史上由完全不同的人聚合在一起的成长最快的团体。在智利和挪威，Facebook 的影响力甚至超过了美国本土。它改变了人们交流和互动的方式，颠覆了商人营销、政府监管的方式甚至包括公司运作的概念。它改变了政治的影响力，甚至在某些国家会影响到当地的民主进程。Facebook 现在已经不仅仅局限于充当孩子们的消遣工具了。

如果你正在使用互联网，那么你肯定会想用 Facebook。它是世界上访问量第二大的网站，仅次于 Google，根据网络数据服务公司 Alexa 的记录，在全世界互联网用户中有 29% 在使用 Facebook。在 2005 年秋，Facebook 向高中学生开放，而在 2006 年秋，Facebook 则面向全社会开放。现在，来自世界各地的用户每天要在上面花费 26 亿分钟，用户的增长速率也高得匪夷所思——每个月增长 6%。如果互联网用户和 Facebook 用户的增长速率保持一致的话，那么到 2012 年所有的互联网用户都会去使用 Facebook。

当然这肯定是不可能的，不过 Facebook 已经有了 70 种不同的语言，而且超过 70% 的用户是在美国境外。根据 InsideFacebook.com 出版的《Facebook 全球观察》（*Facebook Global Monitor*）上的数据，在美国本土，有 97% 的 Facebook 用户是活跃用户。换而言之，Facebook 拥有数量等同于 32% 美国人口的活跃用户，这听起来也许令人印象深刻。但是在加拿大，全国人口的 43% 在使用 Facebook。在智利，全国人口的 35% 在使用 Facebook，而这个人数已经超过了智利全国网民数量的一半。当然，用户数最多的还是美国本土。而排名第二的是 11 个国家并列，按顺序是英国、土耳其、加拿大、法国、意大利、印度尼西亚、西班牙、澳大利亚、菲律宾、阿根廷和哥伦比亚。根据《Facebook 全球观察》的统计，用户数增长最快的国家和地区有中国的台湾地区、越南、马其顿、捷克共和国、泰国、葡萄牙、斯洛文尼亚和巴西。

与其他网站和技术公司不同的是，Facebook 的服务是真正围绕用户展开的。它是一个可以使人们超越自己生活的平台，是一种新型的交流方式，它和即时信息、电子邮件、电话和电报差不多。在互联网建立之初，有人说每个人最后都将拥有自己的个人主页。而现在，这个预言真的实现了，不过这样的个人主页是属于 Facebook 这个社交网络之内的。Facebook 通过连接所有的主页使人们拥有了全新的体验。

然而 Facebook 拥有的规模、成长速度和社交洞察力所带来的是一系列关于社交、政治、监管和政策的复杂问题。Facebook 是如何改变用户与现实社会互动的？极权政府是如何应对新形势下的舆论力量的？对于这样一个由一家公司完全引导起来的上亿人的团体，我们又有何感想呢？如此大的用户群是否需要管理呢？我们把如此多的个人信息放在这个商业网站上是否有风险呢？像这样的问题会随着 Facebook 的不断扩张而越来越多。

本书将集中分析以上的问题。不过我们首先需要知道的是，Facebook 是如何从马萨诸塞州剑桥市的一个集体宿舍中一个躁动不羁的 19 岁男孩的想法开始起步的。只有知道了这些，才能去探讨 Facebook 是如何变成了一家如此惊人的公司以及它的未来走向。

第 1 章

从哈佛宿舍开始

我们已经掀起了哈佛大学内广受追捧的 Facebook 风潮。　🔍

2003 年 9 月，哈佛大学大二学生马克·扎克伯格拖着一块两米多长的白板走进他在柯克兰宿舍楼的寝室。这种板是电脑高手用来激发灵感的工具，虽然它既不小巧也不灵便，画在上面的图表也只展示了一些大而化之却不易实现的想法。在扎克伯格住的四人间寝室里，只有通往寝室的门厅里能摆得下这块板子。就这样，计算机专业的扎克伯格开始了在白板上写写画画的日子。

板子上很快就写满了眼花缭乱的方程和符号，还到处延伸出弯来扭去的各种颜色的线条。而扎克伯格就站在寝室客厅里盯着写在上面的东西，手里攥着记号笔，假如有人经过就把白板推到墙边。有时，他会退到房间门口以便看得更清楚。作为扎克伯格的三个室友之一，达斯汀·莫斯科维茨回忆道："马克真的喜欢那块白板。即使未必会让自己的想法更清楚明了，他也总想在板上把它们表达出来。"扎克伯格的很多构想都与互联网的新型服务有关。他花了大量时间编写软件，不去计较会碰到多少无法运算的问题，甚至工作到废寝忘食的地步。不对着白板演算的时候，他就会坐到书桌上的电脑前，沉浸在屏幕上呈现的计算中。屋子的一边是他没丢掉的成堆的饮料瓶和食品包装。

就这样过了一周，扎克伯格把他称为"课程搭配"（Course Match）的作品拼凑起来上线，形成了一个十分稚嫩的网络项目，他这么做纯属为了给自己找乐子。这个设想的目的是帮助学生们根据别人的选课来确定课程表。只要在网页上点击一门课程，就能发现谁报名选学这门课；或者点击一个学生的名字就能看到他选择了哪些课程。比如说在拓扑学课上有一位可爱的女生坐在了你身边，那你现在就可以知道她是否已报名学习下学期的微分几何课，或者你只需要点击这位女生名下的链接就能查看她选了哪些课程。连扎克伯格后来提起此事时也对自己的远见颇感自豪："通过事物就可以把人联系起来。"很快，有数百名学生开始使用"课程搭配"。看重身份的哈佛学生觉得这种以人定课的选课方式相当独特，扎克伯格编写的程序正是他们想要的。

马克·扎克伯格个子不高，身材瘦削，浓密的棕色卷发下是一张带着淡淡雀斑的脸，这让他看起来根本不像 19 岁，倒更像是 15 岁左右的年纪。他常穿着宽松的牛仔裤，即使冬天也脚踩橡胶凉鞋，时常套着一件图案或文字让人出乎意料的 T 恤。在开发"课程搭配"期间他穿过的一件 T 恤上画着一只小猴子，上面写着"代码猴子"。周围都是陌生人时，他安静寡言，但那只是假象，因为一旦开口，他就成了另一个人。当其他人充分表达自己的想法时，扎克伯格通常不会开口说话，而是盯着对方。他习惯于看着说话的人，自己完全保持沉默。假如对方说得很有启发性，他最后就会滔滔不绝地讲出自己的看法。可如果对方说得太久，或者谈话内容都是些显而易见的，他就会识破这一套，等对方讲完了，他会轻轻回一声"是啊"，然后转换话题，或者转身离去。扎克伯格深谋远虑，很有想法，考虑问题非常理性。他的书写细心工整，字写得很小，有时他就用这样的字迹在笔记本上密密麻麻地记下那些长篇大论的观点。

女孩子们会被扎克伯格玩世不恭的笑容吸引。他身边从来不缺女伴，她们喜欢他的自信、幽默和对权威的不屑一顾。他经常摆出一副信心满满的表情，好像在说："我知道自己在做什么。"正如人们所知，扎克伯格有一种不论做什么都可以让一切进展顺利的能力。到目前为止，事实也的确如此。

在入学申请得到哈佛大学批准的前两年，他几乎赢得了在高中时期能得到的所有荣誉和奖项，获奖科目中有数学、天文学、物理学和古典语言。他还是击剑队队长和最有价值的队员，能读写法语、希伯来语、拉丁语和古希腊语。哈佛大学拥有极高的社会地位，它既没有走亲民的大众路线，也不是曲高和寡、鲜为人知。扎克伯格就读的菲利普艾斯特中学是一所精英云集的高中，那里的学生能进入常春藤联盟的任何一所高等学府。不过，他转学到那所中学的原因却让人啼笑皆非。他之前在纽约市北部的一家公立高中上了两年学，后来觉得厌烦了才决定转校的。

扎克伯格的父亲是牙科医生，母亲是心理学家，他在家里四个孩子中排行老二，是唯一的男孩。他们家的屋子虽然在当地是面积最大的，但一直保持低调。整套房屋的地下室设有牙科诊室，其中一个巨大的养鱼池占据了大量空间。扎克伯格的父亲是个善于表现的人，人称"无痛 Z 医生"。他在网站上宣称"我们能让胆小怕疼的人满意"，他的家庭诊所外挂着一块招牌，上面画着一位惊慌失措的看牙病人，极具喜剧意味。扎克伯格的姐妹们也和他一样是学习尖子。扎克伯格从小就爱好科研，他的成人礼的主题是"星球大战"。

扎克伯格住的套间属于柯克兰宿舍里面积最小的那类。这种套间有两个卧室，每间卧室里都摆着上下床铺和一张小书桌。他的室友克里斯·休斯（Chris Hughes）是个浅黄色头发的英俊小伙，主修同志文学及历史，对公共政策有一定兴趣。这两个人把上下铺拆了，因为这样就没有人会睡在谁的上面，显得更公平。但如此一来，两张单人床就占去了卧室里几乎所有的空间，没有可以活动的地方了。那张书桌其实没派上多大用场，上面堆的都是废旧垃圾。另一间卧室里住着莫斯科维茨和比利·奥尔森（Billy Olson）。勤奋的莫斯科维茨留着一头爆炸卷发，主攻经济学，丝毫没有文弱书生的样子。而奥尔森是一个业余戏剧演员，天性顽皮活泼。

每个男生在套间的公共房间里都有一张书桌，书桌之间放着两把简易坐椅。这里像套间的其他地方一样杂乱，扎克伯格习惯在自己和别人的桌上随手乱堆乱放。他喝完了啤酒或红牛饮料就把空罐子留在桌上，一放就是几星期。莫斯科维茨的女朋友有时会过来把这些桌子收拾整齐，扔出去一些垃圾。当扎克伯格的母亲来到宿舍时，她会环视着屋子很不安地为自己儿子的邋遢向莫斯科维茨道歉，并解释道："他从小到大一直有保姆照顾。"

三楼的这些小房间拥挤不堪，男生们生活在这里却比住在更宽敞的环境时更加亲密无间。扎克伯格生性耿直，有时甚至坦率得毫无顾忌，这一点也许遗传自他的母亲。尽管寡言少语，他还是这群人中的领导者，这仅仅因为他经常领风气之先。于是，直截了当就成了这个套间里惯有的交谈风格，这里没有多少隐瞒的秘密。四个人之所以能和谐相处，部分原因在于他们知道每个人坚持的立场。因此，他们非但没有相互招惹嫌弃，而且还参与了别人从事的项目。

互联网是永恒的主题。莫斯科维茨几乎没有接受过专门的培训，但天生热爱电脑编程。对于什么样的在线服务有意义，什么没有意义，什么可以打造一个优秀的网站，什么对此毫无帮助，什么会或不会不断减少互联网对现代生活方方面面的影响，莫斯科维茨始终能巧妙地回答扎克伯格。刚开始，休斯对电脑还毫无兴趣，可半年后他也开始沉迷于讨论编程和互联网，并提出了自己的想法，莫斯科维茨的室友奥尔森也经历了这种转变。随着扎克伯格提出一个个新的方案，其他三个男生会就如何构建程序提出了无数建议。

在柯克兰宿舍 H33 套间的公共房间里，常春藤在校生的优越感和网虫的高超技术在此完美结合。这里所发生的一切现在看来非同一般，但在那时却极为寻常。扎克伯格可不是唯一一个在寝室里为事业奋力拼搏的创业家。在哈佛大学，这并不是多么值得一提的事情。在那里，每个大厅里都有才华横溢又享有优越感的天之骄子。

在哈佛，学生们被视为未来世界的主宰者。而扎克伯格、莫斯科维茨和休斯当时不过是三个喜欢纸上谈兵的书呆子。他们还没有过多地考虑到要主导世界，但从他们不够整洁也不够宽敞的寝室里却萌发出了一种力量以及足以改变世界的观念。"课程搭配"的意外成功激励了扎克伯格，他决定尝试其他想法。他的下一个项目是在同年 10 月推出的 Facemash，这个网站让其他哈佛人第一次见识到了扎克伯格叛逆不羁的一面，该项目旨在标记出校园内最炙手可热的人物。使用这种计算机代码就像是在给棋手排名（也许还能用来为击剑者排列名次）。扎克伯格邀请用户比较两位同性同学的相片，指出谁的人气更高。假如一位同学的评分等级更高些，那么此人的相片就会用来与其他更受欢迎的学生做比较。

扎克伯格保留了自己当时的一篇日志，出于某种原因他把这篇日志和软件放在一起。日志的内容暗示他本人在寄情于这个疯狂的想法时正为一个女孩子灰心丧气，其中写着："她就是只母狗，我要想些别的事来把她忘掉。"他接着写道："老实说，我有点不能自拔了。"细想之下，日志里可能描绘出了让他把学生比做农场动物这种想法的原委。然而，根据日志记载，是比利·奥尔森提出了把人与人作比较的点子，他建议偶然情况下才引入一种农场动物。到项目推出时，所有关于动物的构想都没有成为现实。据日志所述，整个项目在经过了连续 8 小时的编写后，于凌晨 4 点大功告成。扎克伯格在继续记录 Facemash 的发展时这样写道："该来点贝克啤酒了。"

Facemash 网站上的相片来自哈佛大学每间本科生宿舍都保留着的"花名册"（facebook）。其中都是新生入学时拍摄的照片，拍照时这些学生一概姿势笨拙、表情窘迫，很少有人会承认自己拍了这种相片。扎克伯格灵机一动，设法获取了哈佛大学 12 间宿舍里其中 9 间住宿生的数码相片。哈佛校园的日报《哈佛深红报》（*Harvard Crimson*）将这种手法斥为"野蛮编程"。因为在大多数情况下，扎克伯格都能轻而易举地做网络黑客。罗威尔宿舍的一位朋友让他能暂时使用自己的帐户登录（后来这位朋友拒绝再提供这样的方便）。扎克伯格还偷偷溜进另一个宿舍楼，利用楼里的一根局域网线下载了宿舍内部网络上的姓名和对应的相片。

这类不正当行为使扎克伯格受到指责，可他却一意孤行，大有火上浇油之势。在行事前他从未征求许可。事实上，他并非有意违反规定，只不过根本没太注意它们。

2003 年 11 月 2 日是个星期日，那天下午扎克伯格开始在自己那台接入互联网的笔记本电脑上运行 Facemash 网站。在 Facemash 的主页上有这样的问答："我们会因为自己的长相而被哈佛录取吗？不会。""别人会评价我们的相貌吗？是的。"扎克伯格把网站链接发给少数朋友，然后声明只想让他们试验一下，提出建议。而一旦人们开始使用，就有些欲罢不能。由此 Facemash 很快在未公开的状态下一炮走红。

尽管《哈佛深红报》的评论斥责扎克伯格的行为是"迎合哈佛学生最低俗的风气"，但他们的报道也在某种程度上淋漓尽致地表现出了这套程序散发的魅力："斜眼看人的怪僻大四生和你的中世纪手抄本中某个章节里的迷人角色——点击！你的室友和安娜伯格食堂里总盯着你看的年轻人——点击！两个你最好的朋友，同样的出类拔萃——这还用犹豫吗，点击、点击、点击选择吧！像这样以浅显的标准评价周围人而无需直接面对任何评判对象，我们哈佛学生当然会为之着迷。"的确如此，这很有趣。

住在扎克伯格隔壁寝室的一位同性恋学生非常开心，因为在被关注的第一个小时内他的相片就在 Facemash 上排名为最吸引人的男生。当然，他也让自己所有的朋友关注了这个网站，那些学生也开始登录网站。当扎克伯格晚上 10 点开完会回到房间时，他的手提电脑已经因为太多 Facemash 用户蜂拥而至而死机了。但住在扎克伯格附近的同学并不是唯一留意到 Facemash 的，两个女性团体——拉丁美洲女子问题组织（Fuerza Latina）和哈佛黑人女子协会（Association of Harvard Black Women）的成员开始对他进行抗议。哈佛大学的计算机服务部

19

门很快行动起来,在当晚大约 10 点半左右关闭了扎克伯格的网站。到关闭时为止,已经有 450 名学生访问了网站,对 2.2 万张相片进行了投票。

随后,校内负责纪律惩戒的管理委员会将相关发起的学生全部召集起来,除了扎克伯格外,还有那位把罗威尔宿舍局域网密码透露给他的学生、他的室友比利·奥尔森(正如网上日志提到的,他提出了创意)以及曾助 Facemash 一臂之力的大三学生乔·格林,他所住的套间与扎克伯格的只隔着一道防火门。由于 Facemash 网站的操作在安全性、版权和隐私方面违反了校方的行为准则,管理委员会宣布对扎克伯格留校察看,并且要求他去咨询法律顾问,不过其他学生并未受到处罚。假如扎克伯格在 Facemash 上保留农场动物的相片,他很可能就不会这样轻易地逃脱惩罚了。他向妇女团体道歉,称自己只将这个项目视为一项计算机学科的实验,完全没有想到会流传得如此之快。

格林的父亲是位大学教授,他来看自己儿子的那天晚上正逢扎克伯格在搞庆祝,欢庆自己没有因为 Facemash 受到较重的惩处。扎克伯格在外面买回了一瓶唐培里侬香槟王(Dom Perignon),兴高采烈地和柯克兰宿舍的左邻右里们分享美酒。格林回忆道:"我父亲当时极力灌输给马克的观念是,这次事件确实性质严重,差一点就要害得他停学了。可马克没把这放在心上。所以我父亲离开时就认为我不应该再参与马克的项目了。"后来的事实证明这道禁令的代价相当高。

而对其他人来说,这段意外插曲却是一个清晰的信号:扎克伯格能创造出让用户爱不释手的产品。这有些出乎他的室友们的意料。他们都知道,微软和其他公司以前曾与扎克伯格就购买他与一个朋友合作的程序进行过商谈,那个程序是他在艾斯特中学时做过的一个项目的升级版,名为 Synapse。这种软件能根据用户喜好的音乐类型推荐其他同类歌曲。扎克伯格的朋友都将其称作"头脑"(The Brain),并且在听说他会为此得到百万美元时激动不已。他们希望假如交易达成,扎克伯格能买一台超大的平板电视摆在公共房间里。

扎克伯格不断创建出一些在网上运行的小程序,其中有一个能帮助他快速强记"奥古斯都时代的艺术"的考试内容,这门课他在第一学期里几乎一堂都没有上过。快到期末的时候,他将课程有关的图像拼成一系列的图片,然后发电子邮件给其他班上的同学,邀请他们登录局域网观看这些图片,用这种方式促进他们研究探讨,并且在每幅图片旁边添加评语。评论全部结束后，扎克伯格花一个晚上细读所有评价，从中得到启示，最后通过了期末考试。他还写了一个自称为"哈瑞·刘易斯的人际六度空间"(Six Degree of Harry Lewis)的程序，以此向计算机学教授哈瑞·刘易斯致敬。该程序利用《哈佛深红报》上刊载的文章辨析相关人物间的关系，并基于这些与刘易斯有关的文章链接描绘出一个异想天开的相关人际网。只要输入任何一位哈佛学生的名字，该软件就能展示出这个学生与刘易斯教授有怎样千丝万缕的联系。

扎克伯格也替其他网络项目操刀。Facemash 风波后，他参与创建了哈佛黑人女子协会的网站，由此与这个团体尽释前嫌。他还和三个大四学生联手建起了一个名为哈佛联谊会的约会与交谊网站。这三名学生想推出一种服务，服务特色包括使用户了解聚会信息、提供酒吧的折扣价。三人中有一对是身强体壮的孪生兄弟卡梅伦·文克莱沃斯(Cameron Winklevoss)和泰勒·文克莱沃斯(Tyler Winklevoss)，身高都超过 1 米 9，两人都在校队做赛艇桨手，迪夫亚·纳伦德拉(Divya Narendra) 则是两兄弟的朋友，但他们都不是编程员。纳伦德拉在《哈佛深红报》上读到了 Facemash 的报道，在那年 11 月找到扎克伯格帮忙。三个学生决定出资请他为这个服务构想编写程序。

"我只不过喜欢编些小项目，"扎克伯格如今这样说，"那一年我做了 12 个项目。当然，哪个项目都不是我全权负责。"他说，大多数都是关于"发现人们如何通过相互参照建立联系"。

扎克伯格对建立交际性网站产生兴趣始于 2002 年夏天。当时他住在哈佛商学院的宿舍，已经和女朋友分手，同住的是两个在艾斯特高中时的朋友。一位叫亚当·德安杰罗 (Adam D'Angelo)，此前同扎克伯格一起研发了 Synapse 和音乐推荐软件，而今在加州理工学院计算机系学习。另一位密友金康新(Kang-Xing Jin) 在哈佛主修计算机专业。三个人都做过要求不严但又收入不菲的编程工作。单身汉扎克伯格有很多时间可以与朋友长谈，讨论接下来什么产品最适应互联网需要。

德安杰罗前一年在加州理工学院的寝室里已经推出过一个名噪一时的项目，叫做 Buddy Zoo。它邀请用户把自己在 AIM（在线即时通信软件）上的好友列表上传到一个服务器，然后将这一列表与其他人上传的作比较。用户可以看到谁和自己拥有共同的朋友，由此也展示了个人的社交圈子。AIM 当时是许多美国人生活中的交流工具。成千上万的 AIM 用户体验了 Buddy Zoo，这款产品已经在网上小有名气了。德安杰罗根本没有商业化这一软件，最终任它自生自灭。但是，这指出了一条希望之路。

寒假期间，扎克伯格对另一个项目的编程产生了浓厚兴趣，因此很想尽快完成手头的项目。对于那个新项目，他那些不明所以的朋友投入的关注度并不比扎克伯格对在同一年推出的其他项目高。

2004年1月11日，扎克伯格在网上向域名公司 Register.com 支付了 35 美元，注册了 Thefacebook.com 一年的域名使用权。建立这个网站的构想借用了"课程搭配"、Facemash 以及扎克伯格参与的网上服务项目 Friendster。Friendster 是一个社交网站，它邀请用户创立自己的"个人简介"，在这个网上填写个人爱好、欣赏的音乐和其他相关个人资料。通过这样的服务，用户可以将自己的简介与朋友的链接起来，由此确立他们自己的"社交圈"。

Friendster 和当时绝大多数社交网站一样，主要帮助用户建立交友约会的关系。这类网站的设想是，用户能在网上查看朋友的朋友时，也许会找到发展浪漫感情的机会。Friendster 在之前的一年曾风靡哈佛，也似乎一夜之间就席卷了全美数百万用户，因此而造成的技术问题导致登录缓慢、难以访问，于是在哈佛失去了人气。也是在 Friendster 曾经风光的那一年，另一个更为有名的社交网站 MySpace 于 8 月在洛杉矶启动。它很快发展壮大，拥有了约百万用户，不过在哈佛并没有引起太大的反响。

哈佛学生好几个月以来一直向校方请求，呼吁要把每个宿舍保存的"花名册"全部集中在网上发布，从而可在互联网上搜索到这些照片。扎克伯格就曾经为建 Facemash 而从那些"花名册"中收集取材。观赏这些相片已经成了一种大众娱乐活动。哈佛校内原本有一份叫 Freshman Register 的肖像影集，每年刊发一期，但拍摄对象仅限于入校新生。这本刊物的副本在很多学生中传阅批注，男生们会把相片中长得最美的女孩圈出来。

目睹 Friendster 成为现实，学生们开始向往一本在线的肖像集，建立在线目录显然并不困难。假如一位旧金山的企业家能推出 Friendster，为什么哈佛的管理机构不能如此呢？这种想法在整个学校广为流传。那一年，许多学院的学生都敦促校方在网上推出学生肖像集录。《哈佛深红报》道出了需要建立在线"花名册"的多种参考来源。编辑们认为，如果一名学生能创造 Facemash，那一个程序员就没有理由做不出在线的肖像影集。2003年12月11日的那一期报纸上赫然打出这样的标题："在网上放一张快乐的脸：整个学院的电子肖像影集娱乐大众、有益大众。"刊载评论的编辑切实描述了如何设立一个电子"花名册"。

这篇文章强调，在这样的网络系统里，学生需要管理他们的个人信息。那年秋天，扎克伯格选修了一门图论方面的数学课。学期末，所有修这门课的同学晚饭时一起出去聚餐，就餐时大家谈到了建立一种"通用肖像影集"的需求。于是，扎克伯格假期回家就创立了Facebook网站。

"对哈佛来说，这绝对是个不太像话的事物，"扎克伯格的一名同班同学，也是他的一个朋友说道，"哈佛人总说要做一个统一的肖像影集，但他们都担心怎么取得相关资料，觉得有法律上的问题。马克想到了让大家自己上传信息，这样就解决了难题。"事实上，扎克伯格后来透露，正是《哈佛深红报》上关于Facemash的报道让他产生了建立Facebook的最初想法。那篇报道说："只有在网站对自愿上传个人相片的学生进行限制时，许多围绕着Facemash出现的麻烦才能消于无形。"

扎克伯格希望建立基于真实学生信息的可靠目录，这样的愿望与由报道而生的简单想法相结合就形成了Facebook的核心理念。"我们的项目仅仅开通了一条帮助哈佛人分享更多信息的道路，"扎克伯格说，"这样一来，大家就能更多地了解到校园里发生了什么。我想做到这一点，所以建立了能得到所有人信息的渠道，而且每个人也都能与人分享自己希望共享的一切信息。"

他为哈佛学生提供的新服务并不是像Friendster那样的约会网站，而是一个极为基础性的交流工具，旨在解决如何对校友保持关注并了解他人近况等简单问题。扎克伯格的一些朋友推测，创建这个网站也能处理他本人性格内向带来的困扰。假如一个网虫对面对面和人打交道感到不自在时，为什么不建一个网站让人与人的接触变得容易点儿呢？

Facebook的另一个灵感来源是AIM用户在"暂时离开"时留下的留言信息，AIM用户通常用这些简洁精练的短语展现自己的创造力。虽然只能留下寥寥数语，用户仍然不忘运用政治辞令和幽默来描述"我有事先走开一下"。对扎克伯格而言，AIM的暂时离开留言非常重要，无怪乎他早期的一个软件项目就是可以在朋友留言改变时提醒他的工具。Facebook会成为AIM离开留言与提醒工具的有力结合。这个网站拥有用户更多的个人信息，用户的朋友也就能跟进了解用户的近况。如今的Facebook状态更新就能追溯到这种直接支持AIM离开留言的传统。

"课程搭配"与Facemash都是通过扎克伯格的手提电脑连接上寝室内的网络运作。不过，前者的成功损坏了电脑硬盘，使扎克伯格丢失了大量数据。哈佛管理委员会因Facemash事件而处罚他的部分原因在于他利用哈佛的网络存储网站数据，因此这次他采取了更为慎重的方式。在网上搜索了解后，扎克伯格找到一家名为 Manage.com 的信息存储公司，用自己的信用卡每月支付 85 美元的电脑服务器空间存储费用，把 Facebook 的程序和数据存放在那里。这是独立的网站，而不是哈佛大学校园网络的一部分。虽然扎克伯格并不确定，但他在潜意识里觉得，这样一来自己的网站就不仅是一种娱乐媒介了。

扎克伯格认为情形会非同一般的另一个征兆在于：他与具有商业头脑的同学爱德华多·萨维林（Eduardo Saverin）做了一笔交易，以 Facebook 三分之一的股权作为交换得到了少量投资，以此帮助网站走出了经营困境。扎克伯格在犹太学生联谊会（Alpha Epsilon Pi）上结识了萨维林，当时他们都刚加入这个团体不久。萨维林明确了假如 Facebook 成功运作，那么将如何赚取利润。他出身于一个富有的巴西商业大亨家庭，家教很好，深受大家欢迎，那时在学校的投资俱乐部里担任办事员。他还是一位出色的棋手，并被他的朋友们看作数学天才。扎克伯格和萨维林这两位 19 岁的年轻人同意各自为 Facebook 投入 1 000 美元。乔·格林表示，扎克伯格也将萨维林视作商业伙伴。而当乔考虑加入时，他的父亲格林教授听说后"有些发脾气"，所以乔拒绝合伙。后来他总是苦笑着把这称为自己犯下的"数十亿美元的错误"。

2004 年 2 月 4 日星期三下午，扎克伯格点击了自己在 Manage.com 的帐户链接，Facebook 从此启动。在它的主页上写着："Facebook 是一个在线目录，它将校内社交圈的人们联系到一起。我们在哈佛大学内掀起了广受追捧的 Facebook 风潮。你可以在 Facebook 上：搜寻自己学院的同学；找到自己班级的同学；查找自己朋友的友人；勾画出自己的社交圈子。"扎克伯格为自己申请了从一号到四号四个登录帐户（前三个都是为测试使用）。五号是室友休斯，六号是莫斯科维茨，七号是萨维林。扎克伯格的朋友，也是同学之一的安德鲁·麦克科伦（Andrew McCollum）以网上找到的阿尔·帕西诺（Al Pacino）头像为蓝本，将数字一和零覆盖在上面，设计出一个标志——这些是数字媒体的基本构成部分。

这个服务最初流传得很快。网站的首批用户是扎克伯格那些住在柯克兰宿舍的左邻右舍，他们发邮件给其他学生，邀请对方加入并结成好友。有人还建议给柯克兰宿舍邮件名单上的所有学生群发邮件，这栋宿舍楼的总人数大约是 300 人。转眼间就有几十人注册。

就这样，Facebook 开始了井喷式增长。网站开通后第四天是星期日，截至当日，注册的学生已达到 650 人左右，星期一又有 300 多名学生加入。Facebook 几乎立刻成为哈佛校园食堂和课间的热点话题，大家都爱不释手。

在这个网站上注册时需要一张单人照和少量个人信息以创建个人简介。注册过程中要明确自己的相关状况，会从下拉式菜单中选择：单身或者未确定伴侣关系，还要确定自己的电话号码、AIM 用户名、邮箱；说明自己选修的课程（这是受"课程搭配"启发的一个特色）；最喜欢的书、电影和音乐；参加的团体；政治立场；态度（十分开放/开放/稳健/保守/十分保守/冷漠）以及最爱的名言。Facebook 自身没有内容，它不过是一个程序，是为满足客户需要而提供的一个平台。

由于隐私管理是最初设计的一部分，所以有一些重要的限制要求：没有哈佛大学地址的邮箱就不能注册，而且登录者必需使用真实姓名。这使 Facebook 具有排外性，但也确保了用户的资料绝无虚假。扎克伯格后来向《哈佛深红报》透露，他希望隐私选项会有助于在 Facemash 事件引起学生愤怒后重塑自己的声誉。通过这种方式让用户的身份真实有效，也使 Facebook 与此前互联网上包括 Friendster 和 MySpace 在内的其他网站有着根本区别。在这个网站可以设置隐私选择，决定具体哪类人能看到自己的个人信息。这类限制可以设为在读学生、自己班级的同学或者在自己住处的舍友。

一旦设置完个人简介，网内互动就开始了。这个过程很受限制。在邀请其他人成为朋友以后，用户会看到自己的社交关系图表，其中显示出与自己有联系的所有人。用户也可以指向其他人，Facebook 上称为"捅一下"其他用户。只需要在对方的页面上点击一下，对方的主页上就会显示出被"捅"的迹象。这意味着什么呢？对此扎克伯格在网站上贴出了他漫不经心的回答："我们认为这是有趣的做法，是一种没有特别意义的特色……那么就随意运用这个功能吧，因为你不会从我们这里得到解释。"

Facebook 上的许多活动最初都是年轻人荷尔蒙作用的结果。在那里你会被问到是否对男性或女性"感兴趣"。此外，那里还会对是否列出与他人的关系提出建议，并且要求用户填写标示为"寻求"对象的内容。一个经常选到的选项是"随意不限"。在"捅一下"别人时，被捅的状态只会显示在对方的简介上，对方也能回捅自己。至少对一些学生而言，这种互动有着明显的性意味，毕竟这是面向大学的网站。

另一方面，很多人会发现 Facebook 拥有实际又全面的作用——在班上建起研究小组、为社团安排会议、发布聚会的通知。这个网站是自我表现的工具，甚至在其发展初期，用户们就开始意识到个人的许多方面都能在网页上展现出来。

对许多学生来说，Facebook 的另一特色是它的及时性。在网上点击一门课程就能看到谁选修了这门课，就像"课程搭配"的功能一样。网站推出时学生们正在选择此后一学期打算修习的课程。这个时期在哈佛被称为"采购周"，课程都于此时才开始，但学生能自主决定添加或放弃哪些课程。就哈佛学生而言，确定自己的选修课部分基于谁与自己一起上课。因此，Facebook 的这个特色立即就能派上用场。这有助于解释网站成立之初为何能快速推广，以及扎克伯格为何在那一周启动网站。

放在柯克兰宿舍 H33 寝室里的白板如今已不同于从前，它扮演的角色已经不那么抽象了。扎克伯格开始在上面绘出显示 Facebook 增长数据的表格和图表——内容主要是每日增加用户数和采用了哪些特色服务。白板上还记录着哪些用户拥有的朋友最多。

就在 300 名新用户注册 Facebook 的那个星期一，第九期《哈佛深红报》采访了扎克伯格，该报的记者已经慢慢习惯了这样的访谈。"建这个网站的本意，"扎克伯格接受采访时说，"就是为了使每个用户在让朋友加入自己的圈子时可以感觉更棒。"对于因 Facemash 事件而受到的指责，他的回应依然机警。他在采访中强调自己"小心行事，确保用户上传的信息并非受版权保护"。这家校报对他的动机做了些调查："扎克伯格说，他成立这个网站不是为了盈利。'我没打算出售任何人的电子邮箱地址，'他说，'我曾经想过，用户也可以把简历上传到我做的这个网站，然后用人公司可以从哈佛的求职者里找寻合适人选。但我不想触及这方面。这会增加网站的严肃性，会减少趣味性。'"

让网站有趣比让它赚钱更重要。这样的声明在 Facebook 不长的历史中始终掷地有声。

Facebook 也许意在取代哈佛宿舍里的花名册，但从一开始两者就有明显不同。入学第一周拍摄的那些相片中，新生们通常都是姿势别扭，既不起眼也不掩饰。而在 Facebook 上贴出的相片会展示出他们最积极可亲的一面。

正如他们本人想象的那样，一派明日巨星的青春风采。关于 Facebook 的第二篇报道发表于 2 月 17 日。《哈佛深红报》的一位专栏作家在这篇报道中颇具预见性地指出，这个网站的许多特色在成为其核心魅力后就会永远存在。5 年后成为《纽约客》执行总编的阿米丽亚·莱斯特（Amelia Lester）那时还是名大二学生，她当初这样写道："Facebook 没有明确地把用户集结在一起，结成浪漫交友的圈子，而是表现出其他许多本性：一种寻求归属的渴望、一种虚荣的冲动和重重的偷窥心。"

Facebook 很快在竞争中崭露头角。从启动的第一天起，一些用户就没有把它仅仅看作联系和收集有用信息的方式，还将它视为能交到最多朋友的途径。许多用户如今仍然这样认为。

第一周结束时，约有一半的哈佛本科生已经在 Facebook 注册了。截至 2 月底，注册的本科生已有总数的四分之三。可是把照片传到网上的并非只有学生。由于注册唯一需要的是一个哈佛大学的邮箱，这就意味着 Facebook 的用户不仅限于哈佛的本科生和毕业生，还有校友和大学教职员工。有些学生抱怨不该让教员也加入这个网。然而，在 3 月份以前，只有极少数大学员工和 1 000 名左右的校友注册，大多数都是在校生。3 周以后，Facebook 拥有了 6 000 名用户。

在那段日子，扎克伯格意识到在运转和维护网站方面需要助手。于是他求助于身边最亲密的朋友——他的室友们。在网站推出一周左右，扎克伯格与达斯汀·莫斯科维茨签订了雇佣合同。在一年后的一次访谈中，他提到莫斯科维茨加入时这样说："我的一位室友说'嘿，我来帮你'，我回答他'兄弟，你不会编程'，然后他周末回家买了一本 PERL 编程入门的书，告诉我'现在我准备好了'。我就说'兄弟，网站不是用 PERL 语言写的'。"无论怎样，扎克伯格调整了网站持股份额，将其中 5% 的股份让给了热心的莫斯科维茨，把自己持有的股份略为减少到 65%，萨维林的降至 30%。莫斯科维茨的主要工作是在其他校园中推广 Facebook。

早在网站运作的第二周，外校的学生就发邮件给扎克伯格，询问他们是否也能成为用户。扎克伯格起初就想过让 Facebook 走出哈佛，甚至在网站主页上也暗示了这点——"一个在大学社交圈内交朋结友的在线目录"，没有指出是"哈佛"，而是"大学"。而且，他的雄心也未止步于此。莫斯科维茨说，扎克伯格聘他是为了帮助增加新的学校入网，"这样的对话类似于'对，接下来我们会

越走越远'。"

莫斯科维茨此前都尽可能地模仿扎克伯格的程序代码，而今他决定从头学起。他一般上手不快，但解决难题的惊人工作能力很快就得到了大家的认可。"马克会有点不耐烦，"一个朋友说，"但莫斯科维茨会一而再、再而三地坚持努力。"柯克兰宿舍的一些学生开始把这位来自佛罗里达的大二学生称作"公牛"。

扎克伯格现在提及当初的情形时会说，莫斯科维茨在那个时期对 Facebook 的成功起到了"关键性"的作用。为了添加一个学校的用户，莫斯科维茨必须弄清在这个学校里学生、教员和校友的电子邮箱是怎样设置地址的，这样他才能设定网站的注册步骤。接下来，他会获取课程和宿舍的清单。他还必须建立校报的链接，因为 Facebook 当时会把用户的个人简介与提到过这位用户的校报文章链接起来，不过这个特色后来没有保留。为增加每所学校而展开的所有信息收集和编码工作耗费了大约半天时间，即使扎克伯格与莫斯科维茨修的课程已经排得满满当当，两个人还是很快就开始扩张至其他学校。

Facebook 在 2 月 25 日向哥伦比亚大学开放，斯坦福大学成员次日可以注册，耶鲁大学的加入则是在当月 29 日。在哥伦比亚大学启动的进展缓慢，但斯坦福是第一个批准 Facebook 通行的学校。一周之后，《斯坦福校刊》(*Stanford Daily*) 上刊出了"Facebook 旋风席卷校园"的报道。据这家报纸透露，2 981 名斯坦福学生已经注册。

扎克伯格不喜欢接受采访和当众讲话，但他与《斯坦福校刊》的记者谈了很久。他在访谈中说："我知道这听起来像老生常谈，可我愿意让人们生活得更好，尤其是社交上更顺利。"他还表示，网站每月仅仅会花他 85 美元，他不觉得有任何商业行为的必要："今后我们会以出售广告来盈利，但既然提供的服务如此廉价，我们可以选择在一段时间内不走向商业化。"

扎克伯格没有打算未来接受许多采访。每所新闻院校的报纸似乎都希望采访他，Facebook 的运作者们正计划着吸纳大量学校。此后不久，扎克伯格录用了另一位希望之星——他自己的室友克里斯·休斯成为网站的官方发言人。公司的四人奠基团队就此成形。运行一个月后，Facebook 拥有了 1 万名活跃用户。

在哈佛发展时，扎克伯格一直没有采取任何正式的商业举动。而一旦拓展到其他学校，他就开始展示出一名首席运营官制定策略的直觉以及面对竞争的强烈愿望。如今他透露，当时扩展的首批学校是哥伦比亚、斯坦福和耶鲁，这样做的原因在于，那三所大学都已经拥有了自己成熟的社交网。这就像某种市场调查——让自己的产品投入产地以外的市场，让它在最激烈的竞争环境下成长。"假如 Facebook 在那些学校还能获得成功，并且取代已有的网站，那么我就确定它在其他所有学校都能所向披靡。"扎克伯格如是解释。

在斯坦福，Facebook 蹿红的速度堪比火箭，那里的校内社交网 Nexus 俱乐部之前已经差不多偃旗息鼓。斯坦福的学生见到 Facebook 后都感到那正是他们期待的形式。一名 2005 年的毕业生说："这是无需解释的现象。"

而在哥伦比亚大学，一位名叫亚当·戈德堡（Adam Goldberg）的学生在 Facebook 诞生前一个月就推出了商务网站"CU 社区"。四周后，当扎克伯格将网站推广到哥伦比亚大学时，CU 社区已经在其本校的 6 700 名本科生中拥有了 1 900 名活跃用户。Facebook 在当地要超越这个成绩得花好几个月时间。更有甚者，CU 社区也很快开始扩张到其他学校。在耶鲁，由学生管理的学校理事会已于 2 月 12 日推出了一个名为 YaleStation 的约会网站和在线相册。尽管没有 Facebook 那么多的特色服务，但它也受到了相似程度的追捧——截至 2 月末，已有三分之二的耶鲁本科生注册。

不过，扎克伯格深信自己的服务有立足的资本，因此他决定将网站的服务对象进一步拓展到整个常春藤联盟学院——达特茅斯学院和康奈尔大学都于 3 月 7 日星期日成为 Facebook 的服务对象。在达特茅斯，一位扎克伯格在艾斯特高中的校友担任了学生会的学生服务委员会主席。像哈佛、宾夕法尼亚大学、耶鲁和其他学校的学生会一样，达特茅斯的学生会也开始在线推广 Facebook。扎克伯格的朋友同意利用学生会的邮件系统向所有学生群发邮件。推广的信息于晚上 10 点发送后，到了第二天晚上，学院 4 000 名本科生中就有 1 700 位成为用户。

这所大学对 Facebook 如此迅速的认同让扎克伯格极为兴奋，所以他又一次同意接受当地校报《达特茅斯报》（The Dartmouth）的采访。"大家真的登录了网站，这让我感动，"他对记者说，"我很关心用户的感受，还有他们认为怎样利用这个网站的服务来适合自己的需要。这样感觉好极了。"扎克伯格在斯坦福也得到了帮助，那里有一位他在杜伯斯时的好友。这位儿时的朋友给了他进入斯坦福局域网的密码，以及学生邮箱地址和宿舍的清单。

虽然 Facebook 开拓市场的势头迅猛，但对这个网站来说更重要的不是激发用户兴趣，而是抵制一些热捧的诱惑。扎克伯格开始收到来自全美各地的邮件，内容都是恳请他把 Facebook 带到其他学校去。在几周时间里，负责网站的四位哈佛大二学生即使学业都很紧张，也还是把他们的网络服务推进到麻省理工学院、宾夕法尼亚大学、普林斯顿大学、布朗大学和波士顿大学。到 3 月中旬为止，全部用户已经达到 2 万人。这时，扎克伯格在艾斯特高中时的另一位同班同学加入了网站的管理团队，这位新成员就是艾斯特中学曾经的另一位编程天才亚当·德安杰罗。德安杰罗在自己位于加州理工学院的宿舍里帮助莫斯科维茨编写添加新学校用户的程序。常春藤联盟和类似的高等学府是首批推广 Facebook 的学校，这主要是因为那些院校都属于网站的哈佛用户在现实中的社交网络覆盖范围——大多数朋友都是高中时的校友。Facebook 由此聚集了一群精英。

到此时为止，每所学校的用户在这个网站上都能看到所选择对象的个人简介。用户可以特意严格设定自己的隐私设置，但大多数学生都不会这样做。比如哈佛的所有用户都能在网上看到大部分哈佛学生的个人简介，这是网站的默认设计，但哈佛学生不能在默认状态下看到斯坦福学生的个人简介。不过，由于 Facebook 在不断发展，就需要建立跨校的校际链接，而一些质疑的声音认为这是不可能实现的。因此，扎克伯格与莫斯科维茨决定让这类链接在当事人双方共同协议的基础上形成。这成为 Facebook 创立链接的模板，并一直沿用至今。

随着运营成本的增加，扎克伯格想起把自己奉为偶像的《哈佛深红报》上提到过："今后应该在网上发布一些广告。"到 3 月底，活跃用户超过了 3 万人。Facebook 每个月为托管 5 个服务器而付给 Manage.com 450 美元。扎克伯格与萨维林都同意各自向公司注资 1 万美元。同时，萨维林开始出售一些网站空间用做广告，并且得到了一些小笔金额的合同，多是为搬迁服务、T 恤和其他大学生常用的产品做广告。这些广告在 4 月时开始出现在网站上。

这时，保持 Facebook 的顺畅运行变得越来越困难。数千名用户会同时在线，让服务器负荷过重。在解决现有客户在线时可能带来服务器宕机的问题以前，扎克伯格与莫斯科维茨都极力推迟添加新的学校入网。

"我们在其他院校的发展总受到网站服务器性能的限制，"莫斯科维茨回忆道，"我们只是不能衡量处理速度应该多快才合适。"幸运的是，在没有解决服务器面临瘫痪的难题时，他们还能抵制新学校入网的诱惑。两位程序员不断就网站运行和网站更高效地运转再次设计软件架构。这期间，莫斯科维茨就努力地向比自己更有经验的扎克伯格和在 2 500 英里外加州理工学院的德安杰罗学习。

如今回想起莫斯科维茨在那段日子里对公司的贡献时，扎克伯格就满怀谢意。"达斯汀很重视市场竞争，"他回忆道，"我一说：'嘿，我听小道消息说另一种服务正考虑在这个学校推出呢。'他就会回答：'真的？没门！'而且他会把猜想他在做什么的报道扔到一边，到做报道的那所学校进行推广。他就是个工作狂，像个不知疲倦的机器。起初我只是把这个网站看作一个项目，没有对它投入太多，因为我并不知道它会发展到如此大的规模。我一般会说'是的，这很简单，不是一锤定音，但很酷。我还有其他这类项目可做'，可达斯汀加入后确实对重新定位网站提供了帮助。"

管理 Facebook 的小伙子们使用 MySQL 数据库和 Apache 在线服务器工具等免费开源软件，它们能担负起全部运行任务，但由于都是免费软件，操作时就不大方便。虽然扎克伯格是一位比莫斯科维茨更富有经验的编程员，但此前也从未操作过这类程序。他从那天开始学习这方面的知识，而当时他已经修了四门课程，其中还包括一门计算机学的必修课。即便如此，Facebook 在学期结束时已经广受欢迎，每次新添加一所学校入网，那里的学生几乎全部都会在网站注册。

扎克伯格对于尝试新鲜事物怀有强烈渴望，可他能在课余时间创建出一个快速成长的网站却与自己所处的环境有很大关系。"只有天赋和雄心并不一定能够成功，真正重要的是要有运气，"莫斯科维茨说，"马克就够幸运，所以三者兼备。他处在合适的环境下，把握住了最佳时机。在他看到自己希望追求的好构想时，别人可能觉得应该首先完成学业。"

Facebook 最终的成功很大程度上要归功于它在大学里起步。那里是人们社交网最密集的地方，通常也是人们一生中最精力充沛地结交朋友的地方。在那个重要的春季学期，莫斯科维茨真正研究了这个问题。他运用来自 Facebook 的数据写了一篇统计学论文。正如他在文章中所说，数据表明，"在某个校园，每个学生都与其他任何人有两点不同。"平均来看，学生们与他人的分别都体现在不止一种中间关系上。"这就是为什么 Facebook 在大学发展得如此成功的原因。"莫斯科维茨解释说。凭着这篇论文，他的统计课得了 A。那学期的大多数时间

他都在为网站工作，不过并没有带来负面影响。"因为那些数据集合，我还尝到甜头，得到了一些加分。"莫斯科维茨这样饶有兴趣地回忆道。

哈佛为扎克伯格开拓业务提供了特有的资源。"在哈佛，建立网站是很常见的，"莫斯科维茨说，"甚至有一只表现出色的对冲基金也是学生在读本科时创立的。因此，诸如'我的室友喜欢做那些大型消费网站'这样的话也并非不可思议。"其他许多像文克莱沃斯与纳伦德拉这样的年轻学生甚至在为社交网站工作。

而且，扎克伯格的室友表现出了异乎寻常的才华。在其他学校他无法找到具有莫斯科维茨那种天分的人，而这个天才和他只有一墙之隔。两个人直到那一年年初搬入同一个套间时才相遇，扎克伯格发现这位室友不只是个勤奋的编程员，而且是一位知性的领导者，能够多年胜任 Facebook 的首席技术官。而与扎克伯格共处一室的克里斯·休斯则能说会道，极有教养，他后来充当了 Facebook 的发言人。几年后，休斯还在 2008 年奥巴马总统的竞选中发挥了重大作用。

当然，假如一件事物源于学术界最卓尔不群的殿堂，那必定会具有吸引力。哈佛的声名赋予了一种认同，这种认可在任何领域都不容忽视。与哈佛千丝万缕的联系使一个产品更为可信，任何人如果加入一个发端于哈佛的社交圈都会顺理成章地洋洋自得。这是 Facebook 在初期就炙手可热的重要因素。

这种网络服务也没有给哈佛学生异常珍视的名校身份带来影响，它在评估用户成功的同时也确认了该用户的社交影响力范围。扎克伯格的朋友山姆·莱辛（Sam Lessin）是他的一个同班同学，也是 Facebook 的早期用户。他表示："哈佛存在不容忽视的潜在社交竞争，我认为这是 Facebook 在成立之初的推动力。"假如要在网上展示并保留个人简历和社交圈子，就读于哈佛大学的这些天才精英们就不会为自己努力构思最佳简历和构建最广的社交网而后悔。

回忆下《哈佛深红报》在 Facebook 成立不到两周时发表的那篇评论文章，作者阿米丽亚·莱斯特一针见血地指出："至于为什么以哈佛学生为首的大学生会寻找机会以一种诱人的网络自我形象为时尚，很少有人表示不解。大多数人在高中学习时都累积了让自己在竞争中立足的丰富经验，这种经历会体现在递交给大学的入学申请中。用户多数时候都是在作秀，让大众了解为什么我们是世界上举足轻重的个体。简而言之，那就是哈佛学生最优异的表现。"

　　然而，对于扎克伯格又为何在哈佛启动 Facebook，有些人将其描述得阴暗险恶。以这些叙述来看，扎克伯格就是个小偷，Facebook 是其他哈佛学生的创意。卡梅伦·文克莱沃斯、泰勒·文克莱沃斯和迪夫亚·纳伦德拉对此提出的指控性质最为严重。这三人起诉时称，扎克伯格在被他们雇用进行编程期间窃取了他们三人关于联网哈佛计划的无数构想。为他们工作了一两个月后，扎克伯格得出结论，认为这三人的计划不可能成功，而此后不久他就开始筹备 Facebook。对扎克伯格那刚起步的公司而言，这一纠纷会成为一个代价颇高的难题。

　　截至 2004 年 4 月中旬，Facebook 已运行了两个多月，如今的首席财务官萨维林当时还是业务经理。他从那时起就采取行动，让 Facebook 以正式的商业经营形式运作。萨维林在自己中学母校的所在地佛罗里达成立了一家有限责任公司，公司的注册合伙人有扎克伯格、莫斯科维茨和萨维林。

　　虽然 Facebook 在最初几周没有收入进账，但到 2 月中旬为止，一些投资人已经开始致电扎克伯格，表达了他们的融资意向。听说这个新兴的网站发展迅猛，这些人就想分得这块利润蛋糕。扎克伯格的一位同班同学莱辛，其父亲是一位知名投资人。那个学期末，莱辛带扎克伯格去了纽约，与一些风险资本家以及金融和传媒界的高管会面。

　　在 6 月里的这些会面中，有一位金融家为扎克伯格的公司投资了 1 000 万美元。那时扎克伯格刚满 20 岁，Facebook 只运转了 4 个月，他还没有时间慎重考虑接受融资。

第 2 章
锋芒微露

创立者、主宰者、指挥官与全州公敌。

随着 2004 年春季学期的到来，Facebook 的工作更加忙碌。截至 5 月，网站已经面向 34 所学校开放，拥有约 10 万用户。

同年 6 月，业务经理萨维林开立了一个银行账户，自掏腰包存入 1 万多美元作为公司的营运资金，也开始将广告收入存入这个账户。

过了一个月，也许还没到一个月的时候，萨维林就接洽了一家名为 Y2M 的公司。Y2M 为大学校报的网站代理广告，萨维林邀请这家公司洽谈 Facebook 出售广告的事宜。由于扎克伯格和萨维林都有考试和论文要应付，这次会面推迟了好几次。

当 Y2M 公司的一位主管特里西娅·布莱克(Tricia Black)与他们见面交谈时，扎克伯格取出一个笔记本，上面打印出了 Facebook 的网络流量数据。布莱克有些不解。"你一定搞错了，"她说，"你们不可能达到这样的流量。"扎克伯格建议这家广告公司将自家的监控软件在 Facebook 的服务器上安装几天，让他们自己来观察网站的流量。

这些让人震惊的数据没有丝毫错误，布莱克和她的同事们惊讶不已。Y2M 几乎立即就将他们客户的广告放在了 Facebook 上，并抽取约 30% 的广告收入作为佣金。第一批广告客户中有 MasterCard，这家公司为大学生提供特别的信用卡服务。但是，像 Y2M 和多数在 Facebook 上投放广告的客户一样，MasterCard 的管理者们都对 Facebook 是否拥有那样大的流量表示怀疑。因此，MasterCard 并没有直接支付广告费用，而是像它在其他学校网站所操作的那样，只有在出现一名学生提交了办卡申请时公司才会同意付费。当时 Facebook 已经在大约 12 所学校推行，MasterCard 的广告在一个星期四的下午 5 点开始推出。一天之内，MasterCard 收到的信用卡申请数就比他们这场 4 个月的广告活动中预计得到的数量多一倍。Facebook 凭借正逢其时的客户——就读于顶级学府的富有本科生而赢得广告。MasterCard 的广告于是继续在这个网站投放。

Y2M 的负责人开始将 Facebook 视为一项能带来突破性改变的潜力型投资，于是他们希望在夏季到来以前也分一杯羹。布莱克与另一位主管向扎克伯格提出了 Y2M 的注资意向。这位年轻的首席执行官表示他会考虑，但条件是 MasterCard 对 Facebook 投入的价值至少要有 2 500 万美元。Y2M 因此决定推迟投资。

在这种的情况下，扎克伯格通常会保持冷静。不论面对一片溢美之词还是对方开出极具吸引力的条件，他都不会有多少言语上的表示。因此，对 Y2M 的积极争取，他却不为所动。即使当时他对 Facebook 的发展潜力有自己的远景规划，那也与盈利没有太大关系。"我们会改变世界，"布莱克记得扎克伯格是这样说的，"我认为我们能让世界成为更加开放的空间。"这些话此后被他一再提起。

在扎克伯格看来，以广告获得尽可能多的收入还没有让用户始终开心重要。他允许在网站上发布广告，但那些广告要符合他规定的条件，广告商只能使用少数标准尺寸的大标题。那些提出在网上推出用户专门服务的要求则被扎克伯格拒绝。由于认为一些商业广告不能与 Facebook 上学生们幽默俏皮的风格保持一致，所以他谢绝了包括美世咨询和高盛在内的一些公司。扎克伯格有时甚至只让广告标题贴出很小的大写字体。乔书亚·艾弗森（Joshua Iverson）是 Y2M 的销售代表，在布莱克手下工作，他这样说："我们也不喜欢网站上出现这些，但它们是付了费的。马克从不想放广告，萨维林则是个生意人。"当然，在对网络有独到想法的同时代精英中，无意于广告收益的却并非只此一人。分类网站 Craigslist 和维基百科当时已经迅速在互联网上迅速崛起，像它们这样的网站显然没有采取商业化方式。

Y2M 设法让扎克伯格相信，Facebook 可以扩张到学生人数更多的学校，比如亚利桑那大学。但扎克伯格坚持认为网站还是应该主要在常春藤联盟的院校内，或者至少在那些用户要求他添加的学校中开放，后一类学校被纳入Facebook是因为有些用户的朋友在那里就读的缘故。因此，在最初经营的几个月里，网站的社交圈子始终不大而且有排外性。因为扎克伯格坚持用户仅限于入网学校的学生、教职员工和校友，所以就连广告商也无法登录网站。不能看到自己公司推出的广告，这对他们来说简直闻所未闻。

尽管存在这些限制挑战，布莱克却对Facebook的成功越来越有信心。在Y2M未能注资网站后，她开始向萨维林提出要全职为Facebook工作。

与此同时，扎克伯格还在规避自己所有投入中存在的风险。他没有认为Facebook理所当然能成功。事实上，虽然他抱有很高的期望，但仍然不能确定网站能达到那么高的价值。尽管Facebook正在表现出获得收益的吸引力，他还是将它视为自己经手的一个项目。因此，本着开拓不止的精神，他又启动了另一个新项目。在将大部分课余时间用于Facebook的同时，他和另一位大二的编程天才安德鲁·麦克科伦开始着手设计一款被他们称为Wirehog的新软件，创造它的灵感部分来自当年声名狼藉的音乐分享网站Napster。Wirehog是一种点对点的满意度分享型服务。它不仅允许用户互换音乐，而且还能交换视频、文本文件或者任何形式的数码资料，但这些都仅限于朋友之间。这款软件会直接与Facebook链接，让网上的朋友变为用户获得满足感的源泉。

扎克伯格在Craigslist网站的分类中搜索到一套有四间卧室的平房，就在加州的帕洛阿尔托市。他租下这套房子，打算夏季去那里与人合住。扎克伯格决定去加州的理由有很多。首先，与他合作Wirehog的麦克科伦暑假会在帕洛阿尔托附近的艺电有限公司（EA）实习。电玩游戏公司EA是业内巨头，曾经一手打造了模拟人生（Sims）、疯狂橄榄球（Madden NFL）和许多其他热门游戏。此外，扎克伯格在艾斯特高中时的朋友亚当·德安杰罗从加州理工大学去帕洛阿尔托比较方便。但最重要的理由在于，那里是科研技术的希望之乡。"帕洛阿尔托有点像个圣地，所有的应用科技都发源于那里，"扎克伯格几个月后这样对一位记者说，"所以我喜欢那里，我想去探个究竟。"

经过一番努力劝说，扎克伯格说动达斯汀·莫斯科维茨和自己一道踏上前往加州的旅程。莫斯科维茨本已在哈佛计算机实验室得到一份UA（用户助理）的暑期工作，但由于他勤恳的工作精神和不断增长的编码知识，他已经部分管理着 Facebook 每日的运行，因此在网站事务中已经成为不可或缺的一员。扎克伯格承诺，莫斯科维茨去加州的话获得的酬劳会比他做 UA 工作得到的高，并且说服他相信这次出行对 Facebook 有利。

扎克伯格的室友，同时也是网站的发言人克里斯·休斯已经加入了法国的一个暑期项目，只能在项目结束时到帕洛阿尔托来。休斯在北卡罗来纳州的一个中产家庭长大，家里不算宽裕，而莫斯科维茨则出生于佛罗里达的大富之家，因此前者天生就比后者更懂得规避风险。对扎克伯格几个朋友中最能言善辩的巴西人萨维林而言，帕洛阿尔托毫无吸引力。不过萨维林没有加入加州之旅有他自己的理由，暑假他会前往纽约，打算去那里争取更多的广告业务，而且还会在与他父亲有来往的一家投资公司工作。

肖恩·帕克（Sean Parker）将会成为 Facebook 历史上一位富有争议的主角。与同龄人相比，他拥有丰富的互联网运作经验。1999 年，在网上与名叫肖恩·范宁（Shawn Fanning）的 Napster 创始人接触后，他就在旧金山加入了网站，协助推出了在音乐产业界引起轩然大波的网络服务。一年过后，帕克离开了 Napster，与人合作成立了自己的互联网公司 Plaxo。合资公司很快筹得数百万资金，并开始累积成千上万的用户，但帕克又一次与自己的投资方发生了摩擦。虽然投资 Plaxo 的风险资本家认为帕克聪明绝顶，但他们不喜欢帕克制定日程和截止时间的随意方式，反感他既不按常理出牌又不安分守己，不满他高高在上的态度。投资者们也不大欣赏帕克那种摇滚风格的生活方式：他会为完成公司目标而连续工作几周，连睡觉都待在办公室里，完工后就好些天都不来上班。投资方后来甚至雇了一位私家侦探记录下帕克那些受到指责的不当行为。最终，帕克被解雇了。

肖恩·帕克实在很狼狈。他讨厌在帕洛阿尔托炎热的午后干体力活，可因为房租到期、手头又缺钱，所以 2004 年 6 月里的一个下午，他才会在女友家房前的路边从自己的车上卸下箱子。必须承认，那辆白色的宝马 5 系很时髦，是他在自己阔绰的时候买的。24 岁的帕克本人也比较时髦，他身材修长，一头金色的长卷发有型有款，穿着一件价格不菲的新潮 T 恤。不过这身 T 恤那天已经被汗湿透了。

就在这时，他注意到迎面走来一群大男孩，不由得僵住了。他卸的箱子里装着昂贵的电脑设备，而眼前这些男孩他一看就没有好感——这么热的天还把汗衫的帽兜竖起来遮住头。帕克觉得他们绝非善类，可能是帮流氓。而这个时候，这群人中个子最矮的那个径直朝他走来。

"帕克！"他的口气却是出人意料地热情，"肖恩，我是马克，马克·扎克伯格。"打招呼的这个人两个月以前在纽约的一次晚宴上见过帕克，他说自己是到加州来过暑假的。

扎克伯格介绍了其他四个同伴——都是哈佛本科生，不是流氓：Facebook的创立者之一、卷发的达斯汀·莫斯科维茨；Wirehog 的合作者安德鲁·麦克科伦；还有 Facebook 暑假期间雇用的两个消瘦的实习生，哈佛大一新生埃里克·舒尔廷克（Erik Schultink）和斯蒂芬·道森·汉格迪（Stephen Dawson-Haggerty）。因为没有车，五个男生正从杂货店走回一英里外的住处。他们住的屋子离这里只有一个街区，扎克伯格邀请帕克过去坐坐。几小时后，一位年轻的企业家就走入了 Facebook 成员在詹尼弗路 819 号的住地。

越来越多的硅谷高管们开始相信，社交网络会成为一片很大的盈利市场，帕克也是这类管理者之一。2003 年秋，硅谷的风险投资者们将总金额 3 600 万美元的资金投向四家刚成立的当红社交网络公司——Friendster、LinkedIn、Spoke、Tribe。2004 年 3 月底，就在 Facebook 在几天之内横扫斯坦福校园后不久，帕克给扎克伯格发了一封邮件。邮件中，他着重介绍了自己曾经效力的 Napster 网站，并主动提出将扎克伯格介绍给旧金山那些对社交网络基本常识有所了解的投资方。他提到自己认识 LinkedIn 和 Tribe 公司的首席执行官，那两位高管联合购买了于社交网络而言极为重要的关键专利。帕克建议与他们开会，以此帮助确认应用那项专利并非对 Facebook 不利。萨维林回复了帕克，然后他们在纽约安排了一次晚宴。

4 月初，帕克飞到纽约赴宴，和他一起参加的还有扎克伯格、扎克伯格的女友普丽西拉·陈（Priscilla Chan）、萨维林和萨维林的女友。所有人齐聚纽约翠贝卡区 66 号一家新开的华人餐厅，那里是当时流行的聚会地。遇到 Napster 的创始人让扎克伯格兴奋不已，因为他将该网站的创建视为互联网历史上最重要的事件之一。扎克伯格也很快给帕克留下了深刻印象。在那家由建筑大师理查德·迈耶（Richard Meier）设计的豪华餐厅里，两个人几乎立刻沉浸在了真挚的对谈中，把萨维林和两位女士完全撂在一边。

扎克伯格描绘了自己对 Facebook 未来前景的构想，它甚至比帕克预计的更为远大。"他没有想着'让我们一起来赚些钱就收手吧',"帕克说,"这不是那种一夜暴富的主题,这是'让我们共同建立持久的文化价值,并且为了从前人手中接管这个世界而全力以赴'。但他不知道那意味着什么。他还是个大学生,接管世界相当于接管学校。"帕克记得扎克伯格那时雄心勃勃,"他有王者气概。"为了支付那天晚餐的费用,帕克不得不透支账户,但他认为值得。

两个月后,在帕洛阿尔托的街边跑向帕克时,扎克伯格还清晰地记得纽约会面的美好情景。帕克看来就是真正了解 Facebook 运作意义的那类人。

在帕洛阿尔托共进晚餐的过程中,扎克伯格目睹了帕克与 Plaxo 投资方那持续数月的战争是如何收场的。6 个年轻人走进一间附近的餐馆,扎克伯格约帕克在那里向他介绍了 Facebook 的近况,也让帕克更充分地了解了他的哈佛好友们。就在一行人坐在餐馆时,帕克接到自己律师打来的一个重要电话,律师带来了坏消息。Plaxo 董事会决定,帕克留在 Plaxo 的一半股份将不会授予他本人。换言之,帕克被自己的公司逐出了门外,假如公司今后上市或出售,他将不可能从中获得收益。

帕克得知消息后恼羞成怒,他当时已经喝醉了。Facebook 的成员们听到帕克的遭遇后,既惊惧又失望,这成为当晚谈话的主题。虽然从 3 月左右就时常有投资人接触扎克伯格,想分享 Facebook 的成长收益,但他没有多少和这些人打交道的经验。帕克的教训能让他引以为戒。扎克伯格回忆说:"风险投资听起来有些恐怖。"这是个迈向成熟的时刻,对 Facebook 的未来发展有重要意义。扎克伯格既出于为朋友打算,又觉得可以向帕克学到更多经验,于是邀请帕克与自己同住。到了 9 月,他开始将帕克称为公司的总裁。

即使放眼整个硅谷,帕克也是个特别的企业家。虽然父亲是美国政府机构的海洋研究员,但他从小就显示出了编程的聪明才智。帕克在弗吉尼亚州度过了童年,因为儿时疾病缠身,所以大多数时间都用在阅读和学习电脑编程上。1995 年,15 岁的帕克在首都华盛顿第一批刚开张的网络公司 Freeloader 实习。1999 年他还没有正式从中学毕业就帮助肖恩·范宁建立了 Napster 网站。这个提供点对点线上音乐分享服务的网站在 2001 年初的巅峰时期吸引了 2 600 万用户。它也是第一个大型消费者服务型网站,是根本不同以往的全新类型——用户不必像登录易趣、雅虎或使用微软的产品那样需要中介,而是直接与另一个用户联系,但 Napster 很快就遭遇唱片业巨头们发起的全面起诉。一年多以后,由于帕克在邮件中公开谈论遭到唱片公司的诉讼一事,并透露了 Napster 用户在网站

的下载行为可能违法，公司由此陷入困境。帕克也因此在公司管理层重组中失去了职位，那时他才 20 岁。此后不久，他和两个朋友成立了 Plaxo，这个网站能帮助用户随时了解邮件地址和联系信息的变动。

尽管没有接受正式教育，对商业模式也不够重视，但帕克仍然拥有非凡的商业头脑。假如商界与艺术家两个词可以相提并论，那么他也许就该被称为商界艺术家。帕克在 Facebook 的个人简介中说自己是"一个拧脾气的双面人：一个理性的唯美主义者"。他的身上结合了对企业史、经济学细致入微的了解和艺术家的烦躁、冲动以及对更美好世界的设想。可他的视力反倒一点也不好。如果忘记戴隐形眼镜或重度眼镜，他的视线就很模糊。他的性子飘忽不定，好像他会像彼得潘那样飞来飞去，身边总会有漂亮的女朋友。

自学成才的帕克是一位求知若渴的读者，深深地沉迷于政治书籍。他会在对当前形势的分析中加上些"筹划者意图"（这里指制定美国宪法的先人们）的参考说法。他在 Facebook 的个人简介中引用了艾略特、伯特兰·罗素和阿尔伯特·加缪的名言。帕克喜欢像"做生意的外行人"那样交谈，只要听者对谈话内容表现出丁点兴趣，他就会急切地讲起自己那套可以追溯到古登堡时代的传媒历史理论。关键在于，他喜欢讲话，语速很快，态度热情，而且谈的都是创新想法。帕克熟悉并了解商界的现实，爱好哲学思辩，这些都被他带入了 Facebook。这样的辩论也促使扎克伯格完善了自己对公司前景的设想。与帕克交流就和与那些哈佛宿舍里的同学谈天说地没什么区别，唯一的不同之处是，现在对话时讲的都是关于如何让 Facebook 走向成功。

男生们很快养成了每天固定的生活习惯——起得很晚，走入餐厅然后开始工作。餐桌上高高地堆着电脑、线缆、调制解调器、相机，在它们的间隙里还挤满了垃圾和日常用的瓶子、罐头和杯子。扎克伯格是起得最迟的——他几乎都是下午才去工作，经常忙到深夜。在这个办公室里他最常穿搭的一套就是上身一件 T 恤，下身一条睡裤。在詹尼弗路那间出租屋里，当这些男生都围着餐桌坐在各自的手提电脑面前时，整个屋子就鸦雀无声了，这是因为他们即使是坐在对方身边，想谈话的两个人也都是通过网上的即时信息交谈，这样就不会妨碍其他人集中精力做事。像扎克伯格和莫斯科维茨这样的网虫在编写代码时容易陷入忘我的入神状态，那时他们不会在意周围的背景音乐和电视机里传出的声音，只是受不了被人中途打扰。

无论莫斯科维茨和帕克的加盟是否扎克伯格有意为之，他都借此组建起了一支理想的团队，由此可以发挥他个人的才华。莫斯科维茨具有的特质是每家

40

创业公司都需要的——勤劳肯干、脚踏实地、多才多艺又注重实效。他负责维护网站服务的运作，为新入网的学校建立数据库（实习生帮他在这方面做了许多繁琐的工作）。必要时他会工作整晚，保证系统运行。

帕克则正相反，他创建公司的经验丰富，熟悉运作的方法手段，善于建立现实世界的人际关系，在硅谷人面很广，了解怎样得到硅谷的信息。他懂得享受生活——只要手里有余钱，就会去品尝美食、理时髦的发式、买新潮的衣服。他可能偶尔会因为参加前一晚的聚会筋疲力尽而突然取消第二天的会议，却还是最适合站在前台宣传 Facebook 的人，毕竟这种能力正是网站所需要的。在硅谷，那些听说过 Facebook 的人大都认为这个网站愚不可及，只是迎合了一群性饥渴的大学生而已。而帕克勾画的宏伟蓝图有助于为 Facebook 赢得业内尊重。

这两个人在团队中各司其职能让扎克伯格发挥所长——思考 Facebook 应该变成怎样的面貌以及为此要怎样发展，或者是依他的性子腾出精力做自己想做的事，开发 Wirehog。颇为讽刺的是，扎克伯格不是 Facebook 的资深用户。事实上，其他网站的创始人和早期的成员也同样如此。2004 年的夏天，莫斯科维茨带领着网站的实习生们开始收集数据，了解用户使用网站服务的真实情况。他们发现，有些用户每天浏览数百甚至数千份个人简历。他们的设计正是为这些用户服务的。

在还没有致力于 Wirehog 的时候，扎克伯格为 Facebook 的一项特色服务编写了一款程序，他认为这个功能很出彩——是一种利用手机短消息（SMS）获取信息的方式。此前已经有 iPhone 和黑莓手机先于 Facebook 应用了这一技术，这是 Facebook 与手机的接口。操作时，用户要以一个人名为内容编写信息，发送到 m@Thefacebook.com 这个地址，还要把朋友的手机号码或其他回发至自己手机的信息同特殊代码一起发送到同一地址。这项服务的唯一缺陷就是用户通常用起来不够灵便，需要随身带着一张纸记住怎样使用。尽管创意很好，但没多久这项服务就停止了。

帕克搬进来和男孩们一起住，他那个房间里只摆了张床垫。扎克伯格后来说，除了他的车以外，帕克给自己印象最深的东西就是一双"很帅气的运动鞋"。据帕克回忆，扎克伯格请他担任总裁时是这样说的："你能帮我们建立起这个公司吗？我们现在已经焦头烂额了。"作为对委以如此重任的回报——帕克会跟大家住在同一个屋子，扎克伯格与他的朋友也可以使用帕克的宝马车。

不止一位顾问劝阻扎克伯格聘请帕克，认为他懒散的态度和奢侈的生活方式会影响整个公司。一位比扎克伯格经验更老道的好友评价帕克说："他生活放荡，没有节制。"但扎克伯格没有打消这个念头。他说自己已有耳闻，但帕克的经验和头脑远远比其个人作风给公司带来负面影响的风险重要，毕竟帕克曾经为 Napster 起步时期的发展助了一臂之力。不仅如此，他还是 Friendster 公司的一个小额投资人和该公司创立者的朋友。他谈到 Facebook 时认为，这是"一个机会，可以就此纠正 Friendster 犯下的错误"。

暑假时大学生大部分离开学校，Facebook 的流量也就降下来了。但扎克伯格与莫斯科维茨还在为秋季学期的到来强化网站建设，他们坚定地认为到那时就会回复增长。一些访客将他们的自信视为哈佛这种高等学府培养出的傲气。其中一位在最初拜访后有些惊异地说："即使还在夏季，当时他们讲话的口气就像已经知道秋季会发生什么，他们觉得自己的网站是世上最棒的，而且它会压倒一切。谈话中他们一直在用'压倒'这个词。"他们说，Facebook 会压倒对手。实际上，这些话中大部分都是夸夸其谈和一些青年人无忧无虑的冲动。

尽管生来一张娃娃脸，又总是腼腆羞涩，扎克伯格却无疑牢牢占据着负责人的席位。Facebook 每个页面的底部都有这样一行小字体的宣传词："马克·扎克伯格出品。"在介绍服务的网页上，他的名字下面罗列着这样的称呼："创立者、主宰者、指挥官与全州公敌。"相形之下，莫斯科维茨的称号就不那么光彩照人了："不再当炮灰的编程员、职业杀手。"萨维林的工作内容被描述成："经营事务、公司事务、巴西人私事。"

扎克伯格时不时地开始显示出天生的领袖气质。肖恩·帕克说："一家公司的领导者需要在脑海中有一棵决策树——如果它在这里生长，我们就向这个方向走，而如果它在这里绝迹，我们就往另一条路去。马克凭本能就做到了这点。"他和网站的同仁一样好玩——他本人其实有点喜剧细胞，但他也能坚定不移地让公司这艘大船向前航行。做船长不只是让他体会到了乐趣。

实际上，扎克伯格常常会表现得像一艘海盗船的船长。在为一件事绞尽脑汁或与其他人讨论一种想法时，他经常是一跃而起，双手交叉背在身后，在房间里踱来踱去。他随身带来的少数行李中有些是击剑用品，就堆放在房里不远处。踱步时，扎克伯格会习惯性地走过去拔出自己的剑，一只手开始在空中挥剑，一只手就放在背后，向前送出剑时说着："好吧，我们要来谈谈。"莫斯科维茨此时就会发作了。"我这种人受不了这么干，"他说，"那个房间很小，我就像个提心吊胆的妈妈，跟他说'你会把东西弄坏的'，可他一进入状态就连续好几小时都会那样。"于是，莫斯科维茨和其他人后来都禁止扎克伯格在屋里击剑。

屋后有一个池塘，还有一块三角形的院子，那里的地面几乎都铺得很平整。一天晚上，扎克伯格与帕克站在屋外绕着池塘和院子走了几小时，一边散步一边谈话。扎克伯格手上握的剑挥舞得离帕克的脸太近，让他觉得很不自在。帕克很难集中精神，因为有把剑每隔几秒钟就在自己面前几厘米的地方晃来晃去。"你看这个网站是不是真的能做下去？"在刺出剑的间隙扎克伯格这样问道。"我看行，"帕克边退后边回答，"除非别人取代了我们，或者我们出了差错、像Friendster网站那样让用户失望了，否则没有理由做不下去。"

"马克确实非常理性，他考虑过把公司建成真正的业内帝国可能性不大，"帕克认为，"他有些疑虑，比如这是不是一时的狂热？这会不会一去不返？他喜欢 Facebook 这个创意，也愿意毫不动摇地坚持到最后。可是，他和那些最杰出的帝国建立者一样，信心十足也疑虑重重。就像英特尔前首席执行官安迪·格鲁夫（Andy Grove）所说，'只有多疑的人才能生存。'"

从加州理工学院南下来到帕洛阿尔托的亚当·德安杰罗是团队中最有天赋也是最有成就的编程员，但他还在为自己的项目工作。Facebook 运用的网络编程语言是 PHP、JavaScript 和 HTML，相对都比较简单，这些既不是德安杰罗的专长，也不是他的兴趣所在。他有很严重的计算机腕管综合征，敲打键盘会让双手和双臂受伤，因此他在努力寻找一种替代方式——发明一种摄像镜头能辨识的方式，只需要手在空中挥动就可以改变显示器上的文本内容。这是个很有挑战性的项目，也许因为挑战的难度太大，所以整个暑假他花在那上面的时间都不多，更多时候是在为麦克科伦和扎克伯格的 Wirehog 项目帮忙。

在一群年轻人着力于网站的技术支持和完善服务特色时，帕克开始考虑Facebook 作为一家公司需要采取的措施。他聘请了帮自己处理 Plaxo 纷争的那位律师，并且着手寻找管理"网站运行"的人。这是网络公司需要的基本工作，它的任务是确保数据中心和服务器正常运行。而一直以来，所有这方面的工作都外包给了第三方公司，不过 Facebook 现在规模太大，这样做已经无法满足需要。帕克发现自己的同事们连基本的网络管理知识都不了解，甚至不知道什么是路由。为此他请来坦纳·哈利奇奥格卢（Taner Halicioglu），这位工程师曾经在 eBay 工作，此后在圣何塞的家中为 Facebook 效力。

帕克成为网站对外的形象人物，与投资者打交道时尤其如此。在扎克伯格他们的屋前，常常可以看到豪华轿车开进街道尽头，停在掩映着房屋的大树下。驱车前来拜访的人都有意寻找投资对象。这些人中有的来自 Benchmark 风险资本公司，他们想明确知道是否有机会对 Facebook 进行股权投资。而当时他们得到的回答是：不行。但是，Facebook 在不久以后需要更多的融资，所以帕克要让这些人相信这一点并乐意来电询问或者登门拜访。

Google 的一些主管上门了解有无可能与 Facebook 合作甚至将其收购。即使在这个网站萌芽之初，Google 就已充分意识到在帕洛阿尔托进行的这个项目有投资价值。不过扎克伯格与帕克都很戒备，因为的确存在被硅谷的这家网络巨头吞并的风险。他们认为，假如要自己做主，就必须保持独立经营。无论如何，他们为之努力的与 Google 截然不同。他们的网站与人息息相关，而 Google 关注的是数据。

对于 Wirehog 的继续开发，帕克与扎克伯格持有不同看法。新上任的总裁帕克认为，这项研究很大程度上偏离了 Facebook 的发展轨道。在 Napster 的经历使他怀有戒心，不愿卷入与音乐和传媒界公司的纷争。在帕克看来，那些公司会起诉 Wirehog 和提供这项服务的 Facebook，会认定这种技术是在帮助用户窃取有版权保护的内容，就像音乐产业的公司对 Napster 提起诉讼那样。帕克与开发 Wirehog 的工程师麦克科伦一道飞去了洛杉矶，在那里与华纳音乐集团首席执行官小埃德加·布朗夫曼（Edgar Bronfman, Jr.）和管理华纳唱片公司的汤姆·惠利（Tom Whalley）会面。帕克在创建 Napster 时与他们结识。不出意料，这两人都极力反对推出 Wirehog。尽管帕克担心万一 Wirehog 输了官司会连累 Facebook 由此一蹶不振，但他没有说服执著的扎克伯格放弃 Wirehog。

帕克认为真正杰出的领袖，尤其是公司初创时期的领导者知道在何时说不——能够清晰地勾勒出前景，让所有人为之热血沸腾，但也知道哪里是底线，这底线对产品而言尤为重要。人不可能面面俱到。马克还不了解这点，这是他得到的教训。

当然，工作不会一直占据首位。一群 20 出头的年轻人一同住在属于自己的屋子里，怎么会不想聚会呢？他们也许算科学怪人，可他们还是爱找乐子的怪人。离住处 1.5 公里左右就是斯坦福大学。那里的学期按季度划分，所以学生们现在还上夏季学期的课。Facebook 上有一项特色服务，可以只针对一所学校的用户发布广告。扎克伯格一行人就利用这一服务在网站上宣布他们正在酝酿聚会——"Facebook 在办派对！"此后，他们就经常和斯坦福的学生以及当地居民打成一片。

这样的聚会基本就是觥筹交措的场所，是帕克可以自由进出的地方。因为他是团队里唯一年龄超过 21 岁的人，所以同伴们就靠他去买酒。聚会里也有很多人是瘾君子，但扎克伯格不赞成这样做也不参与其中。一个朋友说："在我碰到的人里，马克属于最反感吸毒的那类人。"

最受男生们欢迎的聚会游戏是 Beirut，又叫"啤酒乒乓"，是一种喝酒游戏，输了的一方因为要喝酒，所以当游戏结束的时候基本已酩酊大醉。Beirut 在 Facebook 和哈佛校园都很流行，6 个月后扎克伯格和朋友还发起了一项全国大学生 Beirut 大赛。Facebook 号召先在校内开展比赛，然后这些学校内部排头名的队伍齐聚纽约进行最终决赛，争夺 1 万美元的冠军奖金。按规定，每个参赛学生都要在网上支付 10 美元，一时之间有数千人报名。但在活动推出 4 天后，由于各大院校的抗议声浪高涨，Facebook 还是取消了比赛。

在帕洛阿尔托租的这间屋子就像个大寝室。住在里面的男生经常邀请朋友一起在池塘边烤牛肉饼或是牛排，然后围坐在屋外的桌子前边吃烧烤边谈天说地。来客中有一位是帕克的朋友，名叫亚伦·西锡格（Aaron Sittig）。他起初曾经帮助 Napster 开发用于苹果机的版本 Macster，这一版本被 Napster 收购了。西锡格一头金色的波浪卷发，性格沉静自闭，他不只是名编程员，还是个一流的平面设计师和排版高手。帕克介绍西锡格来是因为他觉得这个朋友能为 Facebook 的设计提供帮助，但当时他却态度消极，毫无活力。马克觉得让他这样在屋里闲着，看起来像没事做一样，会影响团队的工作热情。不过第二年，在再次进入加州大学伯克利分校读了一学期哲学以后，西锡格正式来到 Facebook 工作，成为扎克伯格关系最为亲密的顾问。

编程、舞剑和大呼小叫的会议通常会持续到晚上，有时会穿插着喝酒、看电影和玩电脑游戏。用 Xbox 游戏机可以举行练习赛，Halo 游戏是这些男生的至爱。汤姆·克鲁斯某种程度上也成了团队迷恋的偶像，于是后来有了一个汤姆·克鲁斯电影的马拉松式连播活动。他们租了一整套 DVD，都是这位明星的作品。为什么不是别的影星？在把手提电脑放到一边，和其他人一起观看电影之后，西锡格这样解释道："汤姆·克鲁斯之所以有趣是因为他的个性不是十全十美的，他不是个完人。"这样的生活就像在宿营。

很快，男生们就以汤姆·克鲁斯在电影中扮演的角色来命名运行 Facebook 软件的服务器，于是就会出现这样的对话："'那段脚本在哪里运行？''在 Maverick 上。''把它放到 Iceman 上去，我要用 Maverick 来测试这个特征。'"[①] 本·斯蒂勒的电影《超级名模》(Zoolander) 是全屋人的另一个心头好，这部片子他们已经看了很多遍。在他们工作时，它就被当作背景音乐一遍遍反复播放。这些男生彼此引用大段的电影对白寻开心。即使他们在开发革命性的网络服务，也还只是些大学生。

尽管团队成员时有玩笑打闹，举止有时轻浮傻气，但 Facebook 显然正转变为一项正经的事业。扎克伯格知道自己必须更成熟地考虑每一步决定，让公司在技术上和业务上都有发展。在那个夏季，网站的成长开始呈现惊人的势头。暑假过半，此前他们一直没有增加新的学校入网。但在已经推行 Facebook 的 34 所学校内，注册人数在整个暑假期间都保持着稳定增长。所有人都认为，新学期开始会带来大量新用户，而这就意味着网站需要更可靠的软件和更强大的计算能力。

Facebook 的软件和数据运行于共享设备的服务器，位于帕洛阿尔托以南 19 公里左右的圣克拉拉。扎克伯格他们不得不经常开车过去拆装更多的服务器，而且给它们拉线——他们一般会叫上些朋友去帮忙干这些活。

他们开始设想 Facebook 会继续保持增长趋势。每次数据库升级或者服务器排列重新布局时，扎克伯格就尽量以十倍于 Facebook 当时用户的数量来安排布局，这种确信无疑的乐观后来被证实极有远见。假如扎克伯格没有早在 2004 年夏季就如此自信，他的公司也许很容易就会陷入扩容的困境以及遭遇可能到来的灾难性宕机。而 Friendser 管理自身发展失败的阴影是越来越挥之不去的，扎克伯格决计不会让它在 Facebook 身上重演。

这位 20 岁的首席执行官执著于如何让 Facebook 在技术上运行良好的问题。他知道，对这样的交流服务而言，性能表现就是关键。假如向用户传送新页面

---

① Marverick 和 Iceman 这两个电影角色名出现在克鲁斯 1986 年主演的那部《壮志凌云》(Top Run) 里。——译者注

的速度开始减缓，那就是致命的一击——是成为下一个 Friendster 的开始。此前已经出现少数让人震惊的宕机和减速。扎克伯格与莫斯科维茨在软件中插入了一个计时器，这样就能特意在每个页面显示出服务器打开页面耗费的时间。假如团队成员提出可能降低速度的特色功能，扎克伯格就会和他们讨论研究，因为每毫秒都很重要。

在这期间刊登的一篇相关报道中，扎克伯格说了这样的话："我需要很多服务器，就像人需要吃很多食物那样。没有食物，人可能还捱得下去，但如果没有足够的服务器，网站就吃紧了。"

即使用户的热情和数量不断让网站创立者们感到震惊，也有其他因素帮助 Facebook 免于在成立之初遭遇性能危机。通过决定何时增加新学校入网，扎克伯格和莫斯科维茨就能有意识地控制网站发展的速度。Facebook 流量增长的模式十分清晰——在一个学校推行网站，观察到用户人数稳定增加，然后进入平稳发展。由于每添加一所学校流量就会激增，所以假如系统运转不正常、容量达到最大值，或者系统不适应新的服务器，他们两人就会等到一切好转之后再向下一个学校推进。对于新成立又融资不足的网络公司，这是一笔难得的财富，它使网站能在一群毫无经验的年轻人的经营下有条不紊地发展。扎克伯格说："我们没有获取外界的大量投资和评估，所以故意在发展初期放慢了速度，逐个学校地推动扩张步伐。"

Facebook 早期成功的另一个关键因素是利用了开源软件。最初它的数据库是开源且免费的 MySQL，后来起用的 PHP 是一种特殊的编程语言，也是不收费的。这种网站开发的语言能控制 Facebook 网页的运行方式。实际上，像这样没有投资方支持的自下而上型的网络经营此前并不多见。在 2004 年，开源网站运行软件才刚刚发展成熟，体现了雄厚的实力。没有这类开源软件，扎克伯格不可能在自己的寝室里创建一个特色鲜明又多样的网站，并且在运行网站时只有服务器一项费用支出而已。即使拥有了 10 万用户，公司真正的运营成本也仅仅产生于服务器和员工薪酬。

尽管如此，随着 Facebook 发展壮大，维持网站连续不断的运转和购买新设备已经开始真正耗费资金。在扎克伯格的团队来到帕洛阿尔托的头几周，他花费了 2 万美元，主要用于增加网站虚拟主机的服务器。显然此后还会有更多必需的资金投入。

这些资金来自萨维林在佛罗里达开设的账户。除了他与扎克伯格存入的现金以外，账户金额的增加都是依靠可观的广告收入。而暑假期间大部分广告销售都已叫停。

帕克与刚聘请的律师在试图厘清公司的合法性。萨维林成立的有限责任公司并非一个完全意义上的正式结构，还缺少管理文件界定公司运营方式。公司没有合同、正式员工和工资表。虽然 Facebook 不久就会需要外界投资，但必须让它成为一家真正的公司以后才能得到外部资金。

可萨维林却开始妨碍融资进程。7 月中旬以前帕克就在着手与投资者商谈注资 Facebook 的事宜。萨维林在参与商议后写了封信给扎克伯格，信上说公司合伙人最初的协议上提到他会"管理生意"，他希望得到一份合同，保证自己拥有管理权。帕克表示："这太幼稚了。他根本不了解在这个领域产品设计和技术的重要性。相信吗，他觉得生意就是只需要请一群工程师，让他们在设计室小心处理产品设计、用户接口设计、技术和代码这些重要事项。"对于一家网络公司、尤其是刚成立不久的公司而言，打造、编写和设计产品就是生意。在推进和运营的策略上最微小的失误就意味着再也不会有广告投放。

不论萨维林是否了解成立一家网络公司的核心机制，他都有足够理由对在帕洛阿尔托的这个团队感到失望。他已经为公司投入了自己的资金（或是自己家人的），是他争取到了与 Y2M 合作并且为公司拉到了广告。而且，他还感到自己的同伴无动于衷，至少对经营收入毫无兴趣。当萨维林把广告商提出特殊待遇的要求转告扎克伯格与莫斯科维茨时，他经常会碰壁。假如 Facebook 不能成为一桩真正的生意，他的投资怎么会有可能实现高额收益呢？扎克伯格似乎满意于得到仅仅足够负担支出并且保持网站运转的收入。

萨维林在 Facebook 的工作举步维艰，因为广告商是要求反响和回馈的。假如有疑问或者问题，他们希望立刻得到自己可以获得的收益。这样一来，萨维林比扎克伯格和莫斯科维茨更难以安排个人时间。他的工作不像那两位同伴一样固定，他需要与客户沟通交流。这并不容易，而且他还要跟上自己在哈佛的课程进度。

不过他与扎克伯格确实有个共同之处——并不确切 Facebook 未来能否取得成功。萨维林毫不避讳地表示，Facebook 只是他的一项商业活动。他打算毕业后上商学院，所以不管公司有多需要他，他都会优先考虑学业。

这一切导致双方后来对簿公堂。在一项法律起诉中，萨维林一方对扎克伯格和公司这样声明："在得到插手业务的书面授权以前，扎克伯格不能阻碍其他股东的工作和公司业务的发展。萨维林同时表示，由于自己拥有公司 30% 的股权，因此会在这一问题解决前否决公司的任何融资决策。"

因为两人分歧加剧，扎克伯格与萨维林之间的通话虽然耗时很久却很少会得出明确的结论。在帕洛阿尔托的团队认为，萨维林如此咄咄逼人是因为他那位白手起家的百万富翁父亲作风强硬，一直从旁怂恿。"他父亲告诉他要动真格的，"帕克说，"但他不是个能逞强的人。"帕克表示，在急于作决定时，萨维林经常是要么说"我必须和我父亲谈谈"，要么说"我不能现在回答你"。一两天后，他就会如先前所说给出一个确定的回复——这个回复是绝不让步的。

尽管萨维林态度强硬，但大家并不讨厌他，他头脑聪明，性情和善，富有魅力。但既然他不能像其他人那样对公司毫无保留地付出，那么他想获得更多领导权的努力就毫无意义。实际上，他在要求成为 Facebook 首席执行官的同时，甚至不能一心一意地投入网站的工作。网站的其他成员虽然缺少经验，却都在勤奋工作，必要时经常整晚不眠不休。而萨维林在纽约的工作显得太享受了，因此他们觉得他不该得到那个职位。

无论如何，萨维林的商业技巧并未打动公司的同事。他的确得到了在线标题广告网的许多业务，这类网站由此买下了大量网页空间，但这些广告商付费很少，而且会在为他们推出服务后几个月后才支付。特里西娅·布莱克对萨维林的评价比 Facebook 的其他创始人都高。然而，即使是这样，布莱克也承认："有时业务会有始无终，或者广告商会出问题。"

萨维林对网站提出的构想通常无法得到同伴的认同支持。比如，他认为应该改变申请一个新朋友的流程，这样改动后就需要鼠标多点击一次。而扎克伯格热衷于让服务容易操作，所以在他看来那是背离宗旨的做法。但萨维林觉得这有意义，因为在网页转换间歇用户会多看到一则广告。对扎克伯格而言，这是最差强人意的理由。萨维林极力同扎克伯格和莫斯科维茨争辩，主张 Facebook 应在网页顶部放置大幅标题广告。"我们认为，无论如何都不可能这样做，"莫斯科维茨说，"我们觉得，假如不放弃这个网站的所有权，我们就会获得更多长远的收益。"

接洽融资的同时，帕克与律师正筹备构建一个全新的合法架构。他们在特拉华州递交了成立 Facebook 公司的申请文件。（包括几乎所有硅谷的新公司在内，大多数美国公司都在特拉华州组建公司，因为那里的立法有利于商业发展。）负责重组公司的帕克尤为注重知识产权，因此将公司最重要的资产——Facebook 定义为公司所有。在成立有限责任公司时，萨维林没有充分界定公司的管理范畴。作为创造者，扎克伯格个人拥有大部分软件和设计的专利权，其他的小部分则为莫斯科维茨所有。从法律上讲，这样的公司是很少有的。萨维林掌管着银行账户，但网站服务所依存的服务器和知识产权都由扎克伯格、莫斯科维茨和帕克管理。在佛罗里达的有限责任公司差不多就是个空壳，而它的归属也无法明确。扎克伯格和莫斯科维茨将他们在那家公司的股份和关键性的知识产权让与了在特拉华州成立的公司。

扎克伯格现在不会重提这场争执，但他在备案的讼词中说自己告诉过萨维林他不再是公司的一员，因为他拒绝和其他人一道去加州，也没有推进自己的工作。虽然萨维林的股份还会保留，但这些股份不可避免地会被稀释（即在公司的全部股份中占有比例越来越小），因为员工会得到公司的股票期权，而投资者也会购入 Facebook 的股票。相比之下，基于一直以来对公司的贡献，扎克伯格与莫斯科维茨都有资格得到更多的股票。

根据新公司的章程规定，扎克伯格拥有公司 51% 的股份，成为公司唯一的董事。萨维林的股份占了 34.4%。鉴于莫斯科维茨对公司的贡献不断增加，扎克伯格增加了这位同伴持有的股份，使其比重上升到了 6.81%。他还分给新成员帕克 6.47% 的股份。当然，考虑到没有谁对公司的忠诚是理所当然的，所以帕克和莫斯科维茨在公司就职一年以后，他们的持股额就会翻倍，这样一来萨维林的股份就会被大幅稀释。

萨维林后来声称自己并不知道公司重组，也不清楚关于重组计划的其他多方面情况。但他在那期间了解到的部分实情必定让他大为恼火，因为那种做法正是 Facebook 此后起诉他时所说的"企图劫持公司业务"。萨维林冻结了在佛罗里达的银行账户，使公司无法以此账户付款，并且放话说在管理业务的要求未达到满足以前，账户里的钱全都不能支用。而冻结账户时正逢网站很快需要大量采购新服务器的关头。帕洛阿尔托的一位团队成员说："那感觉就像我们在和恐怖分子谈判。"萨维林说自己已经草拟了一项运营协议，其中描述了所有团队成员在公司里各自的职责，可他不会让扎克伯格看到内容，除非对方保证在不泄露给其个人律师或他人的情况下签订协议。作为回应，扎克伯格亲自拟定了公司运作文件，在文件中规定了他认为双方都适宜的职责范围，但萨维林拒不接受。

随着谈判继续进行，扎克伯格不得不动用自己的积蓄支付詹尼弗路 819 号租房的所有费用。他还不断地购买服务器，负担起这项更重要的开支。由于此前的暑假和闲暇时间做过编程和网站工作，扎克伯格存下了几万美元。他那当牙医的父亲和从事心理学研究的母亲也资助了几千美元。据此后的讼词中称，这笔钱本是他的学费。扎克伯格和家人在那个暑假共出资 8.5 万美元，仅 25 部服务器一项支出就花了 2.8 万美元。

克里斯·休斯没有从法国回来，直到暑假结束才来到帕洛阿尔托。即便如此，他在扎克伯格的智囊团中依然扮演着重要角色。在自行判断用户对产品会有如何反应时，Facebook 在加州的团队成员们普遍缺乏信心。人文学科专业的休斯能比他们更好地把握用户对 Facebook 提供的新特色会有怎样的反应。休斯刚到帕洛阿尔托，大家就一哄而上，请求他评价这样那样的特色或是网页设计。他谈了很多关于隐私和简易方面的见解。即使休斯为了大三的学业而返校，已经离开加州，主宰者和指挥官扎克伯格也经常在与同伴争论时引用他的观点。他一直是 Facebook 的公开发言人，在自己的宿舍里应付层出不穷的采访邀请，发出这些请求的大多是全美国各大学的校报。

到 2004 年暑假结束为止，Facebook 的用户已超过 20 万人。扎克伯格与莫斯科维茨计划 9 月在另外 70 所学校推广网站。帕克仍然在与那些有意提供网站所需资金的投资者们协商，力求得到的投资没有附带太多限制条件。而与萨维林的交涉也在继续。

假期结束几周前，扎克伯格与莫斯科维茨考虑了 5 分钟，最后决定不再返回哈佛。起初他们以为再次回到哈佛的宿舍也能运行 Facebook，但发展的迹象表明，接下来会是一个入网学校暴增的学年，服务需求量会暴涨，他们不想功亏一篑。德安杰罗和实习生们像萨维林一样仍然在哈佛继续学业。扎克伯格、莫斯科维茨、帕克和哈利奇奥格卢此时已正式为 Facebook 工作，而麦克科伦还在进行 Wirehog 的开发。

9 月 11 日，扎克伯格的房东上门检查了房屋状况，对看到的一切很不满意。在后来为此引发的纠纷案件中，房东在这次检查后写下的备忘录被载入备案记录，上面写道："房子又脏又乱。家具已经可以送到垃圾场了——不确定哪些丢了，哪些坏了……烧烤留下的灰有些倒在平台上，有些倒满了后院的花盆……一只印度的古董篮子被拎到屋外，挂在内置的烧烤架上。篮子已经烧坏了……"他们还投诉滑降装置毁坏了烟囱，而修理碎玻璃刮坏的过滤器和坏的洗衣房房门又是笔开销。在这个 Facebook 的临时总部里，大学生闹剧的破坏遗迹随处可见。

9 月初，就在和萨维林的电话争执持续不断的时候，扎克伯格又收到了诉讼文书，通知他卡梅伦·文克莱沃斯、泰勒·文克莱沃斯和迪夫亚·纳伦德拉已经向联邦法院提出起诉，这三人声称，扎克伯格的 Facebook 窃取了他们的创意。

第 3 章
Facebook 时代来临

> 每个资本家都想参与进来。

社会化网络已经不是一个新概念了，早期 Facebook 的很多组成部分都是其他网站首先进行尝试的，扎克伯格曾因为 Facebook 剽窃他人的创意而被指控多次。·不过实际上他的网站只是对 40 年前那些创意的继承。

在互联网建立之初，那些进行互联网基础设计的工程师就设想了一种类似于 Facebook 这样的网站。

J·里克雷德 (J. C. R. Licklider) 和罗伯特·泰勒 (Robert W. Taylor) 在 1968 年的一篇题为《将电脑当作通信设备》(*The Computer as Communication*) 的文章中，作者提出了这样一个问题："在线互动社区应该是什么样的？在多数情况下社区的成员们在地理位置上是分开的，有时聚合成一群，有时又各自分开。这样的社区不是聚合了同一地区的人，而是将相同爱好的人聚合在一起。" 这篇文章同时还涉及了社交网络的概念，"那时大家将无需寄信或发电报，只需要很简单地识别需要与你的文件进行联网的人就可以了。" 作为美国国防部高级研究计划局 (Advance Research Project Agency of the Department of Defense) 的关键成员，里克雷德参与设计和建立了后来被称为阿帕网 (ARPAnet) 的互联网雏形。

大约十年后，有些人开始着手创立这样的在线社区。在万维网创立很久以前，互联网的第一项服务——当时被称为 Usenet 的网站就吸引了大量的非技术类用户。该网站从 1979 年开始到现在一直都在正常运营，人们在里面可以向不同主题的群组张贴消息。1985 年，斯图尔特·布兰德（Stewart Brand）、拉里·布瑞里恩特（Larry Brilliant）以及其他几个人在旧金山建立了被称为全球电子链接（Whole Earth 'Lectronic Link）或简写为 Well 的电子公告板。在 1987 年，Well 的一个超级用户霍华德·莱茵果尔德（Howard Rheingold）发表了一篇文章，在文中他创造了"虚拟社区"的说法用以描述这样的新体验。莱茵果尔德是这样描述的："虚拟社区的成员也许不能面对面交流，但是他们通过电脑公告板和网络来交流言论和想法。"

越来越多的人开始熟悉电子通信，最早是从在线上群组和聊天室发帖评论开始的。在 1982 年，法国邮电业创建了一种被称为小型电传（Minitel）的在线服务，最早开始将这样的概念变成一种面对大量用户的服务。AOL 于 1985 年开始运营。在 1988 年，IBM 和希尔斯公司（Sears）面向普通美国大众创立了一个强大的商业在线服务，称为 Prodigy。但是很快 AOL 就成为美国最大的服务商，在 AOL 中人们可以建立自定义的用户名来和别人互动。我在 AOL 的用户名是 David4068。在 20 世纪 90 年代初，普通大众开始用和他们姓名不同的自定义用户名来发送电子邮件。尽管他们可以使用网络提供的地址簿，但是用户们并不用其他方式来寻找自己现实生活中的朋友或与他们进行联络。后来的即时信息服务也采取了这样的方式，人们使用用户名而不是真名进行交流。

在万维网初期，在线社区的概念又得到了加强。诸如全球网（The Globe.com）、虚拟城市（Geocities）和铁三角（Tripod）开始允许用户建立自己的页面，同时也可以链接到他人的页面上去。马克·扎克伯格的第一个网站是他初中时在虚拟城市中建立的。1994 年成立的付费交友网站 Match.com 是使用真实信息注册的，但是只能用于特定用途。Classmate.com 网站于 1995 年成立，人们可以通过真名来寻找并和以前的校友进行交流。

社交网络时代于 1997 年最终拉开大幕，一个纽约的网站六度空间（sixdegrees.com）取得了真名网络交友服务的重大突破。两位互联网社会学家达纳·博伊德（Dana Boyd）和妮科尔·埃利森（Nicole Ellison）在 2007 年的一篇论文中这样描述了社会化网络的特点："建立一种公开或半公开的个人档案，""和别的一些用户通过同一个关联进行通信，""浏览所有关联并加入系统内其他用户所建立的关联。"你在这样复杂的关系网络中建立自己的个人定位，你的个人档案能把你置于相关的关系连接中，这样就能找到隐藏的兴趣爱好或关联。这种直指 Facebook 的趋势还有另外一个重要元素，那就是基于用户真实身份的在线信息。

六度空间首先采用真实身份来确认和映射人们在现实中的真实关系，这在当时看来是极富远见的。这个网站的名字来源于六度空间理论，该理论认为世界上的所有人都能通过各自的关系网相互串联起来，从自己的朋友开始，下一"维度"是朋友的朋友，一直到第六维度。

六度空间的创始人安德鲁·韦瑞契（Andrew Weinreich）曾是一名律师，很擅长建立关系网。万维网当时才刚刚起步，对于普通大众的吸引力初现端倪。在 1997 年上半年，六度空间开始运营，韦瑞契邀请了几百人来到纽约的帕克大厦，并通过那里的 20 台电脑加入到六度空间中去。他宣布："仅仅在自己的电脑上使用名片簿是远远不够的，我们将会把你的名片簿放在中央，如果每个人都上传了自己的名片簿，这样我们就可以通过它们穿越整个世界。"

通常情况下，人们通过已有用户的邀请邮件加入到六度空间中来，这一邀请方式被后来的很多社交网络沿用。这对于现在的我们来说也许是很平常的事情，但在当时是具有革命意义的。这项服务使我们能够使用真名建立自己的档案，记录自己的信息和爱好，然后通过这些档案来和朋友进行在线联络。你也可以浏览别人的档案，然后让自己的朋友来介绍你和你找到的那些有趣的人认识。六度空间在建立之初有两个关键功能：第一个是"与我连通"（connect me），如果你输入某人的名字，系统会通过已有的用户来建立你和他的联系；另外一个是"将我加入"（network me），通过这一功能你可以寻找特定性格的那一类人，系统会通过你的要求来识别那一类人。也许你要找的是斯卡思达尔（Scarsdale），一位喜欢下象棋的医生呢。

但是韦瑞契现在则不无遗憾地承认"我们那时候比较早，时机比什么都重要"，六度空间的开发和运营成本实在是太高，拥有 90 名雇员，购买了大量昂贵的服务器和来自甲骨文的数据库软件许可，并且向网络开发公司 Sapient 支付了大笔费用来开发功能。如此巨大的付出最后是什么样的成果呢？用户们使用慢得令人发指的拨号网络来登录网站，而且还有很多其他严重的局限。用户档案里有姓名、工作信息、喜爱的电影，但是不能上传照片，毕竟当时很少有人有数码相机。没有照片对于当时的韦瑞契来说是一个大问题，他当时考虑让成员们用影印的方式来发送照片，最后由他的雇员们统一上传。

人们还不清楚——会员和非会员抱有同样的疑问，到底六度空间是想做成约会服务、商业网络服务，还是两者兼有。很多会员加入了以后什么都没有做。虽然如此，到 1999 年六度空间还是拥有了 100 万名注册用户，并被一家更大的公司以 1.25 亿美元收购。在那以后，六度空间就再也没有创造什么收益，在 2000 年互联网泡沫破灭以后，它的新东家选择了关闭这家亏损公司。不过这仅仅是社交网络的起步而不是终点，韦瑞契律师和其合伙人的先见之明创造了六度空间的想法，也在 Facebook 史上占据了关键地位。

尽管六度空间打开了坚冰，不过到其他人开始建立起被认为是真正的社交网络时还是花费了很长时间。在 1999 年，专注于文化的站点黑色星球（Black Planet）和亚洲大道（Asian Avenue）成立了，两个网站拥有有限的社交功能。瑞典的青少年社交网站月风暴（LunarStorm）于 2000 年 1 月 1 日成立。2001 年成立的韩国高人气网站赛我网（Cyworld）也让人们看到了社交网络的无限可能。

直到 2001 年和 2002 年社会化网络触动了硅谷和旧金山前，大多数企业家和风投仍然处于 2000 年初开始的互联网公司的估价和收入大跌的震惊之中。很多公司倒闭，气氛很糟糕，对于网络公司尤其如此。在 2001 年和 2002 年新成立的公司根本得不到投资。只有少数坚挺的公司能意识到，六度空间之所以那样仅仅是因为它起步太快了。

肖恩·帕克和他的朋友在 2001 年成立了 Plaxo，它不是社交网站，但是和社交网站有很多类似之处。Plaxo 提供联系人管理的服务，当有新用户上传了他们的信息后，它将会一直提醒用户更新个人信息，并且不停地要求他们加入。这样的骚扰是非常令人厌烦的，但是用起来也很方便。帕克和韦瑞契的六度空间想法差不多——将你的名片簿放在中央，然后让我们去管理。帕克喜欢 Plaxo 的概念，因为它具有传染性，一个用户能够带出一群用户。Plaxo 也预示着 Facebook 的一个决定性元素——根据联系人网络来管理每个人的用户识别信息。

在 2001 年末，企业家和开创者阿德里安·斯科特（Adrian Scott）建立了一个名为 Ryze 的社交网站。斯科特对于 Ryze 的用途非常明确，这个网站不是约会网站，它是专为商务人士打造的。将网站称为 Ryze 就是为了让用户觉得，通过改善自己的个人商业网络质量会让自己得以提升。用户的档案大部分与工作业绩有关，用户网络里都是同事或者商业联系人。网站计划通过对用人单位在检索数据库中的员工、顾问等信息时进行收费来营利。尽管只有在旧金山的那些非常了解技术趋势的人才能够发现这个网站的价值所在，但是它开创的方式使很多后来者有了明确的方向。

乔纳森·阿伯拉姆斯（Jonathan Abrams）是一位程序员，同时他也是 Ryze 的用户、社交狂人。他觉得专注于人们的业余生活也是不错的机会，于是制作了一个面向用户的真正意义上的社会化网络，称为 Friendster。尽管这个网站算不上一个约会网站，但它却提供了很多工具来帮助用户寻找约会对象。阿伯拉姆斯打赌说他的网站能从 Match.com 抢走客户，因为网站的理念是通过了解朋友的朋友来认识有趣的人。用户基本上使用真名注册，并且 Friendster 还使用一种新颖的工具来和别人保持联系——和六度空间的韦瑞契如出一辙。他们的照片显示在名字的边上，这实际上是一项很大的突破。你可以通过这个功能搜索到住在附近的某个人，也许他已经是你某个朋友的朋友了。如果你喜欢他们的照片，你可能会尝试去与他们联系。

2003 年 2 月 Friendster 成立后，立刻引起了轰动，在几个月内聚集了几百万用户。要想加入的话需要已有用户的邀请，而这些邀请总是供不应求。很快人们谈到 Friendster 时会说它是下一个 Google，甚至后来还有报道说它拒绝了 Google 出价 3 000 万美元的收购。与此同时，在波士顿，马克·扎克伯格接受邀请加入该网站。和他一起加入的还有其他很多哈佛的毕业生，其中包括文克莱沃斯兄弟。

Friendster 似乎赶上了一个好时代。阿伯拉姆斯上了杂志封面。但是在当年年中时，用户体验开始慢慢下滑了。成百万的用户加入了网站，而其原有的服务器则越来越慢。网页需要 20 秒才能载入。网站没法保持自己的成功了。另外，在公关方面也遇到了问题——它陷入了与假用户的口水仗中，这一类用户使用假姓名和假身份进行注册，有人甚至注册成卡通人物或者一条狗。阿伯拉姆斯坚称那些用户需要使用真名来注册，而且他还封禁了很多的假用户。为了能更好地解决这些昂贵的技术问题，公司在 2003 年秋接受了来自美国万宝环球基金（Benchmark Capital）和凯鹏华盈基金（Kleiner Perkins Caufield & Byers）的一笔 1 300 万美元投资。

最近我去 Friendster 旧金山的办公室拜访其创始人阿伯拉姆斯，他现在忙于开发一个名为 Socializr 的在线邀请网站。他胡子邋遢，一脸懊丧，却依然一副想要参加派对的样子。我进去后，他做的第一件事是给我倒了一杯龙舌兰酒。在交谈过程中，他不停地给我添酒。"网站确实有两年在运营上出了问题。"他承认道。最终他回到话题上，并解释说由于一系列工程上的判断失误，他直到失去首席执行官的职位很久以后才有机会去修复网站问题。

阿伯拉姆斯是社交网络的一位伟大的开创者，他也乐于承认他的成功来自前人的想法。"这并不是什么新概念，"他说道，"唯一的新东西是网站的体验、设计和功能。"但是实际上，正如肖恩·帕克所言："乔纳森用代码实现了这个想法，他用最简单的架构来给社交网络下定义。"经过 Friendster 的辉煌，社会化网络在旧金山开始遍地开花，每个网站都采用了不同的方法来将人们联系起来。其中 LinkedIn 和 Tribe.net 是由阿伯拉姆斯的朋友建立的。

雷德·霍夫曼（Reid Hoffman）成为 Friendster 融资的一把手，公司总共融资 10 万美元，其中霍夫曼自己投资了 2 万美元。作为硅谷最有想法的执行官之一，他为 Friendster 建立了坚实的架构。早在 1997 年 8 月，他就建立了一个名为 SocialNet 的约会服务网站。有人说这是第一个社会化网络，但是霍夫曼不这么认为。无论如何，这个网站在商业上并不成功。但是在 2003 年 5 月，Friendster 成立 3 个月后，霍夫曼建立了 LinkedIn，这是专为商务人士打造的社会化网络。霍夫曼相信社会化网络应该分成两个方向——个人应用和商务应用，所以这和他对于 Friendster 的支持并不冲突。LinkedIn 一直到现在都在繁荣发展，它和 Ryze 有很多类似之处。你的用户档案基本上和创建时差不多。用户们在其中可以寻找工作，还可以向他人进行商业咨询或提出建议。不过为了契合其商务定位，LinkedIn 在开始时是不需要提供照片的（后来霍夫曼才加入了这个功能）。

马克·平卡斯（Mark Pincus）和霍夫曼是老搭档了。他身体瘦弱、中等身高、充满活力，是 Friendster 的投资人之一。2003 年 5 月，在霍夫曼建立 LinkedIn 的同时，平卡斯也开办了 Tribe.net，该网站用户可以根据某种特定爱好来建立一个部落。Tribe.net 最早希望建成一个类似于 Craiglist 的分类信息，这样用户就可以和认识的人进行交易。网站的部落特点很快成了它的商标。网站的参与者既有了内华达火人节（Burning Man Festival）的参与者，也有非传统性取向的支持者，而不仅仅是想和认识的人进行交易的人。

肖恩·帕克偶然碰到了旧金山的社交网络团队。当时帕克和一些斯坦福大学的学生合住在帕洛阿尔托的一栋屋子里，Friendster 已经上线，其他人也拥有了自己的网站，阿德里安·斯科特（Adrian Scott）成为 Napster 的早期投资人，平卡斯也建立了 Freeloader。早在 1994 年帕克就认识了平卡斯，并通过平卡斯又认识了霍夫曼，当时帕克还只有 15 岁，在弗吉尼亚州阿灵顿实习。很快帕克就和他们以及阿伯拉姆斯混熟了。

帕克和阿伯拉姆斯很快就成了好朋友。他们都喜欢派对、编程，也都有远大的理想。他和阿伯拉姆斯交往得越深，就对 Friendster 越着迷。后来帕克泡在 Friendster 办公室的时间越来越多。他帮助阿伯拉姆斯寻找更多的投资人，并且自己也持有 Friendster 的一小部分股份。当时正好是用户数量激增导致 Friendster 服务质量下降的时候。"我以旁观者的角度看着他们渐渐打输了这场战争，"帕克说道，"他们不停地在说，'还有一个月，再等一个月，我们就能恢复了。'"Friendster 后来尝试补救，但是对于美国市场来说还是太迟了。现在其 60% 的用户来自菲律宾、印度尼西亚和马来西亚。

在 2003 年夏天，Tribe.net 和 LinkedIn 开始聚集人气之时，突然有一件事让平卡斯和霍夫曼忧心忡忡，他们了解到已经倒闭的六度空间所拥有的专利正在被它的新东家拍卖。这项专利的范围比较广，它可以实现：社会化网络服务通过使用一个数据库让用户建立帐号，然后鼓励他们使用电子邮件邀请其他人加入这个网络，如果别人接受邀请就会在两者之间建立关联。这些是大多数社会化网络的核心。

平卡斯和霍夫曼手下的律师警告他们说，如果这项专利不在他们手中的话就可能让他们的公司倒闭，任何进行社会化网络的公司都不能幸免，于是他们决定去购买这个专利。他们同时也知道 Friendster 从风投那里获得了数百万美元的投资，他们担心 Friendster 会侵入他们的领域。如果拥有了这项专利就有了一项防御措施。然而两个网站的董事会都没有同意购买专利，所以他们决定用自己的钱来买。

但是他们并不是仅有的看到这项专利潜能的人。雅虎开始意识到自己也许失去了社会化网络的第一桶金，于是加入拍卖并准备以最高价进行收购。不过具有喜剧意味的是平卡斯和霍夫曼领先一步以 70 万美元买下了这项专利。两人表示只是想让这项专利不受雅虎或 Friendster 这样的巨鳄控制。"我们当时是担心有人买下这项专利然后去起诉所有的早期社交网络，"霍夫曼如是说，"我们以防守的姿态进行收购，这样保证没人会将这一产业扼杀在萌芽之中。"

但当企业家们开始在旧金山建立新企业时，另一个未必能成为竞争者的企业在 400 英里以南的洛杉矶也发展起来了。MySpace 刚起步时简直就是 Friendster 的翻版——MySpace 的联合创始人汤姆·安德森（Tom Anderson）曾经也是 Friendster 的忠实用户。安德森选择在 Friendster 遇到技术问题，体验开始变差时将 MySpace 上线。不过根据朱丽亚·安格文（Julia Angwin）所写的《偷取 MySpace》一书中的描述，安德森认为他会同意那些假用户的存在，从而"建立一个用户可以创建任何身份的网站"。他和联合创始人克里斯·迪沃尔夫（Chris DeWolfe）对于 MySpace 的使用几乎没有限制。

这两个人都是庞大无序的网络集团 eUniverse 的雇员，这家公司通过在用户电脑上秘密安装流氓软件和出售标价过高的广告欺诈产品来盈利。迪沃尔夫在给同事的邮件中表示，他对于 Friendster 能够"不花一分钱广告费"却能获得数百万用户很感兴趣。于是安德森和迪沃尔夫打算破釜沉舟。在 2003 年 8 月 15 日网站启动的短短 6 个月之后，也就是 Tribe.net 成立 3 个月后，MySpace 在与 Friendster 类似的原有个人页面中加入了游戏、星座和博客功能。

当阿伯拉姆斯正为了捍卫他的实名网站的事务而手忙脚乱时，MySpace 横插一脚并轻易占有了 Friendster 的大部分市场份额。他们所提供的服务正是用户们所需要的。比如说，如果用户想加入其他社交网络，在这一点上就比较灵活。想要加入并不需要已有用户的邀请，而且使用真名和假名皆可。另外最受用户欢迎的功能是，用户可以自己加载页面代码从而自定义页面，这是在网站早期由于初始程序错误所致。后来 MySpace 的创始人们发现了用户的热情，于是正式开放了这个功能。

用户的自主设计使 MySpace 变得如同时代广场——充满闪动的图案和粗俗的影像。不过这个造型也许不是有意为之，但这符合 MySpace 的特质。如果你可以假扮成任何人的话，你也有将自己的个人页面变成任何东西的权利，甚至你根本不需要知道这个 MySpace 用户是谁。当然，这样会很难和真实的朋友进行联系。人们开始在上面随便加好友，越多越好。这变成了一种竞赛——你能有多少好友？而对于在网站上的表现则不那么重视，大量的聊天内容显示网站的政策倾向于性。在 Friendster 上用户的页面被修正得颇为一致，而且阿伯拉姆斯也希望用户使用真名和真实的朋友联络，不过安德森和克里斯·迪沃尔夫（Chris Dewolfe）则对这样的细微调整嗤之以鼻。

正如安格文在《偷取 MySpace》中详细记述的那样，这两位精明的创建者对于时机掌控有着超凡的能力。当时的世界已经为社交网络准备好了广阔的市场空间。根据安格文在书中的记述，早在 2003 年，全美的宽带接入率就达到了 15%~25%。宽带不仅仅意味着更快的浏览速度，而且上传照片也会变得更加容易。数码相机也逐渐进入了大众的生活。更重要的是，越来越多的人开始拥有高速网络，这是有史以来的第一次——尤其是那些有年轻女孩的家庭。假如 Friendster 在一连串胜利之后没有失手，那么它依然会拥有极高的人气，但恰恰就在这关键时刻，MySpace 正好填补了这一空白。

起先 MySpace 是安德森和迪沃尔夫在他们洛杉矶的朋友圈子中推广开来的。他们在那里的俱乐部里向乐队和听众们推广网站，后来 MySpace 逐渐成为洛杉矶乐队推广自己的必要途径。不久以后，全美国的音乐人都开始使用 MySpace。MySpace 的用户不仅仅是乐队，还有年轻的听众们。

对于年轻人来说，MySpace 非常时髦，也是寻找乐队的第一大站点，同时它也成了约会发源地。全国范围内的通过 MySpace 发起夜店聚会热潮也成了网站的推广途径之一。毫无疑问的是——MySpace 是一个能够包容任何狂野行为的电子俱乐部。有一位给自己起名为 Tila Tequila 的丰满越南女孩从 Friendster 转战 MySpace，她的粉丝团也跟了过来。在她的个人页面里充斥着她性感暴露的照片。

尽管 MySpace 将用户的最小年龄限制为 16 岁，但是很多年龄未满 16 岁的孩子会使用虚假年龄进行注册。在 MySpace 上，13 岁的 8 年级女孩上传的仅穿胸罩的照片比比皆是。全国的初高中家长团体都召开过会议，不停警告着社交网络的危险性。

当 Thefacebook 在 2004 年 2 月成立时，万众瞩目的 MySpace 在美国已拥有超过 100 万名用户，并且很快在社交网络领域占据统治地位。Thefacebook 为用户提供有限的功能，呆板的用户个人页面，并且仅对精英大学的学生开放注册，和 MySpace 相比简直是天壤之别。

针对大学生的社交网络最早于 2001 年发源于斯坦福大学，这项小众的服务名为 Club Nexus，是由来自土耳其的计算机科学博士奥库特·布琉克登（Orkut Buyukkokten）建立的，旨在帮助斯坦福大学的学生们改进自己的社交生活。另外有一位名叫泰勒·奇曼（Tyler Ziemann）的政治科学专业的本科生负责网站非技术环节的管理。

Club Nexus 的产生是革命性的，它提供了很多功能——也许是太多了。会员可以使用真名建立个人帐户，添加自己的校内好友——按照 Clube Nexus 的说法叫做"伙伴"。会员添加的伙伴如果还不是网站的会员就会收到邀请加入的邮件。只有拥有斯坦福大学邮箱的学生才能够加入网站，通过邮箱验证可以确保所有用户网络身份的真实性。会员可以在网站上聊天、发起活动邀请、在个人空间里发布内容，甚至是个人广告，可以写一些类似于专栏的博客，还可以通过精密的搜索引擎功能来寻找和你志趣相投的人。学生通过这个网站可以寻找一起学习、运动的同伴，甚至找到约会对象。布琉克登自己曾吹嘘说这个网站和其他网站不同，是因为"你可以建立非常大的团体"。

在 6 周内 Club Nexus 的用户数增长到 1 500 人，而在斯坦福大学学生总数是 15 000 人。但是在用户数增加到 2 500 人时，开始趋平。它所提供的服务太复杂了。布琉克登是一位天才程序员，他将他所能想到的所有有意思的功能都加入了进去，但是这样使网站使用变得没那么容易，并且用户的注意力被过分集中到各种功能上，却没有感觉到有很多人同时和你一起在这个网站上。

到了 2002 年，网站的两个创始人都获得了学位，他们开始想让网站变得商业化起来。由于意识到学生用户对于网站已经没有了当初的热衷，他们作出了一个相比于后来 Facebook 的成功来说可以算得上是愚蠢的决定——将注意力转向校友。他们建立了一个名为 Affinity Engines 的公司，开始运作另一个版本的 Club Nexus，起名为 InCircle，为各个学校的校友团体提供服务。他们的第一个客户是斯坦福大学校友会。到了 2005 年，他们为 35 个学校的校友建立了网络，其中包括密歇根大学这样的大客户。但是在 Affinity Engines 成立后不久，奥库特·布琉克登就离开公司加入了 Google。

在他加入 Google 一年后，这位程序员企业家和 Google 的高级产品主管玛丽莎·梅尔（Marissa Mayer）有了一次接触，他告诉她那个周末他在构建一个新式社交网络的原型。梅尔和 Google 其他的高管一样，因为公司有鼓励员工积极创业的政策，对他的项目大为赞赏。Google 曾打算称这个项目为"伊甸"或"天堂"。后来有一天，布琉克登的同事产品经理亚当·史密斯（Adam Smith）和梅尔提到这位工程师拥有 Orkut.com 的域名，他们觉得布琉克登是这个项目的灵魂，于是决定用他的名字来为这个网站命名。

这样经过多次设想而诞生的 Orkut，作为一个向所有人开放的社交网络，在 2004 年 1 月上线，正好是在 Thefacebook.com 上线两周前。Orkut 起初在美国受到热烈追捧，并且顶住了来自 MySpace 的冲击。但是在 2004 年年底，很奇怪的事情发生了，Orkut 获得了巴西人的青睐。那里的群众对于 Orkut 的热爱程度超过了美国本土，年轻的巴西人都加入了进去。在巴西大获成功后，Orkut 确立了在巴西和葡萄牙语国家的地位，于是美国人都开始渐渐冷落了它。而现在 Orkut 依然是 Google 旗下的网站，有超过半数的成员来自巴西，另外 20% 来自印度，剩下的大部分来自美国。Google 对它的支持越来越少，最后到了 2008 年，Google 公司把整个 Orkut 业务搬到了巴西的总部。

Club Nexus 是第一个为学校定制的社交网络，但到了 2003—2004 学年，与之相类似的网站如雨后春笋般在很多学校建立起来。Daily Jolt 就是其中之一，它自 1999 年起就以校园公告版的形式在 12 个学校流行起来。而加州大学艾尔文分校的两位校友在 2003 年建立的 Collegester.com 则是一个"'由学生主导，为学生服务'的免费的、有用又有趣的"网站。一个名为 Wesmatch 的交友网站在卫斯理公会大学兴盛起来，网站的创始人在威廉姆斯大学建立了另一个版本，并渐渐在博尔顿、科尔比和欧柏林等学院流行起来。在 Thefacebook 成立一周后的 2 月 12 日，由耶鲁大学学生运作的理事会建立了一个名为 YaleStation 的交友网站上线了，到了当月月底有三分之二的在校生注册加入。还有 1 月份在哥伦比亚大学上线的 CUCommunity。耶鲁和哥伦比亚大学的交友网站在 Thefacebook 进入他们学校之前都有很强的影响力。

到 2003 年下半年，常春藤联合会一致认定学校的学生名册应该放到网络上。当时康奈尔大学、达特茅斯大学、普林斯顿大学、宾夕法尼亚大学、耶鲁大学和哈佛大学的学生组织都在向学校管理层抱怨说学校的学生名册没有电子版的，这个想法已经不是秘密了。也就是当时的这样一个想法让扎克伯格有了建立 Thefacebook 的想法，并以此为之命名。各地的学生都或多或少地受到当时占优势地位的 Friendster 的影响，也有些人由于它的服务器不稳定而感到失望。到了秋天，MySpace 已经在洛杉矶和音乐界掀起了波澜。

在 2003 年 9 月，哈佛的高年级学生亚伦·格林斯潘（Aaron Greenspan）建立了一个名为 houseSYSTEM 的网站，在这个网站里哈佛校区住宅里的成员们可以买卖书籍，查看课程，还能实现别的功能。同时，它还邀请用户上传自己的照片到 The Universal Facebook 上。但是好景不长，houseSYSTEM 由于学生密码处理的问题引起了争议，尽管有几百个学生注册使用，但是也没有产生广泛的影响。

另外，迪夫亚·纳伦德拉声称他在 2002 年 12 月就有为哈佛大学建立社交网络的想法。根据当时与扎克伯格和 Facebook 的官司中那些冗长的法律文件记载，后来他和文克莱沃斯兄弟一起建立了 Havard Connection。文克莱沃斯兄弟是双胞胎，同学们称他们为"闪亮的大高个儿"——这两个高大的金发帅哥是双人划艇运动员。他们经过了多年的训练，并且在 2008 年的北京奥运会进入了决赛。虽然他们只取得了 6 组决赛运动员中的第六名，但是这依然是很大的成就。上一次在里约热内卢的泛美洲运动会上，他们赢得了金牌。这两位健壮的家伙和创建 Thefacebook 的两个瘦弱的书呆子简直是天壤之别。

在后来的一年中，他们三人断断续续地在为实现 Harvard Connection 而努力。由于他们都不是程序员，所以雇了两个计算机专业的学生。在这些创始人看来，他们没能实现这一点。

到了 2003 年秋季开学的第一个学期，扎克伯格开始通过一些特别的社交应用程序来造势。首先是 Course Match，然后是 Facemash。纳伦德拉和文克莱沃斯兄弟知道了 Facemash，他们与扎克伯格取得联系并进行了会谈。扎克伯格答应帮忙，但是现在的说法却是把这个当作是自己很多社交软件"项目"之一。

扎克伯格为 Harvard Connection 编写代码的工作时断时续。几周后，他就对此失去了兴趣，可又没有向文克莱沃斯兄弟和纳伦德拉挑明，对方开始抱怨他拖了太长时间。扎克伯格一度为工作进度拖延而道歉，他解释说是因为感恩节假期里忘记把手提电脑的充电器带回家。后来，Harvard Connection 的三位创始人向联邦法院提出起诉，指控扎克伯格窃取了他们的知识产权。这件官司于 2008 年年中了结，按要求当事人均不得向外界透露案件的具体细节。但是现在已经有部分审理文件公开了，其中包括控方和扎克伯格之间的电子邮件记录，从中可以勾勒出哈佛联谊会当初的蓝图。在一封邮件中，卡梅伦·文克莱沃斯花了一页篇幅提到了以下相关内容："Harvard Connection 编制了一份清单，上面可以看到波士顿地区最火爆的俱乐部和酒吧哪天晚上有表演。我们已经与筹办方协商，在有那些表演的夜晚，让这些俱乐部为我们所有的注册用户降低入场收费。"这种参加派对打折的方式似乎就是 Harvard Connection 这个网站计划的主攻方向。

12 月 6 日，卡梅伦·文克莱沃斯又一次给扎克伯格发了邮件："我想到个点子：'近亲交往等级'……实际上，这种方式是用来衡量你的兴趣和你关注对象的兴趣有多接近……看到相关的联系有多密切，而且假如向这个人提出约会邀请将很像'近亲间的交往'，这会很有趣。"他还建议网站向用户推荐谁是适合去约会的对象，并且开玩笑说 Harvard Connection 如果扮作用软件测算姻缘的红娘绝对可以蒙骗用户："也许网站里可以结合些随意性元素（浏览网站的人显然不知道这种情况，因为他们只知道这是一个精心计算出的推荐结果）。"文克莱沃斯认为自己的想法很有创意，正如他在邮件中提到的，是一个"约会网站"。

这些披露的邮件显示，扎克伯格逐步开始躲避三位网站创始人。2004 年 1 月 8 日，他发邮件给卡梅伦说："我还有点怀疑，这个网站是否有足够的功能确实吸引用户注意，赢得网站运营必须拥有的挑剔大众。"而在 11 月末，他又在邮件中写道："我一拿到那些图表，我们就能正式启动了……看起来一切都在正常进行。"Harvard Connection 的三位发起人一再要求召开会议。12 月 14 日，四个人终于坐在一起开会，扎克伯格却在会上表示，他再也没有时间为这个项目工作了。

扎克伯格和 houseSYSTEM 的创始人格林斯潘也有过接触。1 月初，两个人在柯克兰宿舍的饭厅吃晚餐时碰到。碰面后，扎克伯格邀请格林斯潘加入自己创建的新项目，不过没有描述项目的详细内容。格林斯潘当时没有同意。他后来自己出版了一部 333 页的自传，借此表明心志。其中提到那时的想法："我不喜欢为一个因为无视大众隐私权而刚刚受到处分的人工作。"（他指的是 Facemash 事件。）格林斯潘比扎克伯格高两级，15 岁时起他就开设了自己的小型软件公司，那时在二年级的学弟面前显然很有优越感。

同样在那次见面时，格林斯潘也邀请扎克伯格与自己的项目合作，不论是什么新项目，都可以加入到 houseSYSTEM 中来。在他的自传中提到，扎克伯格回答说不想那样做，因为 houseSYSTEM "用处太多"了。格林斯潘在书中说，这番话让自己很费解。"只是因为它有太多东西了，"书里扎克伯格这样说，"有这么多的用途，感觉不知要怎么办才好。"如今，扎克伯格没有再对 houseSYSTEM 发表太多评价，只是说"这种把戏不是在添加东西，是在去掉东西"。houseSYSTEM 最终销声匿迹。扎克伯格的同班同学山姆·莱辛自己也是个编程员，如今开了一家网络公司。回忆起 houseSYSTEM 网站时，莱辛说它是"一个庞大的系统，有各种用途"。相比之下，他说 Thefacebook 的功能极其精简，"用户马上要去做的只有一件事，就是邀请更多的朋友。这个网站发展的推动力就来自这种专一性。"

2 月 4 日，Thefacebook 上线。6 天后，卡梅伦·文克莱沃斯发了一封信给扎克伯格，称对方盗用了 Harvard Connection 的创意成果，给自己的团队带来了伤害，信中要求扎克伯格停止运行 Thefacebook。他和同伴向校管理委员会投诉，正是这一机构在 Facemash 事件中宣布了对扎克伯格实行惩罚。哈佛的一位系主任也介入了此事，他让扎克伯格说明事情原委。

在 2 月 17 日写给系主任的一封长信里，扎克伯格说，从刚为哈佛联谊会的项目工作时起，他就"对起先的编程员的工作质量有些失望"，他称之为"又散乱又臃肿"。他觉得文克莱沃斯兄弟与纳伦德拉的构想不值一提，认为"学校里我那些交际最广的朋友都比他们清楚要怎么去吸引用户"。他还抱怨这三人的计划安排："我不喜欢他们的做事方式，因为他们原先许诺提供广告宣传、运行网站必需的硬件设备、甚至是网站用的图表，但是都没能顺利进行。我最后一次检查的时候，他们的首页还在用一幅直接从 Gucci 广告上挪过来的图。"

"我实在有些吃惊，"他接着写道，"我已经为这个网站做了工作，他们竟然要挟说不付钱给我……我努力不去想它，不把这样的烦恼当回事，因为只要我做成功了，就没有哪个资本家不想来插一脚。"在信的结尾，他提到"可笑的威胁"时这样说："我不会仔细观察自己的网站和他们的有什么不同，因为这两者根本是天差地别。"于是，系主任决定不再插手这次争端。

那么这两个网站是不是完全不一样呢？卡梅伦·文克莱沃斯的邮件透露出，Harvard Connection 主要致力于派对指南和约会服务，他们的目的是"与筹办方协商"，希望对方能为参加派对收取的费用提供折扣。Thefacebook 则没有商业性，主要为了能替代现实中的肖像影集，它关注的是用户个人的信息。Thefacebook 上的所有内容都是用户自己设置上去的，而哈佛联谊会是主动地把包括"酒吧评论"在内的信息纳入网站中。

Harvard Connection 后来更名为 ConnectU，最终在 2004 年春天快过去的时候正式推出。那年秋天，ConnectU 的创始人向波士顿联邦法院提出起诉扎克伯格。他们诉称，扎克伯格窃取了己方创意，其中包括"为大专院校的学生建立第一个微型的社交网站"，"成为用户个人信息、兴趣爱好、学历的名录指南、一个表达观点和设想的论坛、一个安全的关系网络"，要求用户以自己的".edu"结尾邮箱地址注册，先在哈佛推行接着拓展到其他学校，最终计划覆盖"美国和国际上所有公认的学术机构"。

　　在为 Harvard Connection 工作期间，扎克伯格可能渐渐不安起来，因为那时他自己的社交网也在紧锣密鼓地进行。当然，他本应该早些让文克莱沃斯兄弟与纳伦德拉有所警觉，他表现失礼，变得很不合作。但在遇到这三人以前，扎克伯格很早就已经在冥思苦想，设想互联网上可能需要怎样的社交软件服务，这也是哈佛联谊会项目起初会吸引他的原因。代表这三位创始人提出的民事诉讼称，扎克伯格的行为远远比失礼的性质恶劣："侵害版权、违反实际或暗示合同规定、盗用商业机密、违反信托责任、不公正地改进、不公平的商业行为、故意阻挠预期的商业利益形成、破坏诚信和公平交易、欺骗以及违背信任。"三位原告要求接管整个 Facebook 网站，并且赔偿与网站等值的损失，这样的指控实在有些过重。毕竟哈佛联谊会这个项目的工作预计扎克伯格可能只花十小时就能完成，而这份工作他此前从未签署过任何书面合同，后来也从未得到过任何报酬。

　　在为 Harvard Connection 工作的过程中，扎克伯格很可能完善了自己的构想，可两个网站看上去没有什么共同点，此前也没有其他网络服务启用过它们的思路。在当时，全球所有的社交网站方案都主要还是受着 Friendster 的影响。当然，Thefacebook 的确在用户注册中要求使用".edu"的地址，这一点的确是遭到质疑的有力证据，但其他的大学校园网站此前已经开始采用同样的方式。早在 2001 年秋天，Club Nexus 就设定了限制，注册时必须用斯坦福的电邮地址。

　　在巅峰期 2004 年 9 月份，ConnectU 拥有 50 万用户，遍及 500 所大学。Thefacebook 和它的竞争十分激烈。它的创建者们的确赢得了一场巨大的胜利——2008 年，扎克伯格与 Thefacebook 以财务手段解决了 ConnectU 提出的诉讼纠纷。后者的三位创始人得到了大笔偿付金——据报道有 2 000 万美元现金和相当于 Facebook 市值至少 1 000 万美元的股票。

　　亚伦·格林斯潘也控诉扎克伯格盗取自己的想法。在名为《权威之见：进入哈佛的一名学生缔造 Facebook 的时代》（*Authoritas:One Student's Harvard Admissions and the Founding of the Facebook Era*）的自传中，格林斯潘提到自己"在进入哈佛学院时就创造了 Facebook"。2008 年 4 月，他向美国专利商标局（USPTO）正式提出申请，请求取消"Facebook"这一商标注册。格林斯潘称自己才是 Facebook 的合法所有者，因为 houseSYSTEM 中以 Facebook 命名的功能

比扎克伯格提早了几个月上线。在申诉中，格林斯潘充当了自己的律师。商标评审委员会（TTAB）裁决他的诉请完全合理，认为应该按申请要求执行。几个月后，Facebook 网站所在公司以一笔未透露金额的费用与格林斯潘和解。

格林斯潘不只起诉了扎克伯格。他在自己的书中写道，文克莱沃斯兄弟与纳伦德拉也吸收了自己的构想，Harvard Connection 也是在模仿 houseSYSTEM。

社交网络如今已覆盖全球。Facebook 成为世界上最大的社交网站，几乎没有哪个高中生和大学生平时不用 Facebook 和 MySpace 的。这些网站在交际中如此普及，因此年轻人已经很少再使用电子邮件了。从六度空间到 Friendster 再到 Facebook，社交网站已成为不可阻挡的潮流现象，彻底融入了我们的日常生活。

第4章
遇到第一个大麻烦

看看你周围的那个世界，只需要在正常的位置轻轻一推，它就能够被倾斜。 🔍

随着2004年秋季学期的临近，Facebook濒临一场严重的危机。在暑期，其会员人数几乎翻番，从大约10万上升到20万。这是一件好事，也是一件坏事。达斯汀·莫斯科维茨说："我们真是幸运，这一轮用户的快速增长并没有对公司的基础架构造成彻底损伤。"他和同事们共同努力，投入大量工作才防止了事故的发生。"服务器超负载了，但我们知道，在秋季的全负荷运行将会使服务器的压力加倍，服务器会变得非常不稳定。"

但造成这场危机的并不只是技术方面的问题。在公司的小决策团队中，剑拔弩张的气氛越来越强烈，他们争论的重点是，是否应该把Facebook网站定为他们唯一的重中之重。扎克伯格对Wirehog越来越有兴趣，他的一个并行发展计划是使Facebook的用户共享图片和其他媒体的点对点文件。

在整个暑期，全国各地的大学生和学生机构一直通过发电子邮件、发短信和打电话的方式向Facebook提出请求，希望把他们的学校加入到该网站目录中。有些人是以寄信的方式，在信中包裹了糖果或花，或者干脆到Facebook位于帕洛阿尔托的总部去。人们简直是求神拜佛似的想加入到服务器中。

萨维林仍然严格掌控着财政大权。扎克伯格用自己的钱来支付所有费用，他和他的父母借给了公司约6万美元。但Facebook的工作人员知道，如果在学校开学时没有足够的服务器，业务恐怕就会渐渐停摆。莫斯科维茨回想起当时的情景时说："我们确实很担心公司会成为第二个 Friendster，我们觉得 Friendster 没有成为校园网络霸主的唯一原因在于，他们在发展方面遇到了阻碍。"

此时，另一个类似 Friendster 的公司在他们眼前显现。Orkut（Google 公司推出的一个社交网站）在一小段时间似乎与 MySpace 并驾齐驱，但现在，它因为性能问题陷入困难，并受到巴西并购案的影响。如 Google 这样了不起的公司也不能一帆风顺地培养一个社交网络。

在初创公司的财务方面，Facebook 是一个异类。在融资方面，它并没有硬要外部资金的注入。到那时为止——成长前景被看好、成本增加，这样一个新成立的硅谷公司一般会寻求风投们注入大量现金，对 Facebook 这种规模的公司来说，投资额大概是几百万美元。但如果风投们确实投了大量资金，那他们将厚颜无耻地拿走公司的优质资产而获益——例如，公司的极大一部分资产，也许是 1/4，甚至可能是 1/3。帕克在 Plaxo 公司曾经经历过这些，在该公司与风投们的意志之战中败北，结果被踢出了他自己的公司。在他看来，这样的结果糟透了。他对风投的厌恶成功地影响了扎克伯格的看法。他俩下定决心，要对公司的未来发展保持绝对控制权。说到底，他们只是需要几十万美元来多买几个服务器。

在肖恩·帕克加盟 Facebook 几天之后，他打电话给他的朋友，LinkedIn 的创始人雷德·霍夫曼。霍夫曼也是一个愿意向小型初创企业或创业者提供大量创业资金的投资者。在帕克和 Plaxo 闹得很僵的时候，霍夫曼一直指导着他度过那段痛苦的时光，并成了他的密友。帕克是个讲求实际的人，他知道，让 Facebook 保持六度空间的那种独特性是非常重要的。

霍夫曼几乎是马上就看上了 Facebook，但由于他自己是 LinkedIn 的创始人，因此并不想成为 Facebook 的最大投资者。到了 2004 年，很多互联网公司开始思考一个问题——社交网络体系是否会最终合并为一个大型网络。尽管霍夫曼个人并不这么认为，但他知道，如果他成为 Facebook 的最大投资者，有人会将之视为利益冲突。因此，他安排帕克和扎克伯格与彼得·泰尔会面，彼得是财务融资方面的天才，有着一头浓黑的头发，他是 PayPal 的联合创始人，并曾担任公司的领导人，现在是一位私人投资者。

霍夫曼是硅谷里一个与众不同的亚文化群（PayPal 公司以前的富裕员工）的一名重要成员，他与 PayPal 公司以前的很多同事都保持着密切关系，包括泰尔。PayPal 创立了第一个成功的大规模网上支付系统，并在 2002 年 10 月将公司以 15 亿美元卖给了 eBay，PayPal 其实是在 2000 年由两家初创公司合并而成的。早在投资 PayPal 之前，泰尔就已经是一个专业投资者，现在主要投资于初创公司，并正准备建立一支对冲基金。他在 Friendster 和 LinkedIn 都有投资。

从结果来看，泰尔投资 Facebook 对双方来说是双赢。他以在 PayPal 的成功经验为基础来看待这个领域。泰尔是肖恩·帕克的狂热支持者之一，他在 Plaxo 公司结识了帕克，并在 Friendster 公司对其有了进一步了解。泰尔也是一个逆市而行，有自己想法的人。一般投资者仍在观望消费互联网公司，并回想当网络泡沫破灭时他们的损失有多么巨大。泰尔回忆道："因此，我们觉得这是一个潜藏机遇的领域，而且在消费互联网这个领域内，社交网络系统似乎处于萌芽阶段。但在 2004 年，社交网络被认为是一种朝开暮谢的行业，人们觉得投资于这种公司就像投资于一种牛仔裤品牌一样。人们怀疑，所有这种类型的公司是否会像流行时尚一样昙花一现。"

但是泰尔所了解到的 Facebook 的意义给予了他信心。在他的办公室里，肖恩·帕克、马克·扎克伯格和公司的新律师史蒂夫·温内托（Steve Venuto）齐集一堂，泰尔也邀请了霍夫曼和他在 LinkedIn 公司的追随者马特·科勒（Matt Cohler）加入。一头棕发的马特是耶鲁毕业生，性情乐观开朗。才 24 岁的帕克已经是个老练的销售员，整个会议过程几乎都是他在讲话。他解说道，Facebook 之所以相对来说规模仍然较小，那是因为注册为会员必须要提交一个教育网站的电子邮件地址。Facebook 刻意限制了潜在用户的规模。只有被选中的学校学生才可以加入该网。Facebook 一旦对一个新学校开放注册，用户的热情着实令泰尔心动不已。几天之内，几乎所有学生团体都被揽入 Facebook 旗下，而且每天有超过 80% 用户不止一次访问该网站！从来没有第二个互联网初创公司能够达到如此出众的成长和使用率。

扎克伯格穿着那时统一的服装——T 恤衫、牛仔裤、阿迪达斯露趾的橡胶人字拖鞋，穿这套行头肯定不是为了给泰尔留下深刻印象。泰尔回忆起那时的情景，觉得他似乎有点内向。扎克伯格说话不多，时不时回答一下问题，也问了几个问题。确实，他们收到来自几百个学校的请求，希望把学校列在 Facebook 的目录上。在事业应该如何发展方面，他提出了几个想法，还简短地讲了一下他对 Wirehog 的期望。他并没有半分示好的意思，结合 Facebook 在当时取得的实际

成就，使得他给人的印象更加深刻。他并不需要穿正装来说服别人——他是一个值得支持的企业家。

但扎克伯格并未装腔作势，也没有不懂装懂。当谈话内容很快转换到投资的技术性细节上时，有关投资合作事宜，泰尔抛出了一堆技术术语和行话。扎克伯格不断打断他的话："向我解释一下，那个词是什么意思？"

几天之内，在与帕克来来往往地进行了一些交流之后，泰尔同意了这项投资，这也许是硅谷历史上最重大的投资之一。他决定向 Facebook 投入 50 万美元换取公司 10% 的股份。那么，公司的估价则为 500 万美元。起初，泰尔同意以借款的方式提供一些资金，因为直到萨维林把账目弄清楚之前，一项正式的股份投资买卖仍然面临着法律障碍。相比其他人摆在扎克伯格面前的条件，500 万美元的估价稍低，但他很高兴能找到一位这样的投资者，他觉得泰尔应该不会对他的经营设置诸多限制。

泰尔回忆起这一情节时说道："他们追求原定的发展方向，我对此并无意见，而当时 500 万美元是非常合理的估价。我觉得它将是一项非常可靠的投资。"如今，他所占的股份价值至少为几亿美元，泰尔也加入了公司的董事会。

霍夫曼投入了 4 万美元，他的朋友马克·平卡斯，以及公司的几位友人也注入了小额投资，这使得总融资额达到了约 60 万美元。帕克认为，拉平卡斯和霍夫曼入伙 Facebook 是明智之举，因为他们持有关键社交网络的专门执照。霍夫曼的支持者马特·科勒出席了投资仪式，他对此深感兴趣，希望能够购入一些 Facebook 的股票，但扎克伯格和帕克不想再售出任何股票。不过科勒此后还是想办法得到了一些股票。

当哈佛大学的校长，美国前财政部长拉里·萨默斯（Larry Summers）向 2004 年秋季的准新生们打招呼时，他宣称自己已通过查看很多学生在 Facebook 上的简历来熟悉了解了他们，学生们对此感到既荣幸又惊讶。哈佛大学的服务器当时已处于超负荷运转状态，准大学新生们听说后就在到学校前在 Facebook 上建立了各自的简介，但他们列出的信息是为了给其他同学留下印象，而不是为了给大学校长看的。这使得一些人感到不安，觉得他们的私生活细节和琐事现在是完全对校方当局（例如：萨默斯）开放了。Facebook 已经使人们开始思考——在网上自曝私隐，什么程度才叫适当？

　　无论如何，Facebook确实满足了哈佛和其他大学学生的一个真实需求。纸质的"花名册"在大多数学校的新生入学年分发，通常上面只印有每个学生的照片、名字和所毕业的高中。尽管有诸多限制，但它渐渐在学校的社交生活中起到了极广泛的作用。如果你在一次聚会中认识了一个家伙，第二天早上，你就可以找出花名册，让你的室友看看那个人长什么样。如果你现在是大学三年级，那花名册上的照片大概会是你两年之前的样子，但这仍然算是你能找到的最佳选择。在一些学校，该书被称为"新生名册"，如果学生在星期五晚上感到无聊，他们会用它来玩游戏。

　　因此，在哈佛、达特茅斯、哥伦比亚、斯坦福、耶鲁和其他学校，Facebook很快变成了一个基本的社交工具——对过时的纸质书而言，这是一个相当大的进步。如今，如果一个女孩在一次兄弟会聚会上认识了一个男生，一套详尽的网上搜索工作就会展开。如果你真的喜欢他，那这个行动就更为重要了。最关键的问题首先是，那个男生是否马上就在Facebook上加你为好友。如果他没加你，就预示着你们之间没戏了。在那时，任何学生都可以看到他们学校其他任何人的个人简介。另一个关键行为是——仔细调查你新认识的那个人的朋友。在Facebook上会显示你们共有的朋友，如果共有的朋友数量很多，那你们之间的未来可能不错。

　　Facebook具有强烈的性暗示。你被要求列出你的关系状况、你的性取向。该网站的其中一项标准数据栏被标示为"正在寻找"，可选的答案包括"约会"、"一段感情"、"任意玩伴"以及"谁都可以"。虽然其中一项功能——"捅你一下"使得调情极度容易，然而在Facebook上，调情已变成了一种艺术形式。

　　在那段日子里，大家都特别热衷于"捅你一下"，即使在那些被认为是老于世故的哈佛学生中也是如此。在Facebook中使用"捅你一下"这个功能并不一定代表着调情——至少在理论上，它可能被认为仅仅是一个友好的表态动作——所以，就算是害羞的人也会时不时地鼓起勇气点击这个功能。事实上，"捅你一下"这个功能受欢迎的原因之一就是其意义极为模糊。它可以意味着你喜欢某人，觉得他们有魅力，喜爱他们对老师和同学的评论；或者想使正在做家庭作业的某人分心；又或者只是想让别人关注你。你接收到这个信息只是代表他或她对你使用了"捅你一下"这个功能，到底是何用意，你就自己慢慢想吧。什么是恰当的回应呢？你也"捅"他一下呗，这也是Facebook上的软件程序鼓励大家去做的。

从一开始，和在 Friendster 和 MySpace 一样，Facebook 上的"加为好友"功能有一些竞争的味道。如果你的室友加了 300 个好友，而你只有 100 个，你肯定会努力多加一些。"竞争绝对使得 Facebook 在达特茅斯大学发展更迅速了。"2006 届的苏珊·戈登（Susan Gordon）如是说。2004 年 3 月，Facebook 几乎在一夜之间席卷了达特茅斯大学，当时她正在罗马进行一个有关意大利的研究活动。她开始收到来自朋友们的电子邮件，告诉她必须要加入，不然等到她在该季度末回校时将会与朋友们脱节。她说："它对我们所有人来说非常有意义。一个在线的绿皮书——多有意思！"（达特茅斯的花名册是绿色封面。）Facebook 当时只面向名牌大学开放的事实，也使学生们拥有了一种"高高在上"的感觉。它在哈佛起步，肯定不会差到哪去，人们都这样想。

为了使你成为一个更有吸引力的潜在好友，你得好好在自己的简介细节上做文章，这占用了这些刚成为网上达人的名牌大学学生们的大量时间——找到那张你最上相的照片，时不时地修改简介信息，认真考虑如何描述你的兴趣。由于每个人的课程都被列了出来，为了在其他人面前展现出一种形象，一些学生甚至开始选择这些同学学习的课程。而且很多学生选择课程完全是根据 Facebook 上所显示的——哪些人也会选择相同的课程。一种微妙的偷偷摸摸的跟踪模式变成了家常便饭——如果你对某人感兴趣，你就安排自己去了解他（她）。你们已经共有的朋友越多，那么你们了解彼此的过程一般就会越容易。你在服务器上的简介开始被称为你的"脸谱"，慢慢地，它成了你公开的脸面。人们通过它来了解你是个怎样的人。

学生们花了大量时间在网上浏览其他学生的简介，开始只限于校内学生，但不久之后，通过 Facebook 网络，他们也能了解到其他精英学校的学生信息。哥伦比亚大学 2005 届的尼克·萨默斯（Nick Summers），他在 Facebook 上的用户号为 796，萨默斯回忆称，当时自己按照 A 到 Z 的顺序，从网上浏览整个服务器中每个用户的脸谱。除了维护你自己的简介、添加好友、"捅"人、查看其他人的简介之外，在网站没有太多你能做的事，但学生们却花海量的时间去了解其他人简介中的每一个细节。你可以要求 Facebook 随机显示你所在学校的 10 个学生的资料供你仔细研究，或者你可以通过各种各样的参数来搜索到人。这吸引了整整一代人中潜藏的爱八卦的性格和好色之心。

9 月份，Facebook 增加了两个功能，这给了学生们更多理由花时间在它上面。在用户简介中增加了名为"留言墙"(the wall) 的功能,该功能允许任何人在你的简介上写下任何内容,可以是一条给你的留言信息,也可以是对你的一条评注——相当于是一条公开的电子邮件。任何对你简介的访问者都可以看到这些内容。你不只可以在网上冲浪查看人们的信息,还可以对你了解到的信息作出回应。或者,你不妨邀请某人在某个自助餐厅迟些时候与你会面;或者,你可以做出一个吸引人的评价。而另一位朋友可以对此在"留言墙"上发表评论。突然之间,每个 Facebook 的用户都拥有了他们自己的公告板。

在那个夏天,扎克伯格、莫斯科维茨和帕克组建了一个团队,研究学生们是如何使用 Facebook 的,他们自称"冥想之队"。一旦你开始彻底搞清楚了Facebook,保持其正常发展就是非常容易的事。帕克说道:"那时,学生们简直迷上了这个网站,不停地点击、点击,来回浏览不同的简介,查看数据资料。"开发"留言墙"这个功能的目的是为了使用户在服务器内有更多的内容可读,使他们花更多时间在该网站上。这招似乎起了作用,"留言墙"功能几乎立刻成了 Facebook 上最受欢迎的功能。

另一个新增的功能是"群组"。开通功能后,任何一个用户都能够以任何理由在 Facebook 上创建一个群。每个群都拥有自己的网页,与简介差不多,包括与"留言墙"相似的评论公告板。马上,在哈佛,毫无意义的群组像雨后春笋般横空出世,例如"我吐出维生素水"这个群莫名其妙地一下子成为拥有 1 000名成员的群。哈佛 2005 届学生埃玛·麦金农(Emma MacKinnon),当时正在就哲学家埃马纽埃尔·列维纳斯 (Emmanuel Levinas) 写她的毕业论文。她记得自己加入了一个名为"我讨厌我论文所写的那个家伙"的群。这个群的成员都是女性,而她们所写的文章与某个男子有关。她回忆说:"当然,也有一小部分描述的是'为什么我真的喜欢他'。"

很多学生开始不再使用他们的地址簿,因为只要在 Facebook 上键入想寻找的人的名字,就可以与对方取得联系,你不需要去牢记或存储任何人的电子邮件地址。如果你想马上与某人联络,几乎每个人都将其手机号码和他们的即时信息联络地址列在了他们的简介中,这与一个即时信息聊天室里的匿名身份可不是一回事。互联网进入了一个不同的时期,它变得个人化了。

Facebook 在加州的全职员工减少了,只剩下扎克伯格、莫斯科维茨、帕克和前任 eBay 网工程师哈利奇奥格卢住在圣何塞以南 20 英里的住所里，哈利奇奥格卢那时是 Facebook 的业务经理。安德鲁·麦克科伦也和他们住在一起，他仍然以 Wirehog 为重心。泰尔投入的资金使得他们能够购买大量新服务器，他们疯狂地把网站扩张起来。在秋季学期的第一个星期，他们新拓展了 15 家大学。Facebook 很快失去了其精英优势。到 9 月 10 日，网上的名单包含了俄克拉荷马大学和密歇根理工大学。

由于他们不得不从简陋的夏季转租屋中搬出来，所以他们重新在洛斯阿多斯山（Los Altos Hills）以南几英里的位置租了一个地方办公。这个地方的后院与州际 280 公路毗邻。这帮助解决了与邻居产生麻烦——那里整天是一片嘈杂，没人会注意到聚会的吵闹和深夜的古怪行为。但高速公路上过往车辆扬起的灰尘使得肖恩·帕克难以居住，在那里，他对灰尘的过敏症几乎要了他的命。幸好他的女友让他搬到她家里去住。

他们对管理一个网站很在行，但对管理一间屋子可不怎么行。他们把起居室改为一个临时办公室，用白色书写板作办公室的墙壁，桌子零乱地摆放着，上面放着手提电脑，纸张散落得到处都是。扎克伯格的一个高中时期的朋友顺道来拜访时注意到，所有的桌子都被推到房间的一边。原来是因为屋子里配线太多，有人被线绊倒，使得一个断路器松开了，导致一些电源插座断电。但他们没有去找电路盒，而是把电器插头移动到了剩下的电源插座上。这位来访者找到了断路器，合上了开关，这些书呆子们这才从拥挤中解脱出来。屋子里其他地方都空荡荡的，只有几个胡乱摆放的床垫和一堆打好包却从来没有拆开过的行李。

屋子里的卫生状况也在不断恶化。脏碟子在厨房里发出臭味，从没有人倒过垃圾，到处都是蚂蚁。扎克伯格每喝完一罐饮料，就把空罐子留在那。20 岁的大学生就是这么生活的。

尽管家务方面可能一直不成熟，但公司的发展却不是。从其新架构和快速增长的会员数来看，Facebook 似乎处于成长阶段，需求比他们所期望的更加强烈。单只 9 月份，他们的会员数就差不多翻了一番，接近 40 万人。在 10 月 21 日，会员数达到了 50 万，其增长速度从此开始加速。他们在夏季想出了办法来自动解决新增一个学校所需的大量步骤，此后汇编寝室列表和课程表那些费力活就不再是麻烦了。

随着泰尔的注资，公司的最新组织架构有了一些与众不同的规定。董事会包含了 4 个席位——投资者泰尔占一席，帕克占一席，扎克伯格占一席。第 4 个席位空缺，扎克伯格拥有决定权。这么安排是为了使公司以外的人在数量上没有优势，从而保证未来的投资者不会篡位控制公司。由于泰尔自己也是个企业家，而且他信奉一点——企业创立者应该控制他们创建的公司，所以这样的安排他并没在意。

这是帕克赋予该公司的特性的关键一环。他曾经被解雇过两次——被 Napster 和 Plaxo 扫地出门。他可不想被 Facebook 开除，他也不想扎克伯格有被解雇的危险。帕克说："我对马克说，我将尽力支持他，从来没有人这么支持过我。我想成为类似守护者之类的角色，保卫他，使他手上有权力，如此一来，他就算犯下错误也不打紧，而且能够从错误中学到教训。"公司文件中的另一个规定承诺——如果公司的任何一个创立者，或者帕克，以任何原因离开公司，他们可以保留他们在公司的电子邮件地址和手提电脑。在被 Plaxo 公司踢出局后，帕克失去了以上的两样东西，因此后来没人能与他取得联系。

莫斯科维茨说："帕克是公司的创立者之一，而且又在其他公司吃过苦头，这对我们来说受益匪浅。我们根本不知道如何组建一个公司，也不知道如何获得融资，但我们拥有最保守的人士之一来帮我们解决这些问题，设法保护我们的利益。"他称帕克为保守人士，并不是指他的个人风格。帕克有时也会做奇怪的事，也会不靠谱。尽管此后发生了一些不愉快的事件，但莫斯科维茨对那段时光帕克在公司起到的作用记忆犹新。帕克达到了法定允许饮酒的年纪，他知道如何举办一个好的聚会（不仅仅包含啤酒狂欢），而且他了解风险资本。"有他在身边，我感觉非常好，" 莫斯科维茨说，"帕克好像是一个容易兴奋和有些疯狂的人，但我们这些书呆子围坐在一张桌子旁边，整天做着枯燥的工作时，他通常能使我们的生活更有趣。"对这些 20 岁的小伙子来说，24 岁的帕克似乎老于世故。

也许一直以来，扎克伯格比帕克更专注、更稳健，但他也有怪癖。不管怎么说，他们主要是一群高智商、喜欢掉书袋的人。例如，他有一套强调谈话的方式，当到了一个关键时刻时，他会忽然念出一句"现在你知道你战斗的对手是谁了！"——这句话引自他最喜欢的电影之一《特洛伊》，那部电影是在 2004 年 5 月他 20 岁生日时与朋友们在哈佛广场观看的。扎克伯格曾经热爱研究经典作品。在电影中有一个重要场景，由布拉德·皮特扮演的希腊神——战士阿基里

斯，对抗其在特洛伊的对手海克特（Hector）：

> 海克特说："我有个建议，胜者允许败者享有厚葬的权利。"
>
> 阿基里斯说："猛虎不与劣狗谈条件。"
>
> （他把矛插入地下，脱掉头盔，扔到一边）
>
> 阿基里斯说："现在你知道你战斗的对手是谁了。"

扎克伯格不只是个古典文化的热爱者，还是个想成为希腊战士的人，也是个击剑手。击剑手用的护垫是现代版本的阿基里斯护甲，花剑相当于他的矛。这个世界可能对扎克伯格来说，就像一场击剑比赛，一个竞技场，在这里，最完美的一击就是——趁对手不备一剑砍倒他。

在此后即将迎来的一场战斗的对手是文克莱沃斯和纳伦德拉组成的联盟。Facebook 当时雇用了另一家法律事务所，目的是为了在诉讼中为其辩护。这件诉讼案由此开始，闹到了波士顿联邦法院，并吸走了不少公司原本就有限的资产——每个月大概要花去 2 万美元律师费。在与律师们谈了一通电话后，扎克伯格将最新消息告知了莫斯科维茨，然后，他站直了大声宣称："现在你知道你战斗的对手是谁了！"比起其他时候来，这句话放在这里还比较应景。

虽然不知为什么，引用不合时宜的电影对白给扎克伯格带来了极大的快乐，不然的话，他经常就是长时间不说话。他还把这些对白穿插入了 Facebook 中。在那时，不论你搜索什么，总会在搜寻结果下有个小方框。起初，上面有一些小字，写的是："我会找到东西放在这。"后来，这句话被代替为："我甚至都不知道鹌鹑长得是什么样。"那是《婚礼傲客》(The Wedding Crashers) 中的一句信口而言的台词。另一句出现在那儿的引言是："太近了，不方便发导弹，换成用枪。"那是汤姆·克鲁斯在《壮志凌云》中扮演的飞行员在一个关键时刻所说的台词。

这些没有前言后语的引用词晦涩难懂，像一种学校男孩之间才懂的笑话一样，渐渐概括成了企业的精神文化。尽管其在表面上显得复杂，并有一些幼稚，但它俏皮、鼓舞斗志。美国各地的大学生们花大量时间争论这些令人费解的名言的意义。在此之后不久，阿伦·西锡格设计了公司的 T 恤衫，上面显示一架战斗机飞快地从几只鹌鹑旁边掠过。

他们在夏季购买的那辆有 12 年车龄的福特 Explorer 终于彻底玩完了。某一天，车子打不着火了，有没有钥匙都一样。扎克伯格和帕克在此后的董事会会议上向泰尔提出这个问题，泰尔同意购买一辆公司用车但告诫他们说："不要超过 5 万美元。"他们买了一辆黑得发亮的新车——英菲尼迪 FX35，豪华多用途跑车。该车是流线型设计，外观隐约显示出"坏小子"的感觉，它似乎做好准备跳到某辆没有防备的福特车头上一样，"现在你知道你战斗的对手是谁了！"他们经常在他们的 X-box 游戏平台上玩视频游戏 Halo，在某次疯狂玩过该游戏后，他们给这辆车起了个昵称——疣猪。公司使用的非办公用具越来越高档了。

F acebook 似乎正在茁壮成长，但扎克伯格对 Wirehog 的期望也是一样大。"在当时，Facebook 发展的规模太异乎寻常了，"肖恩·帕克说，"马克只是不完全坚信它会发展得那么好，他想花精力把其他所有的事业做好。"扎克伯格觉得，他有必要分散风险，不能把鸡蛋全放在一个篮子里。他担心，一旦 Facebook 开始试图扩张，跳出目前以大学为中心的业务范围，可能会遇到大量阻力。对于哪一门事业将最终为公司带来最好的效益，他真的不确定，而且这不仅仅是做生意。扎克伯格与他刚从艾斯特高中毕业时并没有太大不同，他当时和德安杰罗一起开发了一个 MP3 播放器插件，但拒绝了 Synapse 公司百万美元的加盟邀请。变得富有或者追求自己的理想，他并不是觉得前者不重要，他只是觉得后者更加重要。

不管怎么说，他有信心他的其中一个事业将会大获成功，也许会是 Wirehog。"马克经常说，他就是喜欢创业，尤其是那个时候，"莫斯科维茨如是说，"就好像他说，'我的人生计划基本上就是——我将以大量的这种计算机应用程序为雏型，然后试着找到人才来为我运营它们。'"

另一方面，说到底，帕克仍然坚决反对投入大量精力到 Wirehog。他回忆自己曾经说过，"我特别提到了，Wirehog 是一个很糟的点子，它会分散我们大量精力，我们不应该继续投入发展它。"但扎克伯格还是说服了帕克，帕克不情愿地聘请设立 Facebook 公司的那个律师创建了 Wirehog 公司。为了设法吸引到帕克的支持，扎克伯格使其成为 Wirehog 公司的 5 位股东之一，其他 3 位是麦克科伦、德安杰罗和莫斯科维茨。而莫斯科维茨对 Wirehog 的感情是矛盾的，他回忆说："我需要马克把注意力放在 Facebook 上。"回想这段往事，扎克伯格承认，他并不总是让他的搭档们好过，"达斯汀当时完全看好我们所做的事业（与 Facebook 相关的业务），而我总是考虑下一步该怎么走。在我们遇到这个巨大的转折点之前，据我当时的分析，它也许不值得投入如此大量的工作。"

团队分工作业。麦克科伦和德安杰罗几乎把精力全放在了 Wirehog 上,而帕克和莫斯科维茨只专注于 Facebook。扎克伯格对这两个公司两手抓。德安杰罗说:"对我们中的很多人来说社交网络有很多,但 Wirehog 更有吸引力。我自己就使用 Wirehog,我对它极有兴趣,它在技术方面也更有意思一些。"

Wirehog 是一个单机程序,用户可将其下载到他们的电脑上。创立者为它在 Facebook 设立了一个小的简介工具条,它可以帮助你了解你的朋友们,而且了解到他们是否也下载了 Wirehog 软件。它给予用户一个与其他人在电脑上交流的手段,让你可以知道其他人愿意分享的文件是哪些。Wirehog 起初的用意是图片方面,因为那是 Facebook 的用户大声疾呼要求与他人共享的功能。(在当时,用户只允许在简介页面中上传一张自己的图片。)但在 Wirehog 上,你还可以分享视频、音乐和文件。"我们差不多是把 Wirehog 当成我们建立的第一个应用程序(除了 Facebook 之外)。"德安杰罗如是说。扎克伯格也是,他谈及 Wirehog 时,就像他们第一次将 Facebook 视为一个承载其他各种应用程序的平台时一样。德安杰罗在那个秋季一直为 Wirehog 写编码,一直到他返回加州理工学院上学为止。

由于帕克和莫斯科维茨的反对,Wirehog 作为一个需要邀请才可加入的网站,在 2004 年 11 月才面向几个大学开放。在 Facebook 上有一个网页解释道:"Wirehog 是一个社交用途的应用程序,使朋友们可以通过该网站互相交流各种类型的文件。Facebook 和 Wirehog 是兄弟公司,因此 Wirehog 知道你的朋友是哪些人,这样就可以确保只有你的网络中的那些人可以看到你的文件。"其网站上列出了你可以利用网站来进行的功能:"与朋友分享图片和其他媒体文件;通过该网站浏览并存储文件;经由防火墙转送文件。"

但是,正如帕克所预料的,对于大多数 Facebook 用户来说,Wirehog 太复杂了。他拼命地想关闭这个项目,以避免将来会对 Facebook 造成损失的诉讼。它们虽然是两家不同的公司,但用户是通过 Facebook 来下载 Wirehog 软件的。不久,连扎克伯格也开始把 Wirehog 打入冷宫。莫斯科维茨说:"他只是认识到了现实,他在这上面花的时间太多了。"

11 月 2 日,Myspace 的用户达到了 500 万,在 Facebook 总部的经营者们感到很茫然了。他们觉得他们正在创立一个与 MySpace 逆向的企业。MySpace 服务器无限制、健康运行、不受约束,而相对较小的 Facebook,其灵活性有限,且有诸多要求;MySpace 并不在乎你的资料是否属实,而 Facebook 通过你所在大学的电子邮件验明你的真身，你没得选择，必须正确地说明自己；在 MySpace 上，默认设置是你可以看到任何人的简介，而在 Facebook 上，默认设置只允许你察看你学校的其他人的简介，或是那些明确地接受你加为好友的人的简介。其内置了一定程度的隐私保护。扎克伯格说："在 MySpace 上，人们可以对他们的简介想怎么写就怎么写，我们一直认为，如果我们对用户做出些许限制，他们将会分享更多信息，因为他们会觉得网站更有秩序，更有安全感。"

当扎克伯格对 MySpace 的扩张感觉到有些许慌乱时，他对学院方面的竞争也同样担心。其他很多以大学为重心的社交网络被迅速创建起来，从它们之中脱颖而出成了 Facebook 的首要任务。其中一个网站名为"大学 Facebook"（CollegeFacebook. com），完全就是抄袭，照抄了网站的形象和风格。其策略是针对非一流学院，那是以精英学院为主的 Facebook 还没有开发的市场。在 Facebook 对这些学院开放之前，"大学 Facebook"很快获得了数十万用户。文克莱沃斯和纳伦德拉联盟最终在 5 月开通了 Harvard Connection，如今名为 ConnectU，强调其面向所有学院。同样，哥伦比亚的 CUcommunity 改名为 Campus Net work，也将业务扩张至其他校园，而且吸引了一些人。这些竞争者的扩张速度比 Facebook 快得多。他们一般在每一个新开发的校园中用户相对较少，所以他们可以多向一些校园开放，而不会像 Facebook 一样面临服务器紧张的局面。尽管如此，他们的不断扩张仍然使扎克伯格和他的合伙人紧张不已。

所以，他们启动了一个称之为"包围策略"的计划。如果另一个社交网站已经开始在某个学院落地生根，Facebook 将不仅对该学院开放，而且将尽可能对其紧邻的其他校园开放。之所以这么做是考虑到附近学校的学生会造成一种交叉网络的压力，使得最初那个学校的学生选择 Facebook。例如，在得克萨斯州韦科（Waco）的贝勒大学，正巧拥有由当地开发的最早的大学社交网络之一。因此，Facebook 在其北边位于阿灵顿的得州大学，其西南方的西南大学，其东南方的得州农工大学展开行动，向它们开放注册。这种包夹策略渐渐起到作用，因为一般情况下，在还未拥有一个社交网络的校园中开通 Facebook，用户的暴增是惊人的。扎克伯格当时才 20 岁，但他已经在策略上胜过了他的竞争者。

对广告的要求，扎克伯格讲究实效。如果成本会增加，那么广告收入也得增加。他想确保 Facebook 拥有足够的收入来支付成本，而当时的成本是每月大约 5 万美元。他在那时的一次《哈佛克里姆森报》(*Harvard Crimson*) 的访谈中自问道:"如果我们将需要价值 10 万美元的服务器或是支付 50 万美元工资给新员工……那么,现在我们需要多少广告费?"

广告赞助似乎来得很及时。Y2M 是 Facebook 的广告代理公司,其在 8 月份成功与派拉蒙影业 (Paramount Pictures) 签下了一个突破性好单,为后者宣传推广于 11 月首次公映的《棉球方块历险记》(*The Sponge Bob Square Pants Movie*)。在当时,Facebook 上唯一的广告位是网页左侧靠下位置的一个垂直长方形。派拉蒙向 Facebook 支付了 15 000 美元购买 500 万次"点击次数"(广告业内人士称之为"每千次观看 3 美元")。派拉蒙还开创了一个点子,后来变为 Facebook 广告构造的一个重要部分——一个由电影迷组成的特殊群体。该广告怂恿用户们加入该群,群主要由一个讨论板块组成。在所谓的"群描述"中写道:"现在,大家和我一起唱,'谁住在海底的一颗菠萝里?'"一些用户觉得这整件事是傻得可以,而且在电影的网页上也这么说了出来。网站上有很多评论侮辱了喜爱这部电影的人,也有很多来自电影迷的评注。不管怎么说,这次广告实验是成功的。超过 2 500 名 Facebook 用户在他们的个人简介页面中提及了这部电影。

到 12 月,Y2M 公司与苹果电脑公司签下了一个具有里程碑意义的交易。苹果公司不仅对 Facebook 上其产品的爱好者组成的一个群进行赞助,并且每当一个新用户加入该群,它就每个月支付 1 美元,一个月最低金额是 5 万美元。该群马上大受欢迎,最低额很容易就被突破了。在 Facebook 简短的历史中,这是当时为止最大的财政开发项目。光靠这一项就差不多解决了公司的花费问题。苹果公司的管理层很高兴,因为他们获得了一个有影响力的论坛,使得他们可以保持与大学的"苹果迷"们持续接触,苹果公司开始对这些苹果迷提供特别折扣和进行推广活动——例如,免费用苹果公司的音乐软件下载歌曲。扎克伯格对此感到满意,因为这并不是常规的标语广告,他讨厌那种广告。

学生也可以在网站上购买比较适中的广告,称之为"传单"。这种广告的受众可以只限于你所在学校的学生。就算是最大的校园,这种广告费用也不会超过 100 美元 / 天。对于校园团体开展宣传活动,或是兄弟会宣告举办一个大型聚会,这是一个有效的宣传方式。公司经营者们希望更进一步来建立一套系统,使大学城内的商人能够向他们购买针对学生的广告。

因此，帕克雇用了一个新员工，他以前的室友，名叫埃兹拉·卡拉汉（Ezra Callahan），当卡拉汉在斯坦福念书的时候，曾为斯坦福日报销售广告。帕克通过电子邮件向他提出工作邀请，那时卡拉汉正在欧洲旅游。几周之后，他直接从机场赶来，在凌晨 1 点出现在公司总部。帕克当时正在与他的女朋友看电影，还没有对其他人讲过太多有关这个新员工的情况。所以，当睡眼惺忪的莫斯科维茨打开房门时，他根本不知道卡拉汉是干吗的。卡拉汉坚称："我叫埃兹拉，我将为你们打工，我是来报到的。"莫斯科维茨把他让进屋里。卡拉汉得到了大量优先认股权，他当时以为不值几个钱。反正，他当时的计划是以后去读法学院。

在接下来的几个月，尽管当地的商业拓展占用了卡拉汉和其他一些人的大量时间，但这方面并无太大进展。卡拉汉的另一项工作是向萨维林学习如何管理和安排其他广告。公司的首席财务官一直在东海岸远程操控这项业务。而此时，扎克伯格正大刀阔斧地卸下他尚存的职责。

11 月 30 日，Facebook 迎来了其第 100 万个注册用户，而它还只是个才成立 10 个月的公司。彼得·泰尔前不久在旧金山开了一家夜店兼餐厅，名叫"战栗"，在法语中意为"因兴奋而颤抖"。他将其"贵宾休闲室"拿出来作为庆功聚会的场所。聚会组织者帕克在会上顺便庆祝了他即将于 12 月 3 日到来的 25 岁生日。

聚会的电子邮件邀请函有些怪异，其顶端是一句引言，来自马尔科姆·格拉德威尔（Malcolm Gladwell）的《引爆点》（*The Tipping Point*）："看看你周围的那个世界，只需要在正确的位置轻轻地一推，它就能够被倾斜，倾斜……"这反映出帕克对公司的看法。在他看来，公司的成功基本上是既定事实了，即使扎克伯格对公司会员这么快就超过百万十分吃惊。

德安杰罗和萨维林坐飞机前来，同行的还有公关经理克里斯·休斯，他是扎克伯格以前的室友。尽管核心团队的几名成员还没有达到法定饮酒的年龄，投资者们、朋友们、随行而来的人们在当晚装饰华丽的房间里喝了个尽兴。对于经营的重心是什么，大家仍有分歧。在聚会上，一位宾客问德安杰罗在 Facebook 中做哪些工作，德安杰罗回答说："噢，我不是 Facebook 的，我在 Wirehog 做事。"

Facebook 的成功开始引来关注。而在硅谷，成功就是吸金器。越来越多的投资者不断打来电话，而扎克伯格对此显然毫无兴趣，当时他觉得 Facebook 已

拥有了足够的资金。

其中一家希望注资的公司是红杉资本（Sequoia Capital）。身为业绩不俗的风险投资公司中的佼佼者，红杉资本注资过大批商业巨子——苹果公司、思科公司（Cisco）、Google、甲骨文公司（Oracle）、PayPal、雅虎和YouTube等。在硅谷，该公司以非常严谨和为达目的不择手段而闻名。红杉资本的大腕和大师级人物迈克尔·莫里茨（Michael Moritz）曾是Plaxo公司董事会的成员，肖恩·帕克对他比较了解。帕克认为，此前他被Plaxo踢出局也有一部分是拜迈克尔·莫里茨所赐。"考虑到他们对我的所作所为，我们绝不会接受红杉资本的注资。"帕克说。

但在当时，也许是出于胡闹，鼓励他们选择注资Wirehog似乎是个好主意。那是个荒唐的主意，但除了利用红杉资本以外，它有另一个更有象征意义的目的。扎克伯格的默许似乎是以他的方式对帕克表示他放弃了Wirehog——承认这个事业就此玩完。"我们曾经向别人推荐投资Wirehog，但据我们的推测是——没人在乎它，"扎克伯格说，"他们只是想参与Facebook。"而就红杉资本来说，它太想跟这些年轻的经营者们套近乎，所以其公司合伙人罗尔洛夫·博塔（Roelof Botha）愿意听听小伙子们的推销。一次面谈会被定在早上8点。

Facebook的年轻经营者们构思了一个计划。但在面谈会约定的那天，他们睡过了头。博塔在8点过5分打来电话："你们在哪儿呢？"扎克伯格和其在Wirehog的合伙人安德鲁·麦克科伦急忙冲到红杉资本的时髦办公室里，办公室位于门洛派克市的沙丘路，当时他们身上还穿着T恤和睡裤。尽管他们说迟到是因为睡过了头，但其实这是他们的策略。扎克伯格说："本来是准备搞得更糟的，我们甚至计划根本不去他们的办公室。"在红杉资本拘谨但考虑周全的企业合伙人面前，扎克伯格向大家做了陈述报告。

他展示了10张幻灯片，他甚至没有向大家大力推销Wirehog。那是一张大卫·莱特曼（David Letterman，脱口秀主持人）风格的列表："不要投资Wirehog的十大理由。"开始听起来还以为真的是字面上的意思。"不要投资Wirehog的第10个原因：我们没有创造利润。"第九个原因："我们可能会被音乐产业提出诉讼。"最后几个原因完全是无理取闹。第三个原因："我们出现在你们的公司时，不仅迟到了，而且还穿着睡裤。"第二个原因："因为肖恩·帕克是我们公司的一员。"而红杉资本不应该投资Wirehog的第一个原因是："我们到这里来只是因为博塔请我们来的。"

据扎克伯格回忆，在整个陈述过程中，红杉的合伙人似乎很有礼貌地在倾听着。他说，他现在十分后悔"制造"了那次迟到。"我想，我当时的确冒犯了他们，现在，我真的觉得那件事做得很糟糕，"他说，"因为他们是严肃的人，想做一笔好的投资，我们却浪费了他们的时间。这不是一个我感到非常自豪的故事。"

于是，Facebook 最终成为唯一的重中之重。不只是世界，扎克伯格自己也倾斜了。公司总裁帕克开始寻找高级人才来填补公司职位。有一个高级职位，他瞄准的第一批人才之一是马特·科勒——雷德·霍夫曼的左右手。他出席过泰尔注资 Facebook 的通告会。科勒一表人才，中等身高，在曼哈顿长大，具有学生气质。科勒的父亲是一位心理分析家，母亲则是一位心理学社工。他总是一副笑脸迎人，有着一头杂乱的棕发，前额上有点小刘海儿。帕克看中了他身上的综合素质。他天生聪明，拥有解决互联网突发事件的良好经验，社交手腕极佳。科勒以高分毕业于耶鲁大学音乐系，所以他与 Facebook 的这群哈佛出身的创建者们相处肯定没问题。他甚至拥有国际经验，曾经在中国住过一段时间，并在那里为一个互联网公司工作。他在 LinkedIn 公司做得不错，当时该公司被视为硅谷初创公司中最炙手可热和最有前途的公司之一。

科勒与很多朋友谈及此事，试图分析清楚他是否有必要认真考虑帕克提出的邀请。他当时大概有 28 岁——不再是 20 来岁的大学生了，甚至曾在咨询巨头麦肯锡工作过。他并不是一个行事冲动的人。科勒给他在普林斯顿读大学的弟弟打电话，询问他是否知道有 Facebook 这东西。"结果回答是，'靠！'好似我问的是，'你们在普林斯顿有电吗？'"科勒回忆说。但他觉得很难相信 Facebook 所宣称的数据。

他问扎克伯格，能否允许他亲自花一些时间深入了解服务器的数据库。结果，科勒被了解到的情况吓了一大跳。随后，他和帕克、扎克伯格很快达成了一个协议。当时公司每人每年可分得 65 000 美元，还有数量不菲的股票，这对科勒来说是最重要的。科勒深信 Facebook 会做大做强。他对 Wirehog 毫无兴趣，他的任务是做必要的工作，使 Facebook 成为一家真正的公司——他后来是这么说的，他的工作是成为扎克伯格的"智囊"。

第 5 章

"我一定要投资这家公司"

我认为这简直就是令人惊叹的商业点子。 🔍

克里斯·马（Chris Ma）的女儿是扎克伯格在哈佛的一位朋友，克里斯是华盛顿邮报公司收购和投资部门高级经理，该公司也是美国最伟大的报纸之一《华盛顿邮报》的母公司。克里斯的女儿极力劝他了解一下 Facebook，在 2004 年年末，他和一名同事坐飞机前往加州。那次拜访带来了不错的进展。1 月份，扎克伯格和帕克飞往华盛顿，在《华盛顿邮报》的办公室继续商讨，看两家公司是否有可以一起合作的方式。

在与克里斯和他的同事们会谈过程中，出乎扎克伯格和帕克的意料之外，《华盛顿邮报》公司首席执行官丹·格雷厄姆（Don Graham）加入了他们的会谈。红光满面的格雷厄姆是美国商业界的一位知名领袖人物，也是自 20 世纪 30 年代以来控制《华盛顿邮报》的格雷厄姆家族中的一员。扎克伯格向格雷厄姆说明了 Facebook 的情况，格雷厄姆回想起当时的情景说："我认为这简直就是一个令人惊叹的商业点子。"了解到 Facebook 在哈佛的成功，勾起了当时 59 岁的格雷厄姆零零碎碎的相关记忆。他也在哈佛大学读过书，他回忆起了在 20 世纪 60 年代中期自己在《哈佛克里姆森报》当记者兼主编的时光。

在那时，《哈佛克里姆森报》在编辑室的一个架子上保存着几本大的方格分类笔记本。每天报纸上的文章被粘贴到这些笔记本中，记者和编辑们在本子上写下他们对文章的评论。在另一本笔记本上，他们随便写下心中所想的任何事物。

"我记忆犹新，每当我们走进那个房间时，我们都会认真阅读那些笔记本上写的每一个字，并写下我们自己的评论，"格雷厄姆说，"我经常想，那些评论笔记本所起到的作用真不小，我还想是不是有什么办法可以复制这套方法。"（在他的报社，用的确实是这套方法。）"当我听到马克描述 Facebook 的概念时，我心想，'老天，我完全明白他的目标是什么。'"格雷厄姆当时陷入了沉思之中，他想努力开创《华盛顿邮报》自属的网站业务。

他感到吃惊的是用户每天花费如此之多的时间在 Facebook 上，扎克伯格也让他感到有些惊奇。"马克跟他现在相比，有些腼腆，"格雷厄姆继续说道，"比如说，你说了某句话后，他一般会停顿一下，想一会儿，再作出评论或回应，但他在那次谈话时说的每句话都有一定的道理。对于一个 20 岁的小伙子来说，他给人的印象极为深刻。"

格雷厄姆开始叙述公司的一小段历史，帕克记得他说的话大概是"……后来，一个名叫沃伦·巴菲特的人进入了我们的生活"。在拜访之前，扎克伯格和帕克都不大了解格雷厄姆家族，但他们听说过巴菲特——传奇般的投资家，世界上最富有的人之一。巴菲特经营的伯克希尔·哈撒韦公司（Berkshire Hathaway）自 20 世纪 70 年代以来一直是《华盛顿邮报》的主要投资方。帕克说："巴菲特的到来是个改变公司命运的时刻。"格雷厄姆解释说："《华盛顿邮报》之所以能够以极长期的发展眼光来策划其公司战略，一个原因是格雷厄姆家族控制着《华盛顿邮报》公司极大一部分有表决权的股票，还有一个原因是，巴菲特清楚地说明，他将长期持有他所拥有的公司股票。"

在他们谈话中的某个时刻，格雷厄姆自然而然地提出了一个建议，他自称是绝无仅有的一次提议。他描述了当时所说的话："我说，'马克，最终，你大概不会接受这样的条件，但如果你想要一个非风险投资的投资方，或是想要一个不会向你施压的投资方（而一般风险投资会以任何方式向你施压）'，他曾经说过一些话，他不愿意与这种公司合作，'我们或许有意向为你的公司注资。'"

扎克伯格被格雷厄姆这种做生意的理念深深地打动了。他解释称："许多风险投资公司一直在接触我们，但我确实不想接受风险投资的注资。我不想按这一整套硅谷公司的模式来——接受风险投资注资，试着把公司上市，或是飞快地把公司卖掉，按照加速的时间标准引入专业管理模式。但《华盛顿邮报》与这些科技公司完全不同。令我惊奇的是，公司文化之间的差异有天壤之别，这个公司长期专注的是新闻报业，而且他们对《华盛顿邮报》这个品牌和其拥有的公信力极为专注，就好像是'哇，我想以这个家伙为榜样'。而就在那时，我开始认真地考虑进行另一轮的融资。我期望着他们能够注资，丹是一个可以与我合作的伙伴。"

在此之后，与《华盛顿邮报》的商谈开始加速进行。《华盛顿邮报》公司派遣了另一个人数较多的代表团去帕洛阿尔托。《华盛顿邮报》的网络在线部门的总经理们加入了代表团一行，包括新任命的首席执行官卡罗琳·利特尔（Caroline Little）以及主管财务和商业拓展的副总裁们。利特尔认为 Facebook 看起来就像一座未开采的金矿，她说："就我看来，马克当时似乎反感广告业务，但我对此却是垂涎欲滴，想着用这门业务来挣钱真是太容易了。我千辛万苦才忍住没出声，因为丹不想听到这个。"

多数人还不知道的是，这是暴风雨前的宁静。肖恩·帕克自称他知道。他将扎克伯格对投资的态度转变解释为一种特许，允许他更加积极进取地寻觅投资方，看还有没有其他选择。"我认为公司在那时的估价应该是 5 亿美元，"帕克有些洋洋自得地说，"我们觉得公司显然正在攻城略地。"但在当时，实际上在任何一轮投资中，帕克谈及的都是对公司估价要相对低点。他的朋友塞思·斯特恩伯格（Seth Sternberg，现任 Meebo 信息通信公司首席执行官）记得，帕克向他询问过估价建议。尽管当时斯特恩伯格只有 26 岁，但他曾在 IBM 的公司发展部工作过，所以他的意见是有价值的。斯特恩伯格建议把估价争取为至少 4 000 万美元。据公司文件显示，帕克在这个估值的基础上把价格再次拉高，达到一个 4 000 万至 6 000 万美元之间的数值。对于一个成立才一年而且由一个 20 岁的小伙子领导的公司来说（而且公司只有 7 名员工，每年收益不到 100 万美元），这样的估价可真不得了。但帕克错了，公司得到了更高的估价。

当 Facebook 正在打算寻求融资的风声传出来时，硅谷中那些贪婪的投资公司的胃口马上被吊了起来。打听消息的人开始铺天盖地地涌来，Facebook 的电话响个不停。罗恩·康韦（Ron Conway），硅谷中关系网最多的人之一，还是个老练的天使投资者，他向帕克建议应该去找哪些人谈，应该怎么谈。他还向已经在硅谷扎根的公司和主要风险投资公司发出电子邮件介绍函。（扎克伯格现在称，他自己并不知道当时所发生的大部分事情。）

1月23日的《洛杉矶时报》在首页刊登出一则有关Facebook的报道，这使投资方更来劲了，那是主流媒体第一次对Facebook公司进行重大报道，头条上写道"吸引全美大学生的网站"。"精明，傻气，粗俗，不管你怎么说，该网站牢牢抓住了其用户，他们中多数人每天差不多都要登录该网站。"报道的作者丽贝卡·特劳恩森（Rebecca Trounson）这样写道。

帕克要他的朋友西锡格帮忙设计几张PowerPoint幻灯片，并开始与潜在的投资方会面。6页介绍资料虽然很简单，但引人注目。资料上宣称，Facebook拥有200万活跃用户（来自2月中旬的数据），向370所学校开放。但投资方关心的是用户们在该网站上投入的时间和频率。令人惊异的数据：65%的用户每天不止一次登录该网站，而且90%的用户至少每个星期登录一次；发展速度非常迅猛，以至于在某天，用户数量就增长了3%。

介绍说明中最令人吃惊的是一张简简单单的"增长表"，帕克和西锡格设计这张表就是为了制造一点戏剧效果。最开始，帕克拿出一张图表，显示服务器已经开放的学校的情况。该图表看起来像一个楼梯，因为Facebook是分批向学校开放的，而那时有一段时间没有增加新的学校。接着，他拿另一张幻灯片覆盖了此前的那张表，它显示了用户总数的增长趋势。很明显的是——开放的学校数和用户的增长数绝对相关。在学校情况那张图表的梯形图中，每上一节台阶，在小幅延迟以后，用户的数量就会呈现跳跃式增长。这意味着，至少在Facebook渗透到有入网资格的所有1 600万美国大学生为止，这种增长可能是绝对性的。这也表明，为了避免曾经重创Friendster网的用户负荷这个难题，Facebook有一种独特的能力来调控其增长。

帕克在介绍会上说明的这种简单的商业计划，显然避免了提及传统的互联网标语广告，尽管这些广告是当时Facebook那"一丁点"收入的主要来源。第4张Powerpoint幻灯片题为"本地广告"。上面预计，如果Facebook上开放的校园达到400家，立足于校园并以文本为主的广告"传单"——校园组织用其来发布活动，将每年产生365万美元的净销售额。帕克曾经雇用埃兹拉·卡拉汉想打开局面的本地广告产品业务还未启动，预计其带来的收益会更多，净销售额将达到每年3 660万美元。不过前提是，要在所有400家学校的60家商行刊登广告，向学生们提供折扣、优惠券等。

接下来的一页幻灯片则完全是市场推销，介绍了"广告种子"（AdSeed），

Facebook 将其定位为"社交网络中的 Google AdSense"。Google AdSense 是一个程序，通过向网站支付收益，允许 Google 根据该网站的内容在其网页上放置文本广告。当时这项业务正处于起步阶段，而之所以起 AdSeed 这个名字，Facebook 是想设法在 Google 的光环下分一杯羹。幻灯片上说明："产品，品牌，媒体工具（电影、书籍、音乐）在社交空间里给予你'家'的感觉。"当时 Facebook 正在安排带来收益的苹果公司赞助的网页，该模式被作为样板模式在会上介绍。幻灯片上显示，Facebook 当时从 AdSeed 的试验性消费者中每月可挣得 4 万美元。顺便说一句，AdSeed 这个名字从来没有被真正使用过。

据公司文件，到 2 月 9 日为止，12 个风险投资公司，4 家大型科技企业，还有《华盛顿邮报》都与 Facebook 积极展开接触，希望达成某种协议。帕克决定放弃那些需要公司去说服的潜在投资方，几家知名企业由此被排除在外。由于对 Friendster 的不良投资，两家硅谷最显赫的公司，克莱纳·珀金斯公司（Kleiner Perkins）和基准公司（Benchmark）已经在社交网络这门事业上吃了苦头，它们不想与 Facebook 有所瓜葛。

尽管介绍会上的幻灯片使人印象深刻，投资方对 Facebook 的前景预测仍有一定的保留，甚至被 Facebook 的数据所吸引的一些投资方也觉得该网站难以捉摸。毕竟，对他们所有人来说，唯一能够登录和了解该网站的方式是使用各自母校的一位男校友的电子邮件地址。一个访问受限的消费网站，这一概念对他们来说还很陌生。此外，还存在个人方面的原因——一个没有经验的 20 岁首席执行官，一个拥有不检点名声的合伙人。不管该公司的势头如何之好，任何人都会对此心存犹豫。

但是，即使在 2005 年初与《华盛顿邮报》和其他潜在投资方的谈判逐渐升温时，Facebook 就需要马上有资金注入。帕克决定借一些钱，他接触了西部技术投资公司（Western Technology Investment），该公司是"风险贷款"企业中的一个巨头。西部技术投资公司借钱给创业公司，要求后者支付带利息的本金。但该公司可以得到保证金，之后以一般风险投资公司的限定价格购买少量股票权益。由于 Facebook 还未能筹集到任何风险投资公司的资金，西部技术投资公司有所保留。但该公司的行政高层了解并喜欢帕克。帕克告诉西部技术投资公司的莫拉莱斯·韦德加（Maurice Werdegar），他不用担心贷款的还款问题，因为加上即将注入的风险融资，Facebook 的估值将超过 5 000 万美元。韦德加回答道："你们公司不可能值这么多钱。"因此，帕克和他打了一个赌。如果即将进行的融资成功，而且公司估值超过了 5 000 万美元，那么，西部技术投资公司获得的保证金将定价为这次融资的股份价格。然而，如果估价不超过这个数额，那么西部技术投资公司获得的保证金的定价将与上一年秋天彼得·泰尔支付的股份价格相同。如果 Facebook 在以后大获成功，该公司将获利颇丰。以此为条件，帕克借到了大约 100 万美元。在那年春天用户数量开始增长时，这笔钱用来购买了公司的大多数服务器。

当帕克与朋友们在旧金山的一家墨西哥餐厅吃饭时，他走到餐厅外，通过电话与西部技术投资公司的韦德加达成了这项交易。在他接电话之前，他点了一份墨西哥巧克力辣沙司，这道菜的沙司是由未加糖的巧克力制成。在通话结束后，他走回餐厅里，咬了一口沙司。帕克对很多东西都过敏，包括花生。几乎是一瞬间，他就觉得自己的喉咙发紧，嘴巴开始发痒。他从桌边站起来，开始叫喊，并上下摆动他的手臂。"服务员快来！服务员快来！这个菜里面是不是有花生？"一个服务员冲进厨房，然后很快又返回到帕克身边，道歉连连。是的，他们为了加重沙司的口味，采用了花生。帕克急忙赶去附近的一家医院，医生们给他注射了解毒剂。

到 3 月底，与《华盛顿邮报》的商谈继续进行，维亚康姆公司（Viacom）突如其来地加入了投资者竞选行列。该公司表示，有兴趣以大约 7 500 万美元买下整个公司。它想把 Facebook 与全球音乐电视网（MTV.com）合并，这真是出人意料。这一序曲证明了 Facebook 所吸引到的"狂风浪蝶"实在太多了。如果扎克伯格接受了那个竞价，他就相当于是一年挣得了 3 500 万美元。但他不为所动，他不愿意卖掉 Facebook。不管怎么说，这样一个竞价掀起的波澜过了好一阵才平息。至少有一位公司顾问建议他接受这个竞价，他和莫斯科维茨每人可以得到差不多 1 000 万美元，那可不是一件你可以完全不在乎的事。

帕克故意使《华盛顿邮报》方面了解到维亚康姆的竞价，在几轮讨价还价过后，3 月底，这家报业公司寄给了 Facebook 一张条款说明书，上面的交易条件十分优厚。它将注资 600 万美元以换取公司 10% 的股份，这样一来，Facebook 的市值将达到 6 000 万美元。以风险投资的行话来说：就是"事前 5 400 万美元"——意思是，注资前，其价值为 5 400 万美元。帕克很是兴奋，这比他所期望的更好。他给旧金山的顾问康韦打电话："哦，天啊！事前 5 400 万美元？"

康韦在电话中兴奋地大叫："接受这个条件！快点交易！"但帕克和扎克伯格并不着急。扎克伯格的参谋马特·科勒新入公司，他在硅谷的关系网广，他强烈建议同事们继续与风险投资公司商谈。自从一些投资公司知道他加入 Facebook 以来，他就一直接到这些公司的电话，他们都希望有机会注资 Facebook。

无论如何，还是有必要与《华盛顿邮报》讨价还价。《华盛顿邮报》的谈判代表们想在董事会中占有一席，但扎克伯格和帕克只愿意把这个席位留给格雷厄姆，其他人则免谈。但格雷厄姆觉得自己当时正全心全意投入到报社事务中，可能顾及不到 Facebook 的事务，这样做不好。扎克伯格通过电话与他把事情讨论清楚，并接近达成一项协议，其中不包括董事会的席位。但就在扎克伯格和帕克准备坐飞机去华盛顿签署协议的几天前，《华盛顿邮报》方面的一个高层谈判代表的父亲去世了，所以这件事被耽搁了几天。

位于帕洛阿尔托的阿克塞尔合伙风险投资公司（Accel Partners）正处于困难时期。在此前的十年里，尽管它曾经作出过大量极为成功的投资行为，但最近并无什么大的建树。在 20 世纪 90 年代，随着阿克塞尔合伙公司对电子通信和软件方面的一些企业的大规模投资（例如 Uunet，Macromedia，RealNetworks 和 Veritas 等公司），获利颇丰，公司的名号从此渐渐走红。此时，互联网行业机遇再现，但与硅谷中几乎所有其他主要风险投资公司一样，阿克塞尔合伙公司还没有在一个重要的消费者网络上赚到大钱。要想在短时间内取得丰厚收益的机会十分渺茫，而赚取巨额回报的预期看起来也是前途未卜。在阿克塞尔合伙公司的合伙人中，正抽资准备退出的包括公司最有名望的投资方——哈佛大学捐赠基金。

阿克塞尔合伙公司最知名的合伙人吉姆·布雷耶（Jim Breyer）十分担心这个显赫一时的公司的前景。布雷耶有着浓密的黑发，乐观向上，亲和力强，天生是一个乐天派。他是个音乐迷［他经常喜欢说："从巴赫到涅磐乐队（Nirvana，摇滚之神）。"］，对艺术也极为热衷［他收集名画，从毕加索到格哈德·里希特（Gerhard Richter）］。但在当时他却是精神萎靡，他和他的职员们在寻求有革命性意义的投资项目，从而复兴阿克塞尔合伙公司的名望和公信力。

凯文·埃法西（Kevin Efrusy）是阿克塞尔合伙公司的一名资深合伙人，布雷耶委托他办的事是：出去找新创立的拥有极大发展潜力的公司。他最近感兴趣的是社交网络领域。在阿克塞尔合伙公司，他们曾经讨论过这一领域的公司，但 Friendster、Tribe 和其他网络公司的问题使得整个产业显得有些风险。埃法西说:"社交网络似乎名声不佳。"他指的是——众所周知,这一类网站都含有色情内容,会员们粗野、无秩序。"但我们讨论过,是否有可能维持一个不含色情内容而且与某个特定群体相关的社交网络。"他身形高大、秃头,对人友好但做事认真,稍微有些咄咄逼人——风险投资者个性都这样。埃法西曾试图说服阿克塞尔合伙公司投资 Flickr,一个相片分享网站,带有一些社交网络的功能。但就在他达成交易之前,雅虎突然横插一脚,收购了整个 Flickr。在 2004 年 12 月,阿克塞尔合伙公司的一个实习员工向埃法西介绍了 Facebook。

他做了一些调查,从他的母校斯坦福大学弄到了一个男校友的电子邮件地址。当他登录 Facebook 时,网站给他留下了深刻印象。他解释说:"从本质上来说,Facebook 不是娱乐网站,其背景十分清晰,就在你的大学里,方便实用。它是斯坦福大学的花名册,而不是世界范围的花名册。"但是,埃法西看到了一个问题——为没有收入来源的人群开设一个社交网络,这算哪门子生意?那时,一个以前在商学院的同学解释称,大学生对营销者来说是一个宝贵群落。人们一生中关键性的购买习惯都是在这个阶段成形的——你的第一辆车、第一个银行帐户、第一张信用卡。"但你在读大学时,营销方没有办法接触到你,"埃法西继续做调查时了解到了这一点,他说,"大学是一个黑洞,你不再看电视了,也不再读报纸了。"看起来,Facebook 似乎拥有一个可以接触到学生的方式。

埃法西听说了 Facebook 惊人的发展速度。差不多 1 个月之后,他听说 Facebook 正在筹集资金,就非要与 Facebook 的经营者们会面不可,毕竟他们就在附近。他发了电子邮件,没有回音。他打了电话,肖恩·帕克不愿意回他的电话。他请一个双方都认识的朋友做介绍人,约定了一个时间通电话,但帕克没有遵守这个约定。后来埃法西听说马特·科勒加入了 Facebook。当科勒在 LinkedIn 的时候,他们曾见过面。他打电话给科勒,要他帮忙向帕克做个介绍,科勒有礼貌地答复了他。但到了约定商谈的时候,又没见着帕克的人影。

埃法西不是个轻易放弃的人。他打听到了雷德·霍夫曼是 Facebook 的一个投资人。所以,他拜托与霍夫曼关系密切的阿克塞尔合伙公司的合伙人彼得·芬顿(Peter Fenton)打电话,请霍夫曼做介绍人。霍夫曼不愿意,他表示 Facebook 的经营者们认为,与风险投资者打交道是在浪费他们的时间,所以他们不愿多此一举。这话当然不够诚实,当时帕克已经在认真地与几个风险投资公司洽谈,他只是在故意回避埃法西。硅谷中有谣传称阿克塞尔合伙公司已经失去了好运气，这正是布雷耶所担心的。扎克伯格的注意力都集中在潜在的投资方《华盛顿邮报》的投资上，对于帕克花了那么多时间在几家投资方间周旋，他有些似懂非懂。

埃法西请阿克塞尔合伙公司的彼得·芬顿再找霍夫曼疏通。霍夫曼这次松了口，同意安排埃法西与帕克和科勒见一个面，科勒此时正在为融资处理大量日常管理和组织工作。霍夫曼坚持要芬顿许诺，阿克塞尔合伙公司不会虚报一个过低竞价来作假。Facebook 已经和《华盛顿邮报》谈得很投机了，并不想分散精力来浪费时间。

一般来说都是企业家主动去找风险投资公司，谦恭地寻求注资。埃法西再次与霍夫曼的前雇员科勒谈了话，邀请他带着 Facebook 的几个合伙人一起到阿克塞尔合伙公司的办公室做客，但 Facebook 的经营者们对埃法西仍敬而远之。科勒回忆说："他追着我们不放。"当时埃法西到阿克塞尔合伙公司已工作了差不多两年，他还未能凭一己之力达成一项大型交易。他需要证明自己的实力。

2005 年 4 月 1 日，星期五，埃法西最终决定干脆自己主动去 Facebook 的办公室，帕克说他会在那等。埃法西还没有意识到自己抓的这个时机是如此美妙，因为《华盛顿邮报》方面的某个谈判代表的父亲去世了，谈判刚好暂时中断。埃法西走过帕洛阿尔托学院大道的 4 个路口，来到 Facebook 刚刚在爱默生大街租下的一间办公室，位置距离斯坦福差不多 1 英里。与他同行的是亚瑟·帕特森（Arthur Patterson），阿克塞尔合伙公司的创始人之一。帕特森身材高大，一头灰发，很有贵族气派。他觉得好奇，想知道埃法西为何对这个刚起步的小公司这么有兴趣。他们爬上一段长长的楼梯，楼梯新近被喷上了涂鸦，在楼梯顶部是一副有启发意义的巨型幻彩荧光图画，画面上是一个女人骑着一条大狗。从巨大宽阔的阁楼空间来看，公司还没有完全搬过来。在墙上全是风格大胆的彩色涂鸦，包括几幅裸画。有的家具拼好了，有的还没开始拼装。两三天之前，Facebook 第一次使用了这个场所，举办了一场狂欢派对，用来庆祝科勒的 28 岁生日。到处都是还剩下半瓶的酒瓶。

帕克曾说过会在公司等，但他没有。而科勒和莫斯科维茨根本还没准备好进行一次正式的融资会议，他们正艰难地装配从宜家家居买来的需要自己动手拼装的家具。莫斯科维茨的头撞到了家具的一个角上，前额出血。科勒平常惯于装配和整理，却也被一个钉子挂住了他的牛仔裤，左边的裤腿被扯开了一个大口子，露出了里面穿的平脚短裤。科勒向埃法西打招呼道："你好，凯文。"

埃法西没有在乎这混乱的场面，他来是有目的的。"我们的会谈开始只有马特出席，"他回忆说，"肖恩和马克没有空，或者是病了，或是怎么了。因此，马特向我们介绍了一下经营情况。他对统计数据讲得十分清楚，而且不断重复提到使用率。我已经对此心中有底了，但亚瑟对此十分兴奋。然后，肖恩和马克出现了——没有生病，正在吃墨西哥玉米煎饼。"

"我知道，他们以为我们会问很多问题。我说——嗨，我们这么办吧，我知道你们公司很值钱。星期一请出席我们的合伙人会议，我保证，星期一结束前我会给你一份条款说明书，如果我做不到，我将永远不再打扰你们。我不会拖延时间的，我们可以快速行动。"

在他们离开之前，帕克的确对某事感到兴奋。他自豪地领着埃法西和帕特森进入了女洗手间。在那里，他指着另一张壁画，出自他女朋友的手笔，上面画的是一个裸女抱着另一个女子的双腿。在一棵树上，一只法国牛头幼犬低头看着她们。埃法西困惑地问："肖恩，这张画会不会使女人们感到不自在？你不担心会背上骚扰或什么的罪名？"帕克回答说："我跟你说，我们反正迟早会被人起诉，我才不会担心这些呢。"埃法西接着说："是吧，但是有这张画挂在这里作为凭证，他们可能会胜诉。"接着，他说服了肖恩在此后的星期六晚上与他一起去喝啤酒。

在埃法西和帕特森走回他们办公室的路上，帕特森轻拍埃法西的背，说道："这次拜访真是非常好玩，太有意思了，我们一定要做成这笔买卖。"在公司内部，大家都知道帕特森是出名的立场坚定的怀疑主义者，这根本不像他的作风。

整个周末，埃法西加紧调查。星期六正午，他和他老婆去了斯坦福大学，在校园学生中心——特里雷德纪念堂（Tresidder Memorial Union）打发时间。埃法西逮着学生就问他们对 Facebook 了解多少？他们是否使用它？它是否无处不在？而答案正是他所期望的。"我听说过吗？呵呵，我离不开它。""我根本不读书，整天泡在上面。""每个人都上这个网站，通过它与其他学校的朋友们保持联系。然后，所有的教授也加入了。它变成了我生活中的焦点。"

埃法西打电话给阿克塞尔合伙公司首席财务官的妹妹，她在匹兹堡的迪凯纳大学（Duquesne University）念二年级。"她说，'噢，Facebook，我知道。它是 10 月 23 日在我们这儿开通的。'我问,'你连几月几日都记得?'她回答,'当然,我们学校排队等待了几个月。我们排在第 7 位。'我从来没听说过这种事,她竟然记得 Facebook 对学校开放的日期。可见这种需求是多么强烈,简直供不应求。我对我老婆说,'我一定要投资这家公司。'"

当晚,他在一家差劲的斯坦福学生小餐馆"荷兰鹅"(Dutch Goose)里与帕克和他的女朋友会面,话题很快转移到投资方面。帕克开了腔:"凯文,我们认为这是家很有价值的公司,估价可能会比你们期望的高。"埃法西恳求给他一个机会,这正是帕克所希望的反应。埃法西再次力劝帕克星期一早上去阿克塞尔合伙公司一趟,和扎克伯格一起前往。他根本不确定这两个人会不会去。

但在星期一早上 10 点,扎克伯格、帕克和科勒现身了。扎克伯格的行头是T 恤、短裤、阿迪达斯的人字拖鞋,帕克和科勒则选择了休闲夹克里面穿 T 恤。他们甚至懒得放映他们在其他风险投资公司播放的幻灯片。差不多全是帕克在发言,这是经过巧妙安排的,故意扮酷吊阿克塞尔合伙公司的胃口。扎克伯格几乎没怎么出声,他们之后就离开了。

埃法西问他的合伙人:"你们觉得如何?"其中一个资深合伙人高声说道:"似乎你需要努力说服他们,他们的兴致不高。"埃法西再问:"我知道,但是先别管这个。你对这家公司有兴趣吗?"所有人的意见是一致的,他们的确有兴趣。没得说,帕特森热情高涨,吉姆·布雷耶也是如此,他认识到这个交易也许可以使阿克塞尔合伙公司咸鱼翻身。会议很快讨论到策略方面——埃法西要使用什么办法来使 Facebook 接受阿克塞尔合伙公司的注资?他们决定迅速向Facebook 递交一份交易计划书。埃法西草拟了条款书,对 Facebook 的投资估价与《华盛顿邮报》做出的估价一样,但注资会稍微多点。他当晚就把计划书发给了 Facebook。出这样的高价有一定的风险,但他想用价格打动 Facebook。那天深夜,帕克回了一封电子邮件给他,感谢他的厚爱,并表示将按原定计划与《华盛顿邮报》合作。

实际上,阿克塞尔合伙公司对 Facebook 如此感兴趣使帕克感到兴奋,这使得他可以试探其他仍在竞争队伍中的风险投资公司,也许 Facebook 根本不用和《华盛顿邮报》交易。第二天早晨,他与德丰杰公司(Draper Fisher Jurvetson,世界知名的风险投资公司)的蒂姆·德瑞普(Tim Draper)商谈,蒂姆表示愿意出与阿克塞尔合伙公司一样的条件。帕克在开完会几分钟后把这个情况告诉了埃法西。埃法西暗示说他也许能够出更高价,并随口说了几个数目。帕克是一个谈判高手，脸皮比城墙还厚，而且他越来越感到兴奋。帕克大叫道，"没门！我们不会考虑这个价格。我们的想法是——投资前估价 1 亿美元！"然后他挂掉了埃法西的电话，"在一场好的筹资过程中，做戏可不能少。"帕克说道。

在阿克塞尔合伙公司，埃法西和吉姆·布雷耶正在协商。此时，布雷耶想达成这个交易的渴望不比埃法西差，他渐渐意识到 Facebook 的独特性——这家公司拥有一种他在此前很少看到的潜力。他很想做成这笔买卖，他愿意为了达成这个交易而付出代价。与其他合伙人商谈之后确定了下来，埃法西可以把竞价再提高一些。星期二下午，他再次穿过学院大道，不请自来地走进 Facebook 的办公室，公司里的所有人当时正在开会。他走了进去，打断了会议。他宣布："我东奔西跑拼了老命才为你们争取下来这个竞价，这有点不切实际，但是我们想做成这笔买卖！"他把条款说明书拍在会议桌上。上面显示的是投资前 8 700 万美元的估价，投资额为 1 270 万，这将使得注资后的公司市值为 1 亿美元。埃法西恳求道："你们一定要接受，我们上天入地也要把这家公司做成功。你们有三天的时间来考虑。"帕克有些惊讶地回答说："好的，这值得考虑。"在他离开前，埃法西注意到，办公室的壁画做了些许修改。在画上所有敏感的位置，都被贴上了细细的遮蔽胶带。

埃法西离去之后，欢欣的年轻创业者们望着彼此，1 亿美元？太棒了！扎克伯格问："但是，《华盛顿邮报》那边怎么办？"没人能给出一个好的答案，但这可是有人向他们提出竞价使 Facebook 价值 1 亿美元！天啊！阿克塞尔合伙公司基本上为 Facebook 同样的股份提出了两倍于《华盛顿邮报》的报价。

但要做出决定仍不轻松。原因之一是格雷厄姆对公司绝对信赖，他容许扎克伯格和帕克放手去做他们想做的事。虽然未签署任何文件，扎克伯格曾经在较低价格与格雷厄姆达成了一个买卖协议。如果阿克塞尔合伙公司注资进来，该公司将会插手很多事务，这意味着 Facebook 会少了一些自由度，阿克塞尔公司的办公室离 Facebook 只有 3 个路口。但它的加盟也可能会带来硅谷的人才和关系网。帕克并不认为一定要与《华盛顿邮报》交易，而他们之中最有经验的马特·科勒强烈建议，他们应该尽量筹集资金。天平向阿克塞尔合伙公司倾斜。

打了几通电话后，帕克确定下来，蒂姆·德瑞普和其他风险投资公司都不愿跟风阿克塞尔合伙公司报出天价。所以现在的形势就是在《华盛顿邮报》和阿克塞尔合伙公司中 2 选 1。

当晚，吉姆·布雷耶在"乡村酒馆"（Village Pub）设宴招待了 Facebook 的领袖们，这个雅致的、消费较高的饭店位于帕洛阿尔托北部的托尼伍德赛德，离布雷耶的住所很近。桌上宾客有扎克伯格、帕克、科勒和埃法西。该饭店以其餐酒闻名，而布雷耶是餐酒品尝家，他点了一瓶价值 400 美元的奎西达卡本内。只有 20 岁的扎克伯格还未达到允许饮酒的年纪，所以叫了瓶雪碧。大家一起聚餐的目的部分缘于让埃法西和布雷耶与扎克伯格增进了解，扎克伯格此前在他们的会议中一直没怎么出过声。他们知道，尽管他们差不多一直是在与帕克谈，但扎克伯格才是交易的决策人。

到那时大家才知道布雷耶与哈佛的渊源，他是在那里读的工商管理硕士。他使尽浑身解数来和扎克伯格套近乎。布雷耶开始钦佩这位年轻的首席执行官头脑清晰的战略思路，还有他对 Facebook 产品的质量和实用性的全心投入。而且，明显地可以看出来，扎克伯格仍然对某事有些不安。大家就公司战略展开了一些认真的讨论，而埃法西和布雷耶不断强调他们想注资的决心，重申他们十分期待与扎克伯格和他的团队合作。扎克伯格开始不再做声。

人们常常以为他并没有倾听说话。他擅长一句话不说：并表现出毫无兴趣的样子。他身上并没有显现身体语言，或点头，或以其他常规的会话信号，来表示他正在倾听，然而这并不表示他没有倾听。他只是不显露出感情，在静静地深思。但另一方面，有时他的确是没有倾听，那是当他无聊或非常不安的时候。在这种情况下，在会谈中，他会不断地，差不多是随口应声地咕哝着说"嗯"。无论如何，这种差别只有十分了解他的人才知晓。在"乡村酒馆"用餐时，扎克伯格进入了"不倾听"状态，马特·科勒注意到了。

扎克伯格去了洗手间，但很长一段时间都没有回到餐桌上来。科勒起身去查看，想知道是否一切安好。在男洗衣间的地板上，扎克伯格盘腿坐着，低垂着头，他正在哭泣。科勒回忆说："他一边流泪一边说，'这样做不对，我不能这么做，我许下过承诺！'他真是哭得一塌糊涂。所以我说道'你可以跟丹打个电话，问问他的想法如何'。"扎克伯格花了一些时间使自己平静下来，然后返回到餐桌旁。

第二天，他的确给格雷厄姆打了电话，扎克伯格说："丹，自从我们商定了条款之后，我还一直未与你交谈过，自那以后，在这里有一个风险投资公司提出了一个高得多的竞价。我觉得面临一个道德两难的局面。"

格雷厄姆已经听说了Facebook与阿克塞尔合伙公司接触的事，所以他对此并不感到惊讶。布雷耶甚至打电话给他，建议他们一起注资Facebook，格雷厄姆拒绝了这个提议。尽管他对听到的消息感到失望，但他也被打动了。"我在想，'哇，对于一个20岁的小伙子来说，真不错——他打电话来并不是告诉我，他准备接受其他公司的投资。他打电话给我是来找我商量。'"格雷厄姆知道，对于这样一个刚成立的小公司，他第一次提出的竞价已经是非常高了，他觉得自己找不到支持的理由来决定提出更高的竞价。而且他认为，不论他出什么价，阿克塞尔合伙公司只会出得更高。

格雷厄姆问："马克，这笔投资对你来说重要吗？"扎克伯格回答，是的。他继续说，有了这笔钱就可以预防Facebook出现赤字或被迫向外借款。

"接受阿克塞尔合伙公司的投资和接受我们的投资是不同的，你应该知道吧？"格雷厄姆回应道，"他们对你会设定一个目标，他们会尽力驱使你去达到那个目标。而且，尽管我们没有他们拥有的那套网络，不像他们那样能言善辩，但我们不会尝试去命令你如何经营这家公司。"格雷厄姆回忆道："如果那次注资没有演变为公开筹款，我肯定会感到高兴。但扎克伯格说过，他曾经仔细考虑过与风险投资公司打交道的不利方面，显然他更倾向于接受它们的投资。"

在20分钟的对话过后，格雷厄姆说："马克，我将把你从你的道德两难中解放出来。去吧，接受他们的投资，把公司发展好，祝你一切都好。"当《华盛顿邮报》为了这次买卖付出了大量准备工作的管理层知道了这个变故后，他们目瞪口呆，但对扎克伯格来说则是大大松了一口气。经过此事，他更加尊重和钦佩唐·格雷厄姆。

然后，马克·扎克伯格一个人走进学院大道的阿克塞尔公司，在吉姆·布雷耶位于角落的办公室坐了下来。他知道，布雷耶才是他要打交道的人。而到了此时，他逐渐对和蔼可亲的布雷耶有了好感，即使他们未能分享他昂贵的红酒。而对布雷耶来说，他明白就算帕克已经彻底安排好了所有事情，公司的决策还是由扎克伯格全权说了算。扎克伯格对布雷耶说，他倾向于接受阿克塞尔公司的竞价，但他希望坐在Facebook董事会的人是布雷耶。尽管埃法西人不错，其他方面也还行，但他在公司并不是资深合伙人，并缺乏经验，他从来没有当过董事。埃法西说："这可伤了我的心，但我能理解。"布雷耶决定接受这个条件，亲自担任董事。但他要求，作为交易的一部分，他拿自己的钱再投资

100 万美元到 Facebook。对于投资之前 Facebook 8700 万美元的估价，布雷耶说："我当时知道这竞价太高，但有时，达成一个交易需要付出这种代价。"当扎克伯格离开他的办公室时，布雷耶十分高兴。阿克塞尔合伙公司将要注资 Facebook！

尽管如此，在几周以后这事才算完全定下来。帕克调整了几个关键要点。他进一步巩固了公司结构，保证扎克伯格控制两个董事会席位，而他占据另一个。这意味着，就算布雷耶和泰尔都加入了董事会，扎克伯格和他两人仍将控制 5 个董事席位中的 3 席——占表决的多数席位。这一套复杂的安排把他们的股票所有权和董事会席位联系起来。这样一来，扎克伯格就不太可能失去对他自己公司的控制。阿克塞尔合伙公司同意了这个安排，进一步证明了布雷耶极想达成这笔买卖，也证明了他对扎克伯格的信心。现今，布雷耶已渐渐信赖这个年轻的首席执行官，他认为扎克伯格是"一个产品天才"。扎克伯格考虑邀请他的父亲坐那个空出的董事席位。他和父母关系很好，在筹资期间，他经常以即时通信的方式向他们征求建议。但这个董事席位还是暂时空置。

帕克还设法使得阿克塞尔合伙公司作出第二个让步——允许注资的资金的一部分直接给予公司员工。扎克伯格、莫斯科维茨和帕克每人收到一次性支付的 90 万美元。这次支付是秘密性质的，部分因为在这种情形下，大家认为所有的筹资都是花在公司上，那才是对公司最有好处的。帕克甚至对他的顾问康韦都没有透露这份"贿赂"。康韦在此后发现时，对这种行为表示强烈反对。至于和贷款方西部技术投资公司打的那个赌，帕克得意地笑着说："我取得了大胜。按如今的价格，那个赌大概要花掉他们 2 亿美元。"

当爱德华多·萨维林听说了交易的条件时，他勃然大怒。在当年夏天，他占据公司的股份为 34.4%，结果现在被新注入的投资稀释为不到 10%。他声称没想到会发生这种事，并威胁提出诉讼。但经过这次资本重组，他并没有多少筹码在手。埃兹拉·卡拉汉这时已经知晓如何操作萨维林的广告业务。萨维林怒火中烧，他停止了在 Facebook 的所有工作（尽管他继续持有公司股份）。扎克伯格关闭了他的电子信箱，而 Y2M 公司收到指令，被要求不再与他有业务往来。

扎克伯格、科勒和莫斯科维茨对帕克的谈判能力佩服得五体投地，这一仗一直是成功融资的一个典范。回想起来，科勒说道："帕克在那些谈判中完全处于主导地位。公司现在的员工不知道他对公司所作出的贡献，他工作做得棒极了。"扎克伯格对朋友们说,帕克向阿克塞尔合伙公司的推销工作做得太好了,他从来没有看到任何人把推销工作做得比那更好。

年轻的马克·扎克伯格签署了文件,完成了与阿克塞尔合伙公司的交易。现在他是名副其实的百万富翁了。但那天深夜,他本能地希望庆祝活动尽量保持低调,而经过下面的事件,这种本能的驱动更强烈了。

扎克伯格当时的女朋友是伯克利大学的一名学生。凌晨时分,他开车前往伯克利去与她会面。在路上,他停在东帕洛阿尔托为他那辆闪亮的黑色新运动型跑车——昵称为"疣猪"加油。在帕洛阿尔托,这个社区的居民跟其他地区的居民相比,比较穷困潦倒。加油站是个人迹罕至的地方。在他为油箱加油时,一个年轻人朝他走来,手拿一把枪,但由于喝醉酒或是吸了毒,那个人基本上已经站不直了。他话也说不太清,大概的意思是想抢钱。惊慌失措的扎克伯格冒了一个值得冒的险。他钻进车里,驾车就跑,并全身而退。他如今回忆道:"我感到自己真是幸运。"尽管他提到的是他从枪口下逃生的故事,但这也是一句不错的总结,他创建 Facebook、获得注资、他的下一个服务器将在哪里开放使用都会有"幸运"相伴。

最终 Facebook 拥有了大量资金。如今它可以建造出一些实质性的东西。不久之后,服务器也已搭建串联完成,真正的成长即将起步。

第 6 章
必须升级为真正的管理者了

担任一家公司的首席执行官与成为某人的大学室友有着天壤之别。

突然之间，Facebook 似乎无所不能。资金不再是障碍，其业务在学生中继续快速增长，扎克伯格曾经对 Facebook 挥之不去的怀疑已经消逝。现在是时候把它打造成一家真正的商业公司了！但等一等，你怎么使之成为一个商业公司？

马克·扎克伯格和达斯汀·莫斯科维茨当时才年仅 21 岁。尽管他们远见卓越、创意无穷、全心投入，但他们仍然停留在大学生的思想状态，几乎不知道如何组织一家企业。25 岁的肖恩·帕克曾在好几个创业公司工作过，但他讨厌这些公司的限制，他是一个天生的叛逆者。他故意完全不理会传统企业原则，而扎克伯格则根本不知道这些原则。耶鲁毕业的马特·科勒其时 28 岁，是默认的领军人物，他在 Facebook 核心团队中拥有权威性的冷静头脑。他曾经做过麦肯锡咨询公司的顾问，还在 LinkedIn 公司打过工，为老练的企业家雷德·霍夫曼出谋划策，因此他很清楚创业公司应该做些什么。但 Facebook 并不是一家普通公司，它面对的挑战也非同寻常。

Facebook 的首要任务是雇用更多员工，他们现在已经有足够的钱支付员工工资，但人们却并不一定愿意去 Facebook 工作。尽管有 MySpace 的成功，在 2005 年早期，硅谷中的多数人仍然认为社交网络只是一时的潮流，他们还看不出这门生意能否带来商业利润。在这段时期，看起来炙手可热的互联网公司是博客和播客。而且，由于Facebook是一个有会员限制的网络，对Facebook想聘用的成年人来说，想要登录和了解该网站并不容易。

鉴于这些问题，这家全新的公司已经拥有了一个名声——秩序混乱。科勒很快把注意力主要转移到招聘上来，他试图说服一个叫罗宾·雷德（Robin Reed）的人帮助公司找到一位工程技术方面的副总裁。罗宾是一名专为创业公司招聘的著名猎头，她是个中年女子，短金发，衬着圆圆的脸庞。她追求新潮，手腕上戴着木珠。罗宾对科勒的邀请不感兴趣。她回忆道："我听说过有关他们的疯狂故事，太豪放不羁了。肖恩·帕克当时声名狼藉。"帕克热衷开派对的名声，还有他被迫离开Plaxo公司这件事，使得他被硅谷人士视为"坏小子"。罗宾与一些已经尝试过帮助Facebook招聘但失败了的朋友们谈了谈，其中一个对她说："人们对他们是唯恐避之不及。"

然而这种说法是夸大其词了，这群大学生小伙子确实没有做什么过分的事。在商业会议中，扎克伯格必须得小心注意他发出去的名片是哪种，他有两套名片。一套上面只写着："首席执行官。"另一套上写着："我就是首席执行官……贱人！"而且公司必须放弃其一直计划举办的全国大学生啤酒狂欢竞赛，不仅是因为美国所有大学的行政部门竭力反对，而且就最近的情况来看，如果不取消这项竞赛，31岁的特里西娅·布莱克就拒绝加入Facebook。特里西娅是Y2M广告代理公司的女销售员，她从2004年中期就一直恳求萨维林聘用她。最终她得到了加入Facebook的邀请，并在公司内部设立了一个广告部门。至于办公室艺术品，在阿克塞尔合伙公司注资1 270万美元之后不久，帕克女朋友画的那幅陈列在女洗手间的裸女和牛头犬的图画就被新的图画所覆盖。

Facebook的猎头策略并不是非常专业。起初其主要方法是在人行道靠街的位置摆放一个木制意大利厨师像，并在这个人像上挂上一块黑板，上面列出的不是菜单，而是虚位以待的工作职位列表，例如，"主管工程技术的副总裁"。

科勒聘请的第一个人是陈士骏（Steve Chen），以前曾在PayPal做程序员。但仅仅几周之后，陈决定离开公司，准备与两位PayPal公司的朋友开创一家新公司，做视频方面的业务。科勒试图劝阻他离职。"你正在犯一个大错误，"科勒说，"在你剩下的人生里，你将会后悔这个决定。Facebook将成为商业巨子！而视频网站已经有一大把了！"陈还是选择了离开，他创办了一家小公司，名叫YouTube。

扎克伯格很快就清楚地知道，位于硅谷食物链顶端的 Google 才是与 Facebook 争夺人才的主要竞争对手。毕竟，那是差不多每个优秀软件工程师都向往去工作的地方，那些人才是 Facebook 应该聘用的人。只要知道某人正在 Google 接受面试，扎克伯格就愈发想把这个人抢到手。

科勒看望了在普林斯顿大学念书的弟弟，并听说 Google 在那里举办招聘会。他打印了一堆介绍 Facebook 的传单，站在招聘会场的门边分发。在此之后不久，扎克伯格在斯坦福计算机科学系大楼内摆设了一个小桌子，上面的标语写道："为什么要到 Google 工作？来 Facebook 吧。"甚至亚当·德安杰罗都被说服，拒绝 Google 提供的暑假实习机会。帕克说服他再次加入 Facebook。

在阿克塞尔合伙公司注入巨资之后，为此项交易铺平道路的凯文·埃法西开始频繁拜访扎克伯格，为其提供建议。他提议，引入一个兼职顾问杰夫·罗斯柴尔德（Jeff Rothschild），杰夫是一家大型商业软件公司 Veritas 的创始人之一，他对数据中心有深刻了解，而且 50 岁的他成熟、有经验。扎克伯格认识到，杰夫能够帮助 Facebook 预防诸如 Friendster 公司崩溃那样的危机。埃法西建议对他每周一天的工作提供一些股票作报酬。

扎克伯格问："他愿意做全职吗？""不，绝不。他已经退休了。"埃法西回答道。下一次他们俩碰面时，扎克伯格骄傲地宣称："我跟他谈好了，做全职。"对扎克伯格来说，如果有什么事是不可能做成的，就好像是对一头牛举起一面红旗，只会激起他的斗志。杰夫回忆起自己很快被 Facebook 吸引进去的情景时说道："我以为这些家伙创建的是一个情侣约会网站，但是一旦我了解到马克的远见，我就认识到这个网站和 MySpace 并不一样。它并不是一个约会网站，而是与你的朋友们保持联系的最有效率的方式。"把经验老到的杰夫招至麾下有助于公司得到正式认可。

在杰夫·罗斯柴尔德对 Facebook 表示肯定的帮助下，科勒说服罗宾·雷德来帮助 Facebook 招聘员工。她最终同意来公司与扎克伯格见面。在约好的上午 11 点钟，她沿着画有涂鸦的楼梯，来到 Facebook 位于帕洛阿尔托的办公室，却发现门大开着，空无一人。过了一会儿，她离开了。科勒在街上看到她，把她请了回来。原来，扎克伯格一直在公司里，不过是在屋顶上。如果你站上房间里（他们称之为宿舍的房间，里面有一个游戏机和一个蒲团）的一张桌子，慢慢地爬出窗外，就可以来到铺满砾石的一个大的平台区域。外面是可折叠的海滩椅。在晴天，这是一个人们特别喜欢去的场所，也是一个打私人电话或私人会谈的好场所。罗宾爬出窗外，来到平台。扎克伯格恳求她答应帮公司找到一个主管工程技术的副总裁。她觉得那儿的风景非常迷人，于是便答应了。

但 Facebook 对招聘人员有着其独特的标准。首先，它偏向于聘请年轻人。对这群中途退学、挑战旧习俗、自学成才的人来说，辍学是一种美德。"当你可以参与其中的时候，为什么要浪费时间去研究它呢？" 扎克伯格会这样问他试图招募的毕业生。他甚至开始保证，如果某人退学来 Facebook 工作而且迟后决定再去读书的话，公司将为其支付学费。科勒面向暑假实习生打招聘广告，然后当有发展前途的应聘者来面试时，科勒有时会告知他们 Facebook 只招聘全职员工，这就迫使应聘者考虑退学。斯科特·玛利特（Scott Marlette）就是被这么招来的，斯科特退出了斯坦福大学电子工程系的研究生学习，成为 Facebook 早期招募的高级员工之一。

亚当·德安杰罗身材高大，说话温柔，一头乱发，性格内向，是个典型宅男，身上有股书呆子气，而且编程相当厉害。他已经很长时间没将工作重心放在 Wirehog 上了，此时他是 Facebook 的首席工程师。不论是谁首先面试了重要的技术工作岗位的候选员工，扎克伯格总是想要德安杰罗面试这些人。如果德安杰罗认为这些人聪明能干，那么他们就会被聘上。

当某人正式入职时，他们的首要任务就是去购买自己的手提电脑。公司也没有足够的家具，在斯科特·玛利特新加入公司的整整一周时间里坐的是地板。在主房间里，唯一的桌子是位于场地中心的两张圆桌，桌子已经塞满了其他人的东西。斯科特·玛利特后来去宜家购买了他自己的办公桌和椅子。

Facebook 的用户从 6 月的 300 万增至 10 月的 500 万。这是令人难以置信的增长，但即使员工们庆祝人数不断增长这一成绩时，他们还必须努力工作来防止这种增长带来毁坏性的后果。公司技术的发展速度必须要跟得上其会员增长速度。大家心中一直怀有与困扰 Friendster 的"诅咒"相对抗的想法。德安杰罗为应付每天出现的危机状况而忙得不可开交。他回忆当时的情景时说："这个数据库快要过载，我们需要解决这个问题，用户不能发送电子邮件，搞定它！这个星期我们差一点就过载了。下个星期肯定会过载，网站将不能运作。我们不得不增大负载容量。"技术人员需要经常驾车去圣克拉拉的数据中心接通更多的服务器。到年底，Facebook 在其数据中心的服务器和网络设备上花了 440 万美元。

在用户快速增长的情况下，为了保持正常运转，在忙乱的工作中，很多年轻的工程师犯了严重的错误。一些错误甚至使整个网站面临瘫痪的风险，因为其基础软件代码是由一个非常长的指令文件组成，这违犯了这类网站的基本设计标准程序。（玛利特和德安杰罗后来把这个代码分解为一种更常规的分段结构。）有一次，源代码——公司的主要知识产权大量流入学生们的个人空间里；一个工程师编出了错误的程序，可以使用户登录任何帐户；还有一次，一个暑假实习生犯了一个编码错误，其造成的结果是，不论你点击网站上的哪个广告，你都将被链接至唯一的一个广告客户——Allposters.com。

达斯汀·莫斯科维茨的日常工作是保证网站顺利运行，因此每当这些灾难出现时，他的工作就是去补救，即使需要整夜工作也没有办法。当面对一个特别愚蠢的过失时，他有时会失去控制，怒火冲天地猛捶办公桌，扔东西发泄，但他总能把事情补救好，他因为尽心尽力工作和其职业道德而广受尊敬。"达斯汀一直是公司的中坚力量，而马克则是有创意、有思想的人。"年轻的鲁奇·桑维（Ruchi Sanghvi）如是说，她圆圆的脸，一头长黑发，拥有天使般的微笑，是卡内基梅隆大学计算机工程系毕业生。她是 Facebook 聘用的第一个女工程师，而且在几年里，是公司核心团队的唯一女子。

罗斯柴尔德试图想办法对员工们因材施用，他发现所有 Facebook 的客户支持是由一名伯克利大学的学生在做，而且是在家兼职。该名学生积压了 75 000 条客户支持请求。罗斯柴尔德在 Facebook 刊登广告招聘一名客户支持代表，雇用了最近刚从斯坦福毕业的保罗·扬策（Paul Janzer）。他俩马上得出结论，他们需要更多的客户支持代表。于是又觅得了 6 名应聘者。然后，罗斯柴尔德主持了一个群体面试，聘用了所有人。就算是这样，未得到答复的请求还是增加到了 15 万条，之后该数字开始下降。人们提出了各种各样的问题，包括：如何改变他们在个人空间的照片？他们结婚后是否可以更改名字？等等。

埃法西试图担任"企业良心"这个角色。作为回应，扎克伯格给了他一张名片，上写着头衔"杞人忧天"。但他有理由担忧，网站的新功能还没经测试就被运用了。当他轻松地坐着与扎克伯格聊天时，而后者却同时在其手提电脑上输入字符——对 Facebook 作出实时修改，这使埃法西很伤脑筋。

猎头罗宾寻找人才的时间花得比她预料的要长。首先，有经验的工程师不愿意为一个 21 岁的毛头小子打工，觉得这小子从来没做过一份真正的工作。而很多有兴趣的候选人当了解到帕克的名声后，特别是知道他是Facebook的总裁时就退缩了。而且罗宾并不完全清楚扎克伯格想要怎样的人，他对心中所期望的雇员的描述一天一个样。他明确表示自己将继续主管产品开发。尽管Facebook的日常生活似乎未臻完美并且混乱不断发生，但罗宾注意到，情况似乎正在朝好的方向发展。

扎克伯格邀请她加入，为公司做差不多6个月的全职工作，直到招到所有的人为止。她从没这样做过，但她被Facebook的优先认股权所吸引。慢慢地，她增强了对这家公司的信心。"我认为，我近距离观察过很多伟大的企业家，我知道他们的成功是如何得来的，"她说，"但当我接触到Facebook时，我还是吃了一惊，原来，我并不十分了解20来岁的年轻人是怎么做事的。大家都说他们没有责任感，他们总是迟到，一些人只在深夜工作，但马克的确是个很负责的人，他们所有人都是。所以我决定摒弃我听到的那些，以新的角度去看待他们。"

罗宾是一个佛教徒，一个修禅者。一个星期六的早上，她与扎克伯格坐在旧金山现代艺术博物馆的咖啡馆内，达成了一个协议。她同意为公司全职工作几个月，而扎克伯格同意修禅、冥想。以一种带有母爱的方式，她正开始对扎克伯格在管理上的成功产生兴趣。她送给了他特别的电脑软件，带有小小的生物反馈监控器，夹在人的手指上，由电线连接到你的电脑上，通过测量来判断你是否冷静下来了。谈话结束后，他们达成了一项共识，扎克伯格说："我想现在是拥抱的时候了。"

尽管在这些日子里，他面对的压力巨大，但他看起来并没有失控。实际上，他保持着其特有的冷静。甚至在公司最忙乱的时候，他也从来没有发过脾气。（不久之后他把情况反馈给罗宾，实际上他正在使用她送的帮助冥想的设备，效果不错。）

这种表面平和的独特个人魅力，是扎克伯格吸引人才投靠他的一个关键因素，同时也是人们对他恼火的一个重要原因。他不仅仅是不易动感情，而且他很少显露出情绪。他表示倾听的典型方式是，毫无热情、面无表情地盯着你看。你绝对看不出来他到底是不是在听你说话。在某人对他说了句话后，他很少立即给予回应。如果你一定要知道他的想法，那你的运气可能不佳。"你很难看出他在想什么，"克里斯·休斯说道，休斯是他以前的室友，在那段时期，他正管理着公司的公共关系，办公地就是哈佛大学的学生宿舍。"用基本的沟通方式难以与他进行交流。"

Facebook 不再是小公司了，大家都不一定清楚公司的运营情况。而今，扎克伯格必须更加有意识地注重沟通，并确保他想传达的意思正通过不断增多的中间层传达下去。埃法西力劝扎克伯格写下他有关策略和步骤的想法。接下来的那个星期，扎克伯格带着一个皮封面的小日记本来参加会议。埃法西说："他把本子打开，上面一页页写的是极小的手写文本。"扎克伯格的手写稿非常清晰，像建筑师或设计师的手写稿一样，但他拒绝让埃法西阅读他的笔记。"我告诉他，记笔记的用意是与其他人沟通，"埃法西说，"结果他朝我看了看，好像从来没有听过这个观念一样，然后他反问我：'是吗？真的？'"

扎克伯格把这本日记看得很紧，但一些同事还是偷偷看到了其中一些内容，上面细致地写下了他对公司未来的展望。在其封面页上，列出了扎克伯格的名字和住址，还有一个备注："如果你捡到了这个本子，请把它归还到上面的地址，你将得到 1 000 美元酬谢。"扎克伯格把它称做《易经》，在其下有一句引言："欲变世界，先变自身——甘地。"在本子内，扎克伯格用清晰而漂亮的草书写下了冗长而详细的描述——他希望在不久的将来开发的服务功能，包括后来开通的"动态新闻递送"（News Feed）功能；他计划向各种类型的用户开放注册；将 Facebook 变成由其他人开发的应用程序的一个平台。根据那些读过它的人说，这个本子的某些内容几乎是意识流。连扎克伯格也时不时地在空白处记下"这个想法看来并不能实现"，但对公司内部很多读过它的人来说，其影响力似乎不亚于米开朗基罗的写生簿。

大约在这段时间里，一个新的重量级人物加入了公司中——投资者兼实业家，马克·安德森（Marc Andreessen），他成了扎克伯格的一名亲密顾问。安德森是硅谷最受人崇敬的革新者和企业家之一，很年轻的时候就来到了加州，有点像扎克伯格，在那之前，他在伊利诺伊州大学帮助开发了第一个网页浏览器。他是网景通信公司（Netscape Communications）的创立者之一，后来还参与创立了两个更重要的和成功的公司，与此同时他还投资了很多公司。马特·科勒和董事彼得·泰尔将安德森介绍给扎克伯格，认为他可以帮助年轻的首席执行官搞清楚如何把 Facebook 发展壮大。扎克伯格立即对意志坚决的安德森有了好感，安德森从来没有显露过丝毫巴结的意思。他对自己有绝对的自信，实际上，他对笨人从来没有耐心。他并不在乎人们怎么看待他，扎克伯格喜欢这一点。他想到什么说什么，没有几个人可以在扎克伯格面前这么做。

在帕克、科勒、安德森、埃法西的激励下，扎克伯格开始试着表现得像一个领袖。他原来一直住在公司的一个房间里，但在夏季中期搬了出去。差不多同时，他宣布将停止编写软件，扎克伯格需要开始把注意力放在更重要的问题上。在他写出最后一段代码的那天，大家为他举办了一个小小的纪念仪式。退出编程之后不久，在一场他在斯坦福大学发表的演讲中，他带着一丝失望说道："担任一家公司的首席执行官与成为某人的大学室友有着天壤之别。"在周末，科勒、莫斯科维茨和扎克伯格都会拜读彼得·德鲁克（Peter Drucker）的书，德鲁克经常被称为"现代管理之父"，他是 Facebook 的顾问兼老师。

扎克伯格决定求教于他新发掘的管理偶像——丹·格雷厄姆。他问格雷厄姆是否可以去拜访《华盛顿邮报》，并观察格雷厄姆是如何做事的。尽管在当时他基本上看不懂损盈表，但他想看看一个首席执行官应该做些什么。扎克伯格飞去华盛顿，花了 4 天时间与这位导师在一起度过。他在《华盛顿邮报》公司总部如影随形地跟了格雷厄姆两天，然后与他一起坐飞机去纽约，观察他针对财政分析家们做的一个介绍发布会。《华盛顿邮报》公司的股票分为公众股票和独立优先权的股票，后者由格雷厄姆家族控制，而且这部分股票的投票权受到严格控制。这种股份安排的用意是为了表明由一家上市公司来经营一家报社的独特敏感性——使它成为一个追求盈利的企业和一家公共信托的混合体，而且这种构造给予了格雷厄姆家族对公司决议有效的否决权，也给予其施行公司长期规划的能力。扎克伯格开始思考，某一天，他可能会为 Facebook 安排一个这样的架构。

此时，这个 21 岁的小伙子必须要搞清楚如何应对在员工管理方面的挑战，任何组织机构都会出现这样的问题。有时他的方式是，对其他人可能严肃对待的事物轻松地开一个玩笑。一个年轻的女子向他抱怨，一名员工在吃午餐排队时骚扰了她。他的回应是公开这件事，使犯事人当众丢脸。他在一次公司会议上宣布："有人告诉了我一件事，你们中有一个人对一个女孩说'我想把我的牙齿放在你屁股上'。"他停顿了一下，整个房间寂静无声。"所以，我想问一下，这句话到底是什么意思？"每个人都笑了起来。于是，这件事不再有人提起。

Facebook 的企业文化是一种制度化的率性而为，外加强烈的奉献精神和全力以赴的努力。员工们总是喜欢一帮人一起活动——往附近的水瓶座戏院跑，他们可以免费入场，因为公司的一个工程师在那做兼职；光顾距东帕洛阿尔托有几英里远的麦当劳；去街角的学院咖啡馆，那是公司非正式集会的地点。"我们整天在这工作，"鲁奇·桑维说，"我们是最亲密的朋友。工作总是占用我们的休闲时间，我们在工作中度过圣诞节、周末，有时要工作到早上 5 点。"她自己工作就十分卖力，有一天晚上她驾车回家，于凌晨赶到她位于旧金山的公寓里，在把车停好之前，她撞上了中心护栏，并且在公路的一端呼呼大睡起来。在那之后，她搬到了距办公室较近的住所。Facebook 向那些住在帕洛阿尔托附近的员工提供每月 600 美元的住房补助，这有助于大家把工作和私人生活都照顾到。

很少有人在中午以前来上班。在当时公司的工程师卡罗·白朗（Karel Baloun）自己出版的《从零到百亿》（*Inside Facebook*）一书中，他写道，扎克伯格自己定下了标准："扎克一般走进办公室，视察一下，看到每个椅子上都有人坐着工作，然后，他就腹部朝下地趴在薄地毯上，脚把拖鞋一甩，开始在他的苹果 iBook 电脑上打字。"只有在夜晚，这个地方才会进入一种生产状态。在"红牛"饮料的刺激下，程序员们有规律地在手提电脑上输入代码，同时通过即时通信软件聊天。五十来岁的猎头师罗宾开始在家熬夜到早上三四点，忙于深夜的即时信息交流。他意识到，很多重要的决定是在那个时候确定的。

扎克伯格更喜欢使用即时通信，他使用的是美国在线服务 AIM。在那段时间里，有一位比扎克伯格年长几岁的雇员收到了他通过即时通信软件发送的一条信息，其实这名员工的办公场所距扎克伯格只有 1.8 米远。上面写道："你好。"这是他第一次收到这样一条信息。因此为了显得欢快点，这家伙从椅子上站了起来，转向扎克伯格，用友好的声音大声喊了句："你好！"扎克伯格没理他，继续面无表情地盯着他的屏幕，也不知道他到底有没有听到这家伙说的话。如果你想和扎克伯格交流，用即时通信吧。在大部分员工离开后，扎克伯格在晚上会变得更加活泼些。

显而易见，Facebook 努力为公司塑造一个好的工作环境，而这几乎到了滑稽可笑的地步。例如，帕克发布规定，员工必须要是俊男靓女，形象极为重要。当杰夫·罗斯柴尔德开始为 Facebook 工作时，他穿得像一个典型的书呆子气的硅谷中年工程师——笨重的跑鞋、一件衬衫扎在卡其布裤子里，要不就是穿一条宽松的牛仔裤。大约一个月后，一位朋友在机场与他巧遇，他穿着名牌牛仔裤，衬衫下摆也没有扎进裤子里，一身时髦打扮。"杰夫，怎么回事？"他的朋友问道。"他们说我给他们丢脸了，"罗斯柴尔德回答说，"他们不愿意让我回办公室。"他们开始称罗斯柴尔德为"J-Ro"①。"我们公司的任务之一是成为硅谷里最酷的

① 性感女星珍妮弗·洛佩兹（Jennifer Lopez）被称为 J-Lo，这里称罗为 J-Ro 是为了与之对应。——译者注

公司,"帕克如是说,"我所宣扬的理念是,这里应该是一个有趣的、摇滚般时髦的工作场所。"这就是为何他聘请涂鸦画家崔大卫(David Choe)来为办公室涂鸦,并叫他的女朋友在女洗手间增加了一个特别的小东西。(崔的努力工作换来了一小部分公司股票,现在可能价值上千万了。)公司继续租了几套房给员工合住,其中一套房走路就可以到公司。大家周末都在那里聚会。

扎克伯格前往纽约,准备在那会见特里西娅·布莱克新雇用的广告推销员凯文·科勒兰(Kevin Colleran)。科勒兰此前曾在唱片业工作过,而且其个人简历上的照片显示的场景是——他在一个聚会上眉飞色舞,手揽着说唱歌手"50美分"的肩膀,而"50美分"当时一副傲慢模样,留着山羊胡子,全身珠光宝气。扎克伯格在纽约联合广场公园附近的维京唱片城前约见了科勒兰。科勒兰迟到了,当他走向扎克伯格时,他的这位新老板给他打了个电话。"你在哪?"扎克伯格问。"扎克!我就在你面前!"科勒兰回复说。扎格伯格似乎失望了,他以为Facebook的广告推销员是那个看起来凶恶的黑人。

Facebook以网站的名义偶尔会举办独特的社交集会。在斯坦福毕业生娜奥米·格莱特(Naomi Gleit)开始在公司工作的第一天,马特·科勒叫她请姐妹会的所有姐妹们在吉姆·布雷耶的空间页面上"捅"他一下。这是保持董事们对产品感觉良好的一种方式。

据作家兼工程师的白朗说,扎克伯格的冷幽默和古典文学功底在当时也显露了出来。他写道:"大概在2005年5月底时,马克在他的办公室墙上涂写了一个巨大的词语'Forsan'。这个词来自维吉尔(Virgil)所写的诗《埃涅伊德》(*Aeneid*):'Forsan et haec olim meminisse iuvabit',大意是'也许有一天,似乎连这段经历也值得怀念。'"

越来越多的科技和媒体公司注意到Facebook的迅猛成长,并想方设法试图来分一杯羹。在春季,MySpace的首席执行官克里斯·德沃尔夫从洛杉矶来到帕洛阿尔托,提出试探性建议,看有没有可能买下Facebook。扎克伯格、帕克和科勒与他在学院大道的一家咖啡店会了面,但只是因为他们认为克里斯是个有趣的家伙,而且他们对MySpace感到好奇。结果到了7月,MySpace自己被收购了。鲁伯特·默多克的新闻集团以5.8亿美元买下了这家社交网站的母公司,得到了MySpace和其2 100万用户。

Facebook为此举办了庆祝活动。不只是因为该交易表明了社交网络是重要的和有价值的，也因为他们高兴地认为，这家保守的大型媒体公司如今将会对MySpace 胡乱改造。他们认定，新闻集团将会极大地拖 MySpace 的后腿。帕克那天打电话给德沃尔夫的合伙人汤姆·安德森（Tom Anderson），他打开了免提功能，每个人都能听到对话。Facebook 的管理团队表达了"哀悼"之情。由于德沃尔夫和安德森并未持有多少母公司的股份，他们将不会从出售自己创立的公司中得到很多钱。

扎克伯格最不愿意的就是出售他所创立的这个"宝贝"。当他在斯坦福演讲时，有人问他，他认为用 Facebook 来"生钱"或挣钱的最佳方式是什么。"战略性撤出。"扎克伯格回答道，那是他在当晚唯一一简短的一句话。"我的时间是用来想如何建造它，而不是去想如何离场，"他回答，"相比其他人，我认为我们能够把这个网站做得更有意思。管理这个网站让我感觉很爽。对不起，我不会花时间去想卖了它。"

尽管扎克伯格把广告放在最次要的位置，大量的广告客户还是找上了门。但即使是在早期，Facebook 在广告方面显然也不像是一家普通网站。这是一个好事，也是一个坏事。首先，Facebook 上的广告点击率并不频繁。一些人认为，那是因为，当一个用户在专心寻找好友时，并不容易注意到商业广告。Google 模式的一个版本——只有当广告客户的广告被点击时才向他们收费，在这里似乎行不通。

纽约的新广告销售员科勒兰正努力工作，希望找到品牌广告客户愿意按每千次浏览来支付广告费。这是电视广告的定价方式。这种广告的目的（与 Google 所擅长的"按每次点击付费"相反）不是为了得到点击，而是被大量用户看到。但对于麦迪逊大街的几个大学生来说，他们对 Facebook 感觉陌生，而且更没有几个人了解该网站。

在几个月的时间里，科勒兰是该网站唯一的全职广告推销员，他很快就泄下气来。这个随和的大个子理着一个金色平头，是个卖力的销售员，他进行陌生拜访时，几乎没有人把他拒之门外。他找到了大量愿意尝试在 Facebook 做广告的广告客户，但这些广告客户的很多想法立即被扎克伯格否决了。任何与网站流畅使用有丝毫冲突的广告他都会拒绝，不论这将产生多少收入。例如，在你查看一个网页的内容之前，一般会显示弹出广告，而这是被他绝对禁止的。科勒兰学到了教训，他建议用户采用广告方案时要小心谨慎。

使科勒兰不爽的是，扎克伯格向新学校开放注册 Facebook 的速度不够快。

对他来说，用户更多似乎更方便开展推销工作。不过扎克伯格和莫斯科维茨做事讲究条理，按部就班。Facebook 还未向其开放注册的学校学生经常上该网站，试图注册帐户。如果他们上的是一所 Facebook 还未对其开放的学校，他们就会在等待列表上排队，当轮到该学校时，他们将会得到通知。当等待表上的学生数超过了总学生数的 20% 时，Facebook 将会对那所学校开放注册。科勒兰回忆道："我一直认为这样做是不对的，但如今我认识到，这是我们成功的一个主要原因。"把好关，只对有确实有需求的学校开放——通过这样做，拓展方面的专家扎克伯格和莫斯科维茨确保了一旦 Facebook 对上述学校开放注册，使用率将猛增。

科勒兰找到一家公司愿意为广告出大价钱，那是他的第一笔大单。英国在线赌博公司"派对扑克"（Party Poker）买广告并不是按照每千次浏览这个方式，而是按所谓的 CPA——成交付费。即每产生一个新用户，"派对扑克"公司将支付 300 美元的固定费用，条件是用户签订服务协议，而且至少在赌博帐户上存入 50 美元。这后来被证明是 Facebook 的赢利大项目——每月平均有 200 个用户签订协议，可为网站带来 6 万美元收益。Y2M 公司的销售人员，那时也在为 Facebook 卖广告，他们对此感到惊讶。他们从来没有看到过大学生会花这么多钱在互联网广告上。可是差不多一年以后，美国的在线赌博被定性为非法行为，Facebook 就不再为"派对扑克"打广告了。

那些热衷于按每千次浏览的支付广告费用的公司包括一些以大学生为目标员工的公司，例如粉刷房子的工程公司和挨家挨户拜访的零售商会雇用学生做暑期工。一个大客户是卖厨房用刀的。兄弟会和姐妹会销售商行提供的产品用来筹款，这些商行也在该网站上看到了良好的反应。科勒兰和一个在线海报商店 allposters. com 谈成了一笔大合同。广告开始定价为每千次浏览 5 美元，结果广告客户们每个月支付的广告费最少不低于 5 000 美元。

但是，除了盈利颇丰的"派对扑克"那笔交易，网站主要的收入还是来自得到赞助的在线群组，特别是苹果公司赞助的那个群。自从苹果公司每月为每个新用户支付 1 美元以来，随着这个群用户的增长，Facebook 挣得越来越多。很快，它每月带来了十多万美元的收益。那是公司在该年最大的单一收入来源。其他群组的赞助公司，每月至少支付 25 000 美元，包括"维多利亚的秘密"群组。

但也有早期迹象表明，这种新类型的社交网络为广告客户提供了独特的有

113

效工具。在 2005 年，环球唱片公司（Interscope Records）发行了一首单曲，由格温·史蒂芬尼（Gwen Stefani）演唱的《哈拉美眉》（*Hollaback Girl*）。该歌曲的风格有点像拉拉队歌的形式，而环球唱片的营销人员想直接向大学的拉拉队队员们宣传这首歌，希望她们将其作为比赛中用到的常规歌曲。除了这个只限于大学的网站之外，还有更好的地方去寻找大学拉拉队队员吗？达斯汀·莫斯科维茨已经变得擅长于为广告客户在 Facebook 中寻找和利用个人简介中的数据，所以，把拉拉队队员作为目标对象对他来说是小菜一碟。

这种方式可能是显而易见的，但在此之前的互联网上，很少有网站可以提供以用户明确提供的信息为基础的目标市场。环球唱片也可以选择另外雇请一家公司，目标是——以互联网行为的推理分析为基础的其他网站的用户。这种网络广告观察人们的行为依靠的是安装在消费者网页浏览器中的小型软件，被称为"信息记录程序"。例如，他们可以知道，你经常去 20 岁女孩会上的网站，或者你在网络上购买过流行音乐。如果以上两种你都做过，他们可能会把广告放在你通常会浏览的网页上。这种方式能自行推测出你的个人身份和兴趣。

尽管这种选择目标市场的方式勉强算得上准确，但它撒的网太宽太广。很多这种广告的受众并不是真正的目标客户。在网上，甚至区分性别的目标市场定位也经常出现误判。一份评估报告称，区分性别的目标市场定位中错误率达到了 35%。例如，如果你与你的男朋友共用一台手提电脑，这种方式将不会带来什么好效果。像环球唱片这种广告客户能够获得高密度人群目标市场的另一种方式是，找到一个只为大学拉拉队员服务的网站（如果该网站存在的话），在那里宣传其广告，但这种方式不太可能得到大量受众。

相比之下，在 Facebook 上，环球唱片的广告将只被符合某些条件的大学女孩看见（本身就是拉拉队队员，或者在她们的个人空间上提及过有关拉拉队方面的事物）。Facebook 会告诉环球唱片，它在网页上放置的广告被这些女孩浏览的准确次数。在那个秋天的足球比赛中，《哈拉美眉》的确变成了一首脍炙人口的拉拉队歌曲。没有办法证明 Facebook 上的广告是决定性因素，但差不多可以保证的是，在 Facebook 已经开放的学校中，每个拉拉队员都看到了这些广告。

这种目标市场定位看来前景极佳。科勒兰在开始其推销工作后，立马使用了一个媒体工具，列出了广告客户可以用来定位目标大学学生市场的以下参数：地域、性别、课程、个人空间中的关键词、入学年届、主修科目、个人关系状况、最喜欢的书、电影或音乐、政治关系、在大学的职位（学生、教员、校友或工作人员）。粉刷房屋和上门推销餐刀的广告客户可以只针对他们想招工区域的学校男学生打广告。或者，他们可以把目标更缩小一点——足球队中的大学一年级生并且高中是在北俄亥俄州上的。

在公司里，这些年轻的创业先锋们开始意识到，他们所拥有的这个独特的个人信息资料库可以被开发出很多的用途。真实有效的身份信息和个人范围广泛的资料，这两者的结合可以产生互联网服务中前所未见的了解能力。德安杰罗和扎克伯格的一个朋友——来自埃克塞特的一个数学专家，花去整个夏天的时间编写运算法则，想找出 Facebook 数据中的模式。他能够创建用户首选列表。服务器上 300 万用户最感兴趣的是电影。最受欢迎的五部电影是《大人物拿破仑》（*Napoleon Dynamite*）、《恋恋笔记本》（*The Notebook*）、《单身男子俱乐部》（*Old School*）、《搏击俱乐部》（*Fight Club*）、《情归新泽西》（*Garden State*）。最受欢迎的书是《达芬奇密码》，最喜欢的音乐人是戴夫·马休斯（Dave Matthews）。不久，服务器开始提供一个叫"动向"（Pulse）的功能。它能帮你搜索出，在整个 Facebook 中，或是你给定的一个大学校园中，哪本书、哪部电影、哪支乐曲是最受欢迎的。

随着公司的工程师们开发了越来越多的工具来发现这种了解能力，扎克伯格有时会通过做实验来自娱自乐。比如他得出结论，通过调查朋友关系和沟通模式，他可以测定，某个用户将在自此之后的一周内发展一段感情，这项预测达到大约 33% 的准确率。为了做出推测，他研究了谁正在看谁的个人简介，谁的朋友在与哪些人交友，谁最近成为单身，还有其他各种指导参数。

尽管 Facebook 独特的数据库为广告客户带来了保障，但在那时其推销的大多数广告仍是普通的标题广告。Facebook 与几家网络公司签订了合同，但这些公司杂乱无序地张贴广告，没有一家产生大量的收益。公司正渐渐花光其从阿克塞尔合伙公司集资来的钱。到年底，公司花掉了筹集来的 1 270 万美元中的 570 万。Facebook 还没有变成一家真正的商业公司。

在此之后，这些高智商的辍学者们花费了大量时间商讨 Facebook 的发展方向。毕竟，这个网站是独一无二的。他们以一种认真（几乎是严肃）的角度来审视他们所建造的这个事业的意义。扎克伯格认为它是一个"个人通信录"，他说那是他最初想要建造的东西。帕克表达得更有创意一些，他说

Facebook 就像一个你随身携带的小设备，你把它指向谁，它就会把这个人的一切情况告诉你。科勒把它比做你的手机——通往你生活中的人们的入口。即使是在那时，他们也经常听到批评声，说 Facebook 是个浪费时间的玩意。扎克伯格反驳时总会说："理解别人并不是浪费时间。"他从此开始定义 Facebook 的目标是："帮助人们理解他们身边的世界。"

他们很乐于谈论 Facebook 如何显露出经济学家所谓的"网络效应"。而它的确带来了这种效应，就如过去 100 年里很多伟大的通信和软件创新一样。每当一个新的用户加入，如果一个产品或一项服务的所有用户因此得益，它就可以被称为具有网络效应。因为每次用户的增加会对服务的能力产生影响，增长趋势会带来更多增长，良性循环下去。正如即时通信、"美国在线"、互联网、电话一样，Facebook 绝对是这种情况。具有"网络效应"的商业或科技趋向于稳步发展，并往往拥有持久的市场。

尽管他们希望外人认为在 Facebook 工作是一个酷差事，但产品方面也很重要。Friendster 以"酷"为企业之本，结果现在趋于没落。扎克伯格开始宣布，Facebook 是"一个公用事业"。这个词太沉闷了，可是他确实思考着宏图大业。他强调这点是为了以一种方式宣称，Facebook 与过去的电话网络和其他通信基础设施的相似性。帕克强调说："我们一直在说，当我们不再酷的时候，我们就成功了。我们想改造沟通方式，构建一个新的交流媒介。"达斯汀认为对公司来说重要的事情是，由于它扎根校园，所以要避免难以避免的关联想象。他说："对我们的品牌来说，一直非常重要的是，突破其轻率的形象，特别是在硅谷。"他一直都不是啤酒狂欢竞赛的热衷倡导者。

他们追求的企业形象是流线型、有效率的，而不是轻浮的。相对于 MySpace 的过分华丽，Facebook 苍白和单调的功能外观完全是相反的例子，其设计仍然不好看，而且效率差，反映了自从它诞生于寝室后进化而来的添加方式。帕克的好友阿伦·西锡格现在是 Facebook 的全职员工，担任网站的美术设计兼程序员。"第一天上班时，我问马克，'你想让我干什么？'"西锡格回忆道，"他回答说，'你是个设计师，那就重新设计这个网站吧。'"后来这个工作被称为"拉皮工程"。西锡格在夏季与扎克伯格紧密合作，清理了软件代码，把所有的功能都简化了。Facebook "简单方便"的功能特性就是当时经过深思熟虑的结果。西锡格说："我们希望 Facebook 保持中性，不呈现出某种特别的态度，我们不希望人们太粘 Facebook，希望他们多花时间去找朋友，与他人互动交流。"

在 2005 年夏季，另一项重要工程是获取互联网地址 Facebook.com，服务器终于可以修改域名了。特别是帕克，他觉得 Facebook 的名称"Thefacebook"中应该去掉多余的"the"，并对此很不高兴。他花了几周时间与一家叫"About-Face"的公司谈判，该公司使用了 Facebook.com 这个网址供市场软件公司创建雇员通讯录。AboutFace 愿意出售，但不愿意 Facebook 拿股票当支付款。帕克最后支付了 20 万美元现金，他还监督了公司标识的重新设计，去掉了围绕"thefacebook"的括号，流线型设计了新公司名称的字样：Facebook。在屏幕左上角的那个部分像素化的男子头像保留了下来，做了一些调整和收缩处理。很多用户想当然地以为那是马克·扎克伯格的头像，其实是基于扎克伯格在哈佛的朋友安德鲁·麦克科勒姆在网上找到的一张阿尔·帕西诺的照片加工而成。

尽管帕克有过去的成功，但随着日子一天天过去，扎克伯格和其他很多人渐渐清楚地意识到，他并不是能够帮助管理公司的最佳人选，帕克自己也不否认自己不可靠。"我一直希望找到原动力去奋斗，并取得了很多成功，但那之后，我就有点心不在焉了，"他坦承，"如果你想投入地运营一家公司的日常业务，这可不是一个好个性。"帕克时不时地玩失踪，很多雇员注意到了他的古怪状态。帕克否认使用毒品影响了他作为 Facebook 总裁的行为。针对毒品使用这个问题，一名前同事说："很难区别帕克的古怪表现是生理的还是人为因素造成的。他只是状态频繁地时好时坏，天生如此。"

重塑 Facebook 品牌最终成了帕克任职公司总裁的最后一项重要举动。在 8 月的最后一周，他在北卡罗来纳州度假，玩风筝冲浪，他和几个朋友在海滩边租了一套房子，朋友中有一个是在 Facebook 中担任他助理的年轻女子。在度假周进行到一半的那个晚上，他们举办了一个派对，邀请了风筝冲浪的教练们，而教练们又邀请了很多当地朋友。聚会来的人太多了，海滩边的人都来凑热闹。两天之后，他们为教练们主持了另一个小规模的集会。大家正坐着喝啤酒时，一队警察冲了进来，拿着搜查证，带着缉毒犬。他们说，他们接到报告称，该房子里有几千克的可卡因，上千片迷幻药，大量的大麻，然后他们开始到处搜索。

帕克和他的朋友们再三坚持说，警察弄错了，这里根本没有毒品。但大约一小时后，一名警察带着成功的欣喜回到他们身边，手中挥舞着一个小塑料袋，里面装着少量白色粉末。警察说，他们必须要抓走某人去审问。签订租房合约的帕克决定自告奋勇地前往，尽管没有任何证据说明他与那个塑料袋有关。当他到警察局时，他了解到，在两天之前的那晚聚会上，就有报告称有人使用毒品。围绕是否有足够的证据将他逮捕，双方展开了冗长的交锋，最后帕克被逮捕了，罪名是持有可卡因的重罪。但帕克并没有被正式地以任何罪名起诉，没人控告他，于是他马上就获释了。

帕克坐飞机返回加州的家中，有些后怕，但确信自己无罪，而且绝不动摇地坚持说他并没有做错任何事。他给扎克伯格、公司顾问史蒂夫·温内托、公司主管达斯汀·莫斯科维茨和马特·科勒讲述了事情经过。他们中大多数人认同此事并不需要公司插手处理。然后阿克塞尔合伙公司的人知道了这件事，事情变得一发不可收拾。

吉姆·布雷耶并不认为这是一件小事，他觉得任何与使用毒品相关的暗指都会给公司带来损害。他认为 Facebook 是一个主流品牌，必须保持清白的名声。据当时的一位高级管理人员回忆说，吉姆称这个事件为"公司内的毒瘤，必须要剪除掉"。实际上，帕克从来都没有与阿克塞尔合伙公司和吉姆·布雷耶建立起良好的关系，这使得他很难风平浪静地解决这个麻烦事。随之展开的是一场复杂而激烈的谈判。

扎克伯格并不认为帕克做了什么大错事，毕竟他没有受到正式起诉（从来都没有过。）另外，扎克伯格对朋友是十分讲义气的。帕克是他的心腹好友和顾问，帕克在与阿克塞尔合伙公司谈判时做得非常不错，并且确保扎克伯格对公司的控制权不受到威胁，扎克伯格对此是深深感激帕克的。

但阿克塞尔阵营中有很多人认为，不管他在此事上是不是清白的，早在他在北卡罗来纳州"出事"之前，帕克对公司来说就已经是个麻烦了。他们认为，他是在纵容扎克伯格有时孩子气的行为，比如，他使用的名片上写着："我就是首席执行官……贱人。"他们充分了解帕克对他们这种风险投资者的看法。

公司领导层的其他人觉得很不爽，他们陷入了一场难以应对的争论之中。甚至有一些帕克的朋友也感觉到，不论这一次的指控是否成立，他都不适合继续担任 Facebook 的长期总裁了。对他们来说，这次事件迟早会发生。因此，尽管这些较年轻的雇员中有一部分支持帕克清楚提出的这个论点——他没有做错任何事，但他们也不希望继续让他保持现状。此外，他的同事们担心帕克意欲继续担任 Facebook 的形象大使。帕克的私生活似乎不拘小节，这样的人领导公司会给公司带来危机。

一股旋风似的指控和争论席卷了公司几天，随后真正的危机来临，布雷耶坚持要帕克走人。一些人暗示说，这可能是因为扎克伯格和其他高层管理人员玩忽职守，没有把这个事件立即放在公司董事会上讨论。扎克伯格面对的压力很大。与此同时，阿克塞尔合伙公司安排在公司的一位经验丰富的技术人员凯文·罗斯柴尔德，其时已经与年轻的创业者们打得火热，他努力扮演一个中间调停人的角色。他花了大量时间与帕克和扎克伯格交谈，寻求解决危机的办法，公司顾问温内托也找了他们谈话（温内托是帕克招聘来的，他和帕克是老同事）。扎克伯格不知道该怎么做。

所有这些都在一两天内发生。阿克塞尔合伙公司要求帕克退位让贤，帕克坚称自己没有做错事。他开始担心，如果他不离开，公司自身会处于危机中。他担心，总裁之位暂时真空会使阿克塞尔合伙公司乘虚而入，夺取更多的控制权。他也不希望逼着扎克伯格在公司和他这个亲密好友中 2 选 1。在他的朋友兼董事会成员彼得·泰尔的劝说下，帕克不情愿地决定让出总裁之位。在会议室里，他和扎克伯格进行了一次情绪激动的谈话，并把这个决定告诉了扎克伯格。

但这是他第三次被一个在他的帮助下创建的公司踢出局。帕克最终成功地为自己安排了一些保险措施。他精心设计了一些条款来保护他自己和扎克伯格，按照这些条款，即使他不再是管理人员，他也没有义务放弃其董事席位或优先认股权。但布雷耶坚持，不仅要他离开董事会，而且要他放弃公司的大量股票，理由是他在公司只工作了差不多一年。帕克勉强同意放弃其一半的优先认股权。（如果他保留住了这些股票，现在大约价值 5 亿美元。）

但帕克拒绝放弃他的董事席位，除非他有权把它指派给其他人。他把这个席位交给了扎克伯格，因为这样一来，控制了 3 个席位的扎克伯格从此之后将对公司的命运拥有无可争议的决定权，帕克并不认为这样有什么好处。然而，他更担心把席位给其他人会使公司落入外部投资者的控制之下。他对风险投资公司感到反感，而且他想当然地认为，如果风险投资公司拥有了权力，他们将会最终寻求把扎克伯格挤出局，因此他感到没得选择。

帕克最终决定把这个席位交给公司的首席执行官，这时扎克伯格除了自己占据一席，还控制了由 5 人组成的董事会的其他两席。当时这两个席位虚位以待，

但如果扎格伯格与布雷耶和泰尔的意见相左时，他有能力立即任命两个新董事，当然新董事要按他的指示投票。"这就巩固了马克在 Facebook 中类似世袭国王的地位，"帕克说，"我把 Facebook 看作是一个家族生意，马克和他的继承者将永远地控制着 Facebook。"直到现在，扎克伯格还时不时地咨询他这位前同事的意见。

第 7 章

令人痴迷的图片功能上线了

他正以一种越来越广泛的理论来诠释 Facebook 的真正涵义。

　　随着 2005 年秋季学年的到来，Facebook 已有效地覆盖了美国大学市场——85% 的美国大学生是其用户，其中有 60% 的大学生每天不止一次登录该网站。现在扎克伯格想把网站成员拓宽到新的用户群中，但公司里有很多人怀疑这样做是否合适。公司董事吉姆·布雷耶回忆道："当时的争论围绕着'下一步是什么'展开，我们要走国际路线吗？我们的策略是不是保住将要毕业的用户而同时争取年轻的成年人用户？但我们知道，如果要做出好成绩，就必须开始去赢得高中生的心。"

　　扎克伯格和莫斯科维茨发现 Facebook 慢慢地朝"无处不在"发展。对他们而言，高中显然是下一个要拿下的市场。美国有大约 1 600 万高中生，而只有差不多 1 100 万大学生，所以，这一计划可能为 Facebook 带来大量的用户增长。而这对遏制 MySpace 是重要的，MySpace 正在高中学校里迅速攻城略地。一旦你知道扎克伯格是怎么认为的，你就知道董事会将如何投票。

　　所以 Facebook 在那个夏季开始计划把高中生纳入用户之中。投资人布雷耶和科勒——公司里年纪较大的人，都提出争议说，Facebook 的品牌不可改变地与大学联系在一起，大学生不愿看到高中生加入到他们中。他们指出，对高中开放的 Facebook 应该独自运营，名字也不能一样。他们认为"高中 Facebook"是个不错的名字，但 FacebookHigh.com 这个网址由一个投机者持有，而他又漫天要价。

如果高中生连上了 Facebook，服务器将怎样确定用户的身份？保护实名制和真实身份这种文化教养是极为重要的。到此时，大学发放的后缀为 .edu 的电子邮件地址保证了用户身份的真实性。这是 Facebook 有能力保护其用户信息的基础条件——你只与你认识的人分享资料。多于一半的用户如此地信任他们信息的安全，他们甚至把手机号码都放在了个人简介上。

然而，只有少数高中（大多数为私立学校）向学生们发放电子邮件地址。公司的新法律顾问克里斯·凯利（Chris Kelly）发起了一个小活动，希望借此说服高中学校，将其视为一项在线安全措施而向学生们发放电子邮件地址。这些学校得出结论，这种方法不太可能行得通。然后，Facebook 考虑创立其自有的国家高中学校电子邮件服务。最终，Facebook 拿出了一个折中方案。该方案包括：在 Facebook 上鉴定你的真实身份，实际上即是作为你的在线好友，要担保你身份的真实性。这也鼓励了大学一年级学生和二年级学生邀请他们仍在读高中的朋友们加入 Facebook。然后，这些新用户就能够邀请他们的朋友加入。这实际上是一个高中版 Facebook，进展比较慢。服务器为美国的 37 000 所公立和私立中学创建了单独的"网络"或用户群体。

最初，这个面向高中的网站作为一个独立的"Facebook"运营。尽管高中生用户也在 Facebook 网址上登录，但他们不能看到大学生用户的个人空间。开始，用户增长的速度慢得像龟爬，但在 2005 年 10 月底，每天加入该服务器的高中学生数以千计。（在那时，每天总共有差不多 2 万名新用户加入 Facebook。）

Facebook 不再仅仅是一个"大学现象"。在莫斯科维茨的大力支持下，扎克伯格不久就坚持认为这两项业务应该合并。到 2006 年 2 月，他们准备好了摒弃差异化，用户从此可以自由地建立友谊，无视年龄或年级的限制向任何人发送消息（最低年龄被设为 13 岁）。科勒、布雷耶和一些年龄较大的员工仍然十分担心，当大学生看到高中生在网站上与他们为伍时，Facebook 对他们的吸引力可能会急降。

当公司把两套体系合并的那天，他们情绪非常激动。但结果是，注意到这个情况的大学生们一般都感到高兴，因为他们能够与更多的人交流了，并有可能多结交一些朋友。当 Facebook 扩张了用户群时，有一些人抱怨，其实一直都有抱怨。一个新的群，名叫"你还只是高中小屁孩，竟敢加我为好友？太难堪了……滚蛋吧你"。但数据告诉了扎克伯格和他的团队他们想知道的情况，在高中生和大学生之间不断开展着大量的交流，而且合并的结果总体来看是涨势喜人。到了 2006 年 4 月，Facebook 拥有了超过 100 万的高中生用户。

帕洛阿尔托的爱默生大街上"中国快乐"餐馆楼上的狭窄房间，已经装不下不断增多的 Facebook 员工。公司搬到了离斯坦福大学不远的地方，而且就在 Google 公司第一个总部的街对面。Facebook 所在的大厦是一座现代化玻璃办公楼，象征着公司的一个新的庄严形象。搬迁过程显示出 Facebook 典型风格的多样化即兴发挥。每个人都自己动手搬自己的东西。结果出现了如下场面，一排穿着 T 恤、衣冠不整的年轻工程师们向前推动他们的办公椅，沿着人行道走过一个街口的路程，他们每个人扛着一个特大号电脑显示器，人数并不多。

2005 年 10 月，当 Facebook 达到 500 万用户时，公司在董事彼得·泰尔位于旧金山的俱乐部"战果"中举办了又一场派对来庆祝——这在突破 100 万用户的那次庆祝派别之后才仅仅过了 10 个月。每天都可以越来越明显地看到，用户们对 Facebook 入了迷。在该学年开始时，Facebook 几乎把其开放注册的学院的数量增加了一倍——超过了 1 800 所。在几乎所有开放的学校中，学生注册率都迅速超过了 50%。多于一半的用户至少每天登录一次——对任何互联网商业公司来说，这都是了不起的统计数据。而在办公室里，员工们被电子邮件发送来的鹌鹑图片猛烈"轰炸"。

用户们注意到在 Facebook 搜索页面的最底部，引用了一句来自《婚礼傲客》的台词："我甚至都不知道鹌鹑长的是什么样。"用户们正试图帮上点忙，要不然就是在开玩笑，或者两者皆有。其实这个引言并不重要，但用户们在乎。

用户们每天在 Facebook 浏览 2.3 亿个网页，而网站收益攀升至每月约 100 万美元。收入主要来自网络广告，广告主在 Facebook 上投放廉价的陈列广告。得到赞助的群组，例如苹果公司和"维多利亚的秘密"内衣公司管理的赞助群带来数千美元的收入，而在私立学校发布的公告也带了一些收益。但由于其成本每月达到将近 150 万美元，所以 Facebook 平均每年会花掉不少资金，大约 600 万美元。资金主要是来自阿克塞尔公司的投资，但扎克伯格并不太担心这件事，达斯汀·莫斯科维茨也一样。莫斯科维茨继续拼命地工作，不办公的时候，他会骄

傲地驾着在 9 月购买的宝马 6 系轿车到处兜风。

公司里很多人感觉到，他们正在参与创造一项历史。马特·科勒与这个管理团队的大多数人不同，他毕业于耶鲁音乐系，事实上获得了学位，他看到了一些相似之处。他说："这是独特的创造性时代思潮的其中一个时刻，比如说，20 世纪 40 年代纽约的爵士乐，70 年代的庞克摇滚乐，或是 18 世纪晚期的第一所维也纳学校。"员工们笃信自己正在缔造历史，这使得他们工作起来更加卖力。

但历史并不是靠 Facebook 独家制造。该公司周围的其他公司，也创立了一个更加喜爱交际的互联网络。就在拐角处是 Ning 公司，由马克·安德森投资，公司创建软件来使任何人都能够建立起自己的私人小社交网络。向北 45 分钟的车程，旧金山的 Digg 公司正在开发一个新工具，允许人们分享他们在网页上发现的文章和其他媒体文件。其他像 Bebo 和 Hi5 这样的社交网站则是小荷才露尖尖角，它们以 Facebook 的用户为相同目标客户。但无论如何，全世界的用户们都想要的是好的产品。

达斯汀·莫斯科维茨更感兴趣的是现今的用户数量，而不是历史类比。他总是对竞争者保持警惕，MySpace 的用户数从 1 月份的 600 万增至现在的 2 400 万，对此他感到担心。某一天，莫斯科维茨问道："他们是怎么做到的？""去他的 MySpace。"扎克伯格回答。

在这之后不久，他有一个机会以稍微礼貌的语言直接向 MySpace 管理者们表达一种相似的蔑视见解。扎克伯格和科勒坐飞机到洛杉矶，在那里，他们与罗斯·莱文索恩（Ross Levinsohn）坐在一间餐馆里，莱文索恩是鲁伯特·默多克新闻集团旗下福克斯公司的互动小组组长，负责监管 MySpace。他们的竞争者再次担忧了起来。莱文索恩正在与扎克伯格拉近关系，因为他想买下 Facebook，把它和 MySpace 添入其数字投资组合中。但扎克伯格像往常一样，只是在引他入局。在安格文的《偷取 MySpace》一书中，她叙述了莱文索恩似乎质疑 Facebook 可以处理好其快速增长引发的问题。扎克伯格对这个评论和莱文索恩的企业均表示了蔑视。"这就是一家洛杉矶公司与一家硅谷公司的区别，"他说，"我们打造这个公司是为了持久，而这些家伙（指 MySpace 的家伙们）什么也不懂。"

在Facebook 达到 500 万用户之后又过了几个星期，它增加了一个新功能，这将转化其服务的性质。到此时为止，Facebook 成功的一个原因是其

"简单到傻瓜都能操作"（一个员工这么说）——所有你能够做的是填写你自己的个人简介，浏览其他人写到他们空间的信息，但有一个方法可用来定制和修订你的个人空间，这渐渐变得非常流行。尽管用户只被允许粘贴一张简介图片，但学生们频繁地改变那张图片，有时一天修改好几次。他们明显希望能够张贴更多图片。

在互联网上，图片存储网站疯狂猛增。当年早些时候，雅虎收购了 Flickr，Flickr 在这一行是一个先锋，它只允许用户上传免费图片，但其称为"标签"的功能很有创意。摄影者在上传某张图片时，会在图片中嵌入一个标签，根据其内容标记。单张图片可能会被标记为"风景"、"威尼斯"、"敞篷车"，然后用户们可以根据它们的标记来搜索图片。

随后而来的是一场冗长的争论，讨论 Facebook 开展图片存储业务是否明智。早期扩展 Wirehog 应用程序的部分目的在于使用户观看彼此电脑上的图片，但没有达到预期效果。当 Wirehog 的功能被激活的短暂时间里，很少有用户尝试它。当业务像过去一样疯狂增长时，扎克伯格担心胡乱调整 Facebook 的简易特性是冒险行为。但最终帕克和其他人说服了他，创建一个 Facebook 的图片功能是值得一试的。"支持开发图片功能的依据是，"帕克说，"它用在 Facebook 上比作为一个独立的应用软件用处更大。"

公司一些最优秀的新雇员承接了这项工程。阿伦·西锡格监督用户界面和设计，工程师斯科特·马利特编写了上述软件。管控设计流程的是新雇用的产品副总裁道格·赫什（Doug Hirsch）——罗宾·雷德辛辛苦苦招聘到的人才。赫什是一名网络公司老将，曾经是雅虎公司前 30 名员工之一。

几周之后，西锡格、马利特和赫什很快制订出一个精心设计但略嫌死板的图片存储业务。与互联网上的许多网站一样，它允许用户上传图片，将其收入到在线影集中，使他人能够对图片进行评论，但他们知道这个方案并不完全正确。赫什在互联网产品设计方面有着多年经验，建议他们采取一套不同的方法，一套 Facebook 独有的方式。

"我希望存在一个真正的社交功能，我们可以把它加入到这其中。"他在一次会议中说。西锡格，这个非常严肃的年轻人，额前垂着金色的留海，形象犹如纯纯的海滩男孩般漂亮，但其脸上瞬间即逝的苦笑很少能为其加分，想想那是什么意思。"我回去想了一会儿，"他回忆道，"我在想，'你知道吗，在图片中，

我最在乎的是里面都有谁。'"

这是一个突破。他们决定，Facebook 的图片将只能采用一种方式标记——使用图片中人物的名字。这听起来本该如此，但以前从来没这么做过。你只能标记那些已经被证实了是你朋友的人。被标记的人将会收到一条信息，提醒他们这件事，而在彼此的页面显示的好友列表中，他们的名字旁边会显示出一个图标。

图片项目组做出了两个其他重要的决定。为了看下一张图片，你需要做的仅仅是点击你正在查看的图片的任意一处。你不需要点击一个小的"下一张"按钮。他们试图鼓励"Facebook 着迷症"——保持人们不断点击浏览服务页面。这使得查看图片简单方便而且容易上瘾。他们还冒了一个险，决定压缩图片为小得多的数码文件，因此当图片在 Facebook 上呈现时，比起原作品，其解析度会低很多。但这也意味着，图片的上传速度会更快，因此用户能够从他们的个人电脑上选择大量图片，并在几分钟内就能在网上看到它们。

人们愿意接受低清晰度的图片吗？他们愿意使用标记吗？在 10 月底的一天，当团队把图片功能开通时，他们紧张地看着一个大的显示器，上面显示着其时每一张上传的图片。第一张图片是一幅包含一只猫的卡通画。他们担心地望着彼此。然后，过了差不多 1 分钟，他们开始看到女孩子们的图片——群组中的女孩们，派对中的女孩们，女孩们为其他女孩们拍的照，而且这些图片被打了标记！这些女孩不停地发图片。女孩们的图片每次达到满屏时，只有几张男孩的图片。女孩们在庆祝她们的友谊。因对用户上传的图片数并没有设限，女孩们贴出了好多。

实际上，普通的图片已经变得更生动形象了。它们传达了一个不经意的信息，当图片被标记后，它就表达了对你的朋友关系的详细说明。"很快，我们知道，人们分享这些图片基本上是表示'我认为这些人是我生活的一部分，我想让所有人知道，我与他们关系很近'。"西锡格说。到这时，在 Facebook 有两种方式展示你有多么受欢迎——你有多少好友，你在图片中被标记过多少次。

在这个数码照片的时代，西锡格、马利特和赫希也已经碰巧发现了图片的一个最适当的新用途。越来越多的人开始随身携带内置摄像头的手机，用其拍下每天日常活动的快照。如果你总是随身携带一个摄像机，你就可以照下一张照片，只是为了记录生活中发生的事件，然后把它放到 Facebook 上，并让你的好友们知道。照片上的标记会自动链接到网站上的相关人等。这与 MySpace 上通常使用照片的方式非常不同。MySpace 上的照片都是精挑细选的热门快照，用户上传这些照片是为了使自己显得有吸引力。在 Facebook 上，图片不再是业余者的艺术作品，而是一种基础的沟通形式。

在短时间内，Facebook 变成了互联网上最炙手可热的图片网址，图片功能也成为该网站上最受欢迎的功能。在开通 1 个月后，该项业务 85% 的用户至少在 1 张图片上被标记过。不论他们乐不乐意，每个人都被标记入了图片中。大多数用户设置了他们的个人空间，当某人把他们标记入一张图片时，他们就会收到一封电子邮件来通告这一情况。一旦他们收到这种邮件时，谁都忍不住会亲眼去看看那张新图片。在图片功能开通后，用户们开始更频繁地访问 Facebook，因为那里有更多的新东西去看。这使得扎克伯格激动起来，他判断服务器是否成功的主要标准是用户的访问率有多频繁。整整 70% 的学生现在每天都访问 Facebook，至少 85% 的学生是每周访问一次。在这一方面，对任何互联网服务来说，或是对任何一种商业公司来说，这都是了不起的客户忠诚度。

很快，问题转换为 Facebook 是否能处理好所有的新数据和庞大的信息量。在存储和服务器方面，它带来了沉重的负担。在 6 个星期内，图片功能的运用占用了 Facebook 计划供以后的 6 个月使用的所有服务器。幸好 Facebook 拥有杰夫·罗斯柴尔德这样的数据中心软件熟手。他每晚都工作到夜深人静，尽力保持公司的服务器不越过"红线"——超过服务器的容量和可能性的崩溃。来自公司各个部门的人都被抓壮丁似的派到数据中心，帮助插上新的服务器。大多数同事都认为马利特是一个编程天才，他的工作重心是重新编写图片软件编码，使其更健全和更有效率。2009 年末，Facebook 上已经发布了 300 亿张图片，成了目前世界上拥有图片最多的网站。

图片功能的成功导致 Facebook 自扎克伯格而下的每个人，都产生了顿悟。功能开发团队建立了一个绝不是普普通通的照片存储应用程序，他们把它和 Facebook 结合起来的方式产生了神奇的魔力——把一种普通的在线活动与一批社交关系叠加了起来。

在 Facebook 内部，他们第一次亲身体验了 Facebook 的影响力。扎克伯格开始谈及用什么来标明"社交图表"，其意思是，由于用户与他们的好友联络，在 Facebook 中形成的关系网清楚地说明了彼此的关系。有了 Facebook 图片功能，你的好友们——你的社交图表，提供了更多的信息、上下文背景以及友谊之情。由于图片以人的名字标记，而 Facebook 当用户被标记时会提醒他，只有在这种条件下图片功能才能完全实现。标记决定了这些图片如何被分配出去。"看着标记的增长，"马特·科勒说，"对我们来说，那是第一次惊讶于社交图表能够被用来当作一个分配系统，分配的途径是人与人之间的关系。"

也许这套社交图表应用到其他在线活动上会更有趣、更实用，但 Facebook 怎么会让这种事情发生呢？如果图片功能是 Facebook 平台上一个最新的应用程序，那另外一些应用程序算什么？扎克伯格发现这些是很令人兴奋的问题，而它们与他和德安杰罗在 Facebook 诞生前探讨过的想法相吻合，这个想法是关于整个互联网需要怎样才能变得更"社交化"。Wirehog 的梦想终于结出了果实。"看到图片功能带来的成果，"肖恩·帕克说，"是使马克的梦想具体化的重要一环。他正在以一种越来越广泛的理论来诠释 Facebook 的真正定义。"

哈佛继续出现在 Facebook 的故事中。随着图片功能的成功，扎克伯格开始谋划在服务上做出更多生动的改变，但为了贯彻这些计划，他需要大量最高水平的新编程人员。他对硅谷中提出求职申请的那些人感到失望，他们与 Facebook 的文化格格不入，太过公式化，没有完全打破旧习俗的观念，而且在他看来，他们的创造能力不佳。因此，他找遍 Facebook，寻找以前在哈佛大学给他留下印象的人——当过助教和主修计算机科学的一些人。他写下了一个列表，把它交给了职业招聘人罗宾·雷德，罗宾开始打电话给表上的人，结果他们中的很多人都住在西雅图。

2010 年 1 月，Facebook 雇用了 4 位计算机科学系的前任助教，来自哈佛 2003 至 2004 届——其中 3 位在微软工作过，一位来自亚马逊网上书店。扎克伯格认为，来自微软的查理·奇弗（Charlie Cheever）是个与他志趣相投的人，因为奇弗曾经因为下载学生信息到一个数据库中而受到哈佛行政委员会的处理。奇弗让几位朋友使用他的程序搜索，可以查到谁与谁是隔壁邻居，某个漂亮女孩住在哪个宿舍里。这是一个不符合传统的行为，与扎克伯格的 Facemash 相比没什么大不同，但要更早一年。

热门快照的大量涌入立即为 Facebook 的工程技术方面带来了新的严格要求和关注。首先，他们够年轻，能够理解开放性和透明度——这是公司价值观的中心部分。而且，他们在最好的软件公司有过几年的工作经验，他们期望的只是参与开拓性的互联网创新。

第 8 章
也许该换个 CEO

你最好上课学一下怎么当首席执行官！ 🔍

随着 Facebook 不断进化演变——每次改变都带来更快速的发展，技术和媒体领域中的一些知名大企业开始越来越关注它。它似乎是那种令人不可抗拒的消费者网站，自从互联网在 20 世纪 90 年代中期横空出世以来，这样的网站可是每个高管都梦想拥有的。马克·扎克伯格突然拥有了许多新的穿着讲究的朋友，他们比扎克伯格年纪大点，来自洛杉矶和美国东海岸。

但扎克伯格并不像一个知名的技术或媒体公司的首席执行官那样去思考。他对赢利考虑得很少，而且对广告仍然既爱且恨。对最近看好他这个公司的人来说，这可不容易理解。一家技术公司的一名资深高管回忆起对扎克伯格的一次令人沮丧的拜访，他似乎对增加公司的收入并无兴趣。"他不知道自己缺乏什么，"他说，"但当他开口讲话时，他从不拐弯抹角，非常精明。他认为 Facebook 是一个社交工具，而且非常执著地这么认为，甚至达到了天真的地步。在当时，这听起来实在太过无私了。所以，我问他，'把它当作社交工具是一个策略吗，为了达到下一步目标？'他回答说，'不，我真正关心的是做好这个社交工具。'因此，我想这家伙要不就是鬼点子太多，不想告诉我他下一步准备做什么，不然就是他刚拿到了他的小玩具，正玩得起劲呢。我无法弄清楚。"

在 2005 年 1 月时，维亚康姆公司的子公司"MTV 音乐电视"曾经把 Facebook 当作其顺理成章的搭档。在 Facebook 3 月份与《华盛顿邮报》公司谈判的中期，MTV 音乐电视战略首脑丹马克·韦斯特（Denmark West）提出以 7 500 万美元买下 Facebook，结果徒劳无功。在收购建议被拒绝的几个月之后，MTV 音乐电视差一点就成功地收购了 MySpace，结果在 7 月份被新闻集团中途搅黄。维亚康姆公司 80 多岁的首席执行官萨莫·雷石东（Sumner Redstone）被激怒了，死对头默多克偷走了他的囊中之物。到了 2005 年秋，MTV 音乐电视对 Facebook 的兴趣空前高涨。毕竟，韦斯特和其他人分析推断，两个公司的目标受众有太多重合之处，Facebook 可以成为 MTV 音乐电视的数字战略手段。

韦斯特打电话给马特·科勒，科勒告诉他，扎克伯格只希望与对方首席执行官级别的人展开对话。如果维亚康姆的首席执行官汤姆·弗雷斯顿（Tom Freston）愿意参加，扎克伯格就愿意过去会晤。会议很快定下来，科勒和扎克伯格飞往纽约与弗雷斯顿和 MTV 音乐电视网的首席执行官朱迪·麦克格拉思（Judy McGrath）会面。弗雷斯顿热情地解释道在 MTV 音乐电视和 Facebook 之间似乎存在强烈的协力优势，因为它们的目标受众的重合度是如此之高。他表示很希望找到一种方式来开展合作。例如，他建议，维亚康姆可以帮助 Facebook 为其不断增多的用户开发新的内容。"我们把自己当作一个公用事业。"扎克伯格生硬地回答道，拒绝接受这个想法。弗雷斯顿继续说道，维亚康姆也能够协助 Facebook 扩展其业务范围，为年纪较大的用户服务。"我主要专注于高中和大学。"扎克伯格回答说。为什么这俩人要大老远地坐飞机跑来纽约？这使维亚康姆的高管们有些疑惑不解。参与了会面的其中一位维亚康姆公司的职员说："这次会面是为了说'感谢厚爱'。"但维亚康姆公司并没有放弃。

在 2005 年 11 月初，麦肯锡公司的资深媒体顾问迈克尔·沃尔夫（Michael Wolf）作为总裁加盟了 MTV 音乐电视，他差不多是马上就着手与扎克伯格套近乎。雷石东、弗雷斯顿和麦克格拉思对 Facebook 的兴趣达到了最高点。

大学生是 MTV 音乐电视的核心观众群，每当 MTV 音乐电视在学生们中主持一个小组讨论时，他们会不断提起 Facebook。这给了维亚康姆一个独特的和早期的观察手段，来了解这个"现象"的势力。维亚康姆的高管们焦急地觉得，这种新形式的媒介可能会抢了他们的风头，他们想对 Facebook 插上一手。维亚康姆的首席执行官汤姆·弗雷斯顿和 MTV 音乐电视的高管们也担心，在 5 月份与电视台广告客户的会议上（这个会被称为"预销售会"），新闻集团的福克斯网络将使用他们对 MySpace 的所有权来获取优势。看样子很有可能，包含社交网络和电视台在内的一套新的一揽子交易将很快变成板上钉钉的事。至少，对于针对年轻客户的节目编排来说是这么回事。

沃尔夫坐飞机来到帕洛阿尔托，去扎克伯格的办公室拜访他。Facebook 的这位首席执行官穿着 T 恤和短裤，以及他标志性的橡胶阿迪达斯拖鞋。当沃尔夫抵达时，一位助理正在把一只旧得不能再穿的拖鞋钉在一个木板上，这已经变成一个众所周知的故事了。这件"艺术品"将被给予 Facebook 的一位程序员作为奖励。沃尔夫认为他自己正在与扎克伯格熟络起来，他只是想通过这次会面来展开一场诚恳的对话，但他的确问了扎克伯格是否考虑卖掉公司。"我不想卖，"扎克伯格回复道。"到底出个什么价你才会感兴趣呢？"沃尔夫问道。"我认为它至少值 20 亿美元。"这个 20 个月前在他的寝室里启动 Facebook 的小子说。

在这之后不久，来自亚马逊网上书店的一位 35 岁积极进取的交易撮合者欧文·范·纳塔（Owen Van Natta）加盟了 Facebook，担任商业开发方面的副总裁。这位乐观而老练的主管精力旺盛，渴求得到影响力和职权。在仅仅 5 个星期后，扎克伯格就把他提升为首席运营官。范·纳塔创建了 Facebook 的第一项策略性计划，并且立即开始为持久混乱的业务引入一些秩序。新的首席运营官并不羞于运用他的职权，他开除了在当年早期匆忙招来的许多工程师和其他员工。但范·纳塔最厉害的能力是交易谈判能力，这在亚马逊公司得到了磨炼。他很快将得到一个机会证明他自己。

MTV 音乐电视的沃尔夫弄清楚了，与扎克伯格沟通的最好方式就是通过即时信息，并通过这种方式直接与这位首席执行官安排了一个约见。这使范·纳塔觉得很不爽，范·纳塔告诉沃尔夫，以后有事找他谈就好了。沃尔夫对这项指示视而不见。相反的，他定期向扎克伯格发送即时消息，说他计划到帕洛阿尔托来——不管是不是真的，并提出和他一起吃个饭。如果扎克伯格同意，他就马上坐飞机过来。

沃尔夫是很多顶级媒体和技术高管中唯一对扎克伯格不松手的人。Facebook 是抢手货，炙手可热。其办公室和街区尾端的学院咖啡馆（最受欢迎的集合地点）变为众所周知的一个公共场所。"今天下午，来自国家广播公司的家伙们会过来参观。""什么时候与微软举行会谈？""彼得·切尔宁（Peter Chernin）来了！"（在新闻集团，他是默多克的左右手。）"你听说了吗？扎克和雅虎的丹·罗森维格（Dan Rosensweig）会面了。"他们围绕与美国在线的一个交易召开了一些会议，美国在线拥有的即时信息系统 AIM 是扎克伯格（还有大多数 Facebook 的用户）每天都要使用的。有段时间，讨论集中在是否有种方法可用来为 Facebook 打造一种特别版本的即时信息系统。两家公司最终达成了一笔买卖，使得即时信息系统的用户们能够邀请他们的聊天好友加入 Facebook，这很快变成一个推荐人的主要来源。

对所有扎克伯格参加的会议，公司内部出现了很多抱怨声，这种怨气在那些不到 21 岁的人数不断增多的高管之中表现得尤为明显。在这些家伙中的很多人（差不多全是男的）看来，扎克伯格愿意与任何人在任何时间谈论任何事，特别是当对方是首席执行官的时候。所有这些会议的意义何在？扎克是否准备卖掉公司？他将会拒绝卖掉公司？我们是否将会变为维亚康姆或雅虎或新闻集团的一部分？我们所有人是否都将变得有钱？对于较年轻的人、比较理想主义的人来说，这是 Facebook 奇迹的终结吗？他们有时忧愁地讨论，是否他们应该寻找一位新的首席执行官。

扎克伯格才懒得理这些，他根本没有费心去解释他的想法。他认为这些会议是一个学习过程，并没有觉得他有很多要向职员们解释的。说到底，他没有意愿卖掉他的公司。而且，讽刺的是，他礼貌待人却在某种程度上滋生了这个麻烦。他欣然同意——出于好奇和礼貌，与那些打电话来的头头脑脑会面。在白天，当范·纳塔和其他年纪较大的员工们对他嚼舌头时，他客气地倾听，当然，也许没有什么热情。但在深夜，他更加诚恳地继续与科勒、德安杰罗、莫斯科维茨一起协商，而且仍然频繁地与帕克商量，虽然帕克已经不再正式地为 Facebook 工作了。但有时，他们也不清楚考虑周到的扎克伯格到底意欲为何。每个人都痛苦地意识到，是他全盘掌控着公司的命运。

猎头罗宾越来越气馁。她帮助招聘了大多数年纪较大的人，而他们感到被当作了外人，这些人如今开始担心起来。她对自己帮助组织起来的这支团队的质量感到骄傲，却看到职员们受到了她称之为"宿舍误解"的影响而不知所措。肖恩·帕克也许并不算一个理想的公司总裁，但他十分擅长于沟通。在帕克离职后，扎克伯格获得了更多的职权，但他的本意并不一定是想要这样。罗宾与帕克一直关系不佳，但没了帕克，事情却变得更糟了。沟通似乎完全脱了节。

公司的政治斗争也变得激烈起来。Facebook 分管产品的副总裁道格·赫什曾在雅虎工作过，他经验老到，但现在正和其他一些高管们闹得不愉快，其中很多也是新近雇用的。他们认为，道格正试图主导与多家公司的谈判，而这些公司希望达成多种买卖。他们抱怨说，为什么他就不能只处理产品方面的问题？一部分原因很简单，因为道格在雅虎打工时就已经认识了很多风险投资者。他们会给道格打电话，建议见个面，并试探性地交流一下。道格和扎克伯格的关系也处得不是很好。道格之所以被雇用是因为，太多人对扎克伯格说，他需要派别人担任产品开发的主管，这样他就可以专心于公司事务了。他一直打不定主意是否需要聘人来担任主管产品的副总裁，因为他认为那是自己的职责范围。马特·科勒说："道格似乎认为他加入公司是来担任成年人监护工作的，而那肯定不是我们雇用他时我们其中任何一个人的想法。"道格自己称，在他被聘用之前与一些人谈论过这事，这些人使得他坚信，他有可能最终会成为首席执行官的候选人。

罗宾近距离观察到了这所有的不快，一部分原因是因为她拥有公司唯一的一间私人办公室。她需要在这个办公室进行求职者面试。一台复印机被从一间特大号套房搬出，她为了私隐，在房里安装了一个日式门帘。在她办公桌的旁边是一座巨大的雕塑——印度神甘尼许（Ganesh），扫除障碍之神。但甘尼许似乎没有为她带来好运，很多人到她办公室是去发牢骚的。他们说，扎克伯格听不进意见，扎克伯格应该被替换，扎克伯格不知道自己想把公司做成什么样。

最终，罗宾到了精疲力竭的地步。她回忆道："公司高管们的士气正在跌落，流言满天飞，而马克没有对任何人说明真正发生着什么。管理团队几乎准备要把扎克伯格拉下马。"扎克伯格当时正在美国东海岸参加他的很多场会议中的一场，罗宾决定在扎克伯格返回办公室前，中途拦下他。她给扎格伯格发了即时信息，要求在他从旧金山机场返回的路上见一面。但扎克伯格乘坐的飞机晚点了，他们在凌晨 2 点半才终于碰了面。罗宾从她在马林郡的家里过来，经过金门大桥，他们在旧金山的市区见了面。扎克伯格乘坐一辆加长豪华轿车抵达会面地点，这无疑就是为他买车的那个人犯下的错。

他们坐在一个通宵营业餐厅里，在霓虹灯下，罗宾向他表述了自己的失望之情："马克，我们齐心协力地打造了一个一流团队，但他们没有发挥作用。没人知道发生什么事。如果你想卖掉你的公司，那就不要胡闹，直接说你想要 10 亿美元。可以派欧文去争取这个卖价。如果想要 20 亿，说出来。如果你不想卖，你也要说出来！"

"我不想卖这家公司。"扎克伯格以他典型的不慌不忙的方式回答道。

"那就停止参加与维亚康姆、时代华纳、新闻集团的所有会谈！你正在传递错误信息。"接着，她抛出了最后一句训人的话，"你最好上课学一下怎么当首席执行官，不然这会给你带来麻烦的！"

"你现在终于跟我实话实说了，"扎克伯格回答道，他变得更加活泼起来，"这是我第一次感到你在对我说出你的真实想法。"

他使她的怒气平息了。她找不到发怒的理由，他真的在倾听。

在接下来的几个星期，罗宾注意到，扎克伯格身上发生了截然不同的变化。首先，他确实同意开始向一位高管辅导老师学习如何做一名有效率的领袖。他开始更多地与他的资深高管们进行一对一的面谈。在罗宾跟他摊牌后的一个星期，他把全体员工召集到一起，进行了 Facebook 第一次全体会议。他感到不太舒服，所以在整个会议过程中他都盘腿坐在地板上。

扎克伯格带着高管团队去户外开了个会，在那里，他们可以谈论目标，建立更好的沟通渠道。当达斯汀·莫斯科维茨听说这事后，半信半疑。"我必须得改变自己去迎合别人的喜好吗？"他说道，"我才不做这鸟事呢。"

扎克伯格开始更清楚地解释，他认为 Facebook 应该向哪个方向发展。他不断重复说，他希望把 Facebook 打造成互联网上的一股主流力量，而不会把它拱手卖给别人。在向他的职员们解释他心目中的轻重缓急方面，他表现得越来越好。他的介绍说明会包括最简单的幻灯片——有时只有一个重点句，例如，"公司目标：增加网站使用率。"要造反的团队被安抚了下来，罗宾如释重负。

扎克伯格把道格·赫什叫到他的办公室，他们都同意，道格并不适合这个公司。道格不是被正式开除的，但他留下也毫无意义。他在公司工作了 4 个月，扎克伯格对道格的一些产品提案很是不满，这些提案与扎克伯格当时正在计划的一些关键方案相冲突。道格还积极进取地想出了一些方法，想利用 Facebook 的产品来创造更多收入，这在大多数公司应该是极为正常之事。但当时，在这家公司，这简直就是背叛。而且，据说他与 Google 这种热切期望合作的公司进行了未被授权的会谈。扎克伯格的很多年轻盟友坚称，道格"正试图偷偷卖掉Facebook"。当然，他没办法卖掉。

从达斯汀·莫斯科维茨的观点看，他观察到了所有情况，这只是一种不断重复的模式的另一个例子。"很多高管都是这么想的，"他实事求是地说，"马克想先把产品做出来再说，尽量推迟把重心放在创收上。而他们想确保这是家赚钱的商业公司。"

罗宾把所需要的架构引入到 Facebook 的管理层中，但她所雇请的所有人中只有很少人最终在公司留了下来，道格只是一年内离职的很多人中的第一个。那些在扎克伯格派系内的人责怪罗宾，说她招聘来的人并不重视 Facebook 独特的使命和文化。这些坚定分子中有一些人——幸存下来的人，喜欢称扎克伯格的新高管辅导老师为"巧言"，得名于托尔金的《指环王》中希优顿王的一位邪恶谋士。批评声还从外部袭来。技术产业的博客作者指出，Facebook 管理层频繁换将，并表示这会使人联想到公司内部管理混乱。但扎克伯格的顾问马克·安德森赞扬了公司的首席执行官，当雇员没起到该起的作用时，他果断坚决地进行了改革。安德森说，一个快速成长的公司是没有办法可以一直作出正确的聘用决定的。更好的办法是，快速修正不可避免的错误决定。

扎克伯格喜欢与跟他差不多年纪的人一起做事，至少他深信他们是上好的编程员。过了一段时间之后，在一次小型讨论会上，他向其他很多企业家们表现了他的演讲能力。据 VentureBeat 博客介绍，他说道："我想强调一下年轻和技术的重要性，年轻人只是更聪明些。为什么大部分国际象棋大师不到 30 岁呢？"听到这句话，你可以想象到 Facebook 不断增多的三四十岁的高管会有何感想。

在试图学习如何更好地运用职权和管理其团队时，扎克伯格对自己的健康照管得不是非常好。或者，也许是 Facebook 的压力最终还是影响到了他。他开始经常性地昏厥，在办公室或其他地方，有时在会议的中途，或当他坐在电脑前时。他的朋友们对他说，他应该多睡觉，真正地按时吃饭。

2005 年 12 月初，在一个以技术为讨论重心的研讨会上（被称为头脑风暴），我作为节目策划，主持了《财富》杂志的一个餐会。我要求在那张长桌上的每个人简短地谈一下，他们心里都在想些什么。约旦的努尔王后提及了美国对中东的态度，其他人则讨论了伊拉克战争和手机不断增长的重要性。当轮到杰里米·菲利普斯（Jeremy Philips，新闻集团高级战略师，鲁伯特·默多克的亲密顾问）时，他说，他很高兴自己的公司买下了 MySpace，并指出 Facebook 似乎也非常令人感兴趣。

维亚康姆公司的迈克尔·沃尔夫惊慌地离开了餐厅。"噢，天啊，他们正在和 Facebook 谈。"他焦急地说。如果维亚康姆的主席萨莫·雷石东再次输给默多克的话，他会火冒三丈的。沃尔夫立即打电话给扎克伯格，直截了当地问他，是否 Facebook 正考虑把自己卖给新闻集团。扎克伯格承认，两家公司确实谈过，但他认为新闻集团太过好莱坞式的浮华，不管怎么说，像那样的媒体公司并不了解像 Facebook 这样的技术公司。沃尔夫没有把他说的这话当真，因为扎克伯格可能是故意这么说的——表示扎克伯格对维亚康姆也没兴趣。

在 12 月中旬，沃尔夫提出了一个更好的建议，比在一家当地餐厅吃一餐饭强。他宣称，他正计划乘坐维亚康姆公司的专机去旧金山。马克愿意坐飞机去纽约度假吗？

扎克伯格上了沃尔夫的套。维亚康姆的两架专机实际上目前都不在附近，沃尔夫包租了一架没有标记的、最高端的湾流 G5 飞机，从旧金山机场飞至维斯特切斯特机场，离扎克伯格的双亲位于纽约多布斯费里的家很近。沃尔夫那天早晨从纽约乘坐美国航空的客机出发。这位 MTV 音乐电视的高管等待登上 G5，仿佛这是世界上最平常不过的事，扎克伯格在大约下午 5 点半时抵达，他迟到了。接着，正如沃尔夫精明计划的一样，他们在飞机上一起度过了 5 个小时，没人干扰他们。他下定决心要找到一个办法，使维亚康姆公司买下 Facebook。

然而在旅程中的大部分时间里都是扎克伯格在控制着对话，扎克伯格询问沃尔夫有关 MTV 音乐电视的业务。像维亚康姆这样的公司是怎样挣钱的？MTV 音乐电视的广告收费是什么价？要数量达到多少才能盈利？如何获得观众？沃尔夫想绕过这些交谈，转回头谈谈 MTV 音乐电视可以和 Facebook 如何合作。他谈及，MTV 音乐电视的广告销售团队可以使用其与大广告客户的门路来帮助推销 Facebook 的广告。他提及了 MTV 音乐电视上最热门的《拉古纳海滩》（*Laguna Beach*）和《好莱坞女孩》（*The Hills*），上百万的 10 多岁青少年和年轻的成年人观看这些电视栏目，这些是宣传推荐 Facebook 的最佳场所。扎克伯格说，他已经注意到了，在这些电视节目播出时，Facebook 上的通信量明显地减少了。

在旅程中，扎克伯格开始赞叹这架 G5 飞机。"这架飞机太棒了。"他说。

"也许你应该把公司的一部分给我们，"沃尔夫回答道，"那么你就可以自己拥有一架。"

当这架功率强大的喷气式飞机在维斯彻斯特降落时，沃尔夫邀请扎克伯格坐到驾驶员座舱的弹跳座椅上。当飞机停在私营飞机停机坪时，两辆小车正等在那。一辆是沃尔夫的公司的黑色车，用来载他们去城里。另一辆是扎克伯格家的小型车，车中走下来的是马克的父母。他们眉开眼笑地拥抱了一下他们的儿子，仿佛他只是在大学学期结束后放假回家一样。

2006 年 1 月，沃尔夫再次坐飞机去帕洛阿尔托，并带去了 MTV 音乐电视的广告策略主管。扎克伯格提议他们在伍德赛德的"乡村小酒馆"用餐，在这所高档的饭馆里，他曾和吉姆·布雷耶吃了一顿意义重大的晚餐。他带了科勒和范·纳塔陪同。沃尔夫弄了一个详尽的 PowerPoint 幻灯片介绍，来说明这两家公司可以如何合作。在餐桌上，他提出了一个交易计划——维亚康姆购买一部分 Facebook，并成为其主要广告合伙人。扎克伯格礼貌地听着，但清楚地说明，他绝对不会考虑可能会使自己失去对公司决策的绝对控制权的任何交易。

2 月初，沃尔夫再次到访帕洛阿尔托。他和扎克伯格正成为挚友，他们绕着棕榈遮蔽的、漂亮而整洁的街道散步。出于某种原因，他们顺便去看了看扎克伯格朴实的一居室公寓。尽管没什么家具，房间里还是乱作一团。地板上放着一个床垫，被单歪放着，书堆成几堆，地上有张竹子制的小地毯，还有一盏灯。然后，他们前往附近的餐馆用餐。沃尔夫突然提出了他曾在飞机上问过的问题。"为什么你不把公司卖给我们算了？"他问道，"你将会非常富有。"

扎克伯格答道："你刚才看了我的公寓，我并不是真的需要钱。总之，我不认为我还有可能再想到一个这么好的点子。"

他们两人你一言我一语地对话，扎克伯格重申，他相信 Facebook 价值 20 亿美元，还价免谈。"他当时并没有表示'我想要 20 亿美元'，"沃尔夫回忆道，"他表示的是'如果你支付我 20 亿美元，我还是不愿意卖。谢谢厚爱'。"扎克伯格最终说了一句对他们更有意义的话，即寻求某种合伙方式。

　　遭到挫败的沃尔夫返回纽约，与他的老板麦克格拉思和弗雷斯顿会面。他们对合伙并无兴趣，他们和他们的老板萨莫·雷石东非常想拥有 Facebook。因此，弗雷斯顿决定干脆出个价。他给扎克伯格寄了封信提出，维亚康姆将支付 15 亿美元买下这个才成立两年的公司。资金的 51% 将以现金给付，其余的以后再付，视 Facebook 的业务表现如何而定。这是到当前为止，Facebook 见到的最大金额和最实际的竞价，但扎克伯格甚至没有作出反应。

　　差不多一个星期之后，沃尔夫打电话给扎克伯格，他们进行了几次不连贯的谈话，毫无结果。沃尔夫与彼得·泰尔和吉姆·布雷耶都会了面，向他们抱怨扎克伯格不温不火的反应，但他们两人都说，他们也没什么办法进行干预。反而是范·纳塔向沃尔夫透露，他正在尝试说服扎克伯格卖掉公司。

　　与此同时，维亚康姆的管理团队已经听说了，雅虎可能也正在与 Facebook 谈。这个媒体权贵的精英区域就好像是一个小城一样。巧的是，维亚康姆的首席执行官汤姆·弗雷斯顿经常在洛杉矶与雅虎首席执行官特里·塞梅尔（Terry Semel）一起打网球。一天，在球场，弗雷斯顿试图向塞梅尔打探出他是否正在与 Facebook 商谈。他感觉到答案是"是"。维亚康姆面对的压力增大了。

　　此时，沃尔夫已付出了辛勤的努力来保持与 Facebook 的谈判秘密进行。甚至在维亚康姆，有很多人都不知道这些谈判。弗雷斯顿和麦克格拉思认为，默多克之所以能够突然进场并将 MySpace 收入囊中，其中一个原因是，维亚康姆与这个社交网络的谈判太过公开了。但在 5 月底，《商业周刊》的在线版本发表了一篇文章，名为《Facebook 待售》（Facebook's on the Block）。据它报道，Facebook 拒绝了 7.5 亿美元的竞价，希望得到 20 亿美元的卖价。文章并没有称维亚康姆是 7.5 亿美元的出价者，但揣度了其兴趣所在。对沃尔夫和他的同事们来说，这令人困窘。他们想当然地认为 Facebook 把这个消息泄露出去是为了引来更多竞价。果然不出所料，在这篇报道面世后不久，扎克伯格打来电话，说他仍然想谈谈。

　　接着，Facebook 第一次差点被出售。范·纳塔和扎克伯格去到纽约，沃尔夫坐飞机返回帕洛阿尔托。沃尔夫带着几个维亚康姆的同事走进 Facebook 的一间会议室。扎克伯格、科勒和范·纳塔随后进去谈判，后来他们又移师到附近的另一间会议室。维亚康姆的谈判队伍绕着大厦回到会议室中。又是一次面对面密谈，马克要求预付更多现金，维亚康姆希望在它支付余下的 15 亿美元前，公司的表现要有保证。范·纳塔想在支付方面少些约束。沃尔夫最终同意，将支付额提高为 8 亿美元现金，但他们继续推托支付余下的 7 亿美元。双方都没有一个投资银行援助他们，在大多数这样的谈判中，这应该是常规程序。沃尔夫算得上了解扎克伯格，他知道引入冷漠无情的华尔街专家只会进一步吓跑他。

但沃尔夫讨价还价的筹码有限。维亚康姆的首席财政官对支付这么多钱给这样一家公司怀有戒心，因为尽管它在网上是多么有分量，但从财务的角度看，它仍微不足道。到那时为止，Facebook 在其公司历史上总共只产生了差不多 2 000 万美元的收入，实际上并无利润可言。高管人员们对沃尔夫说，公司计划在 2006 年达到 2 200 万美元收入，2007 年达到 5 500 万美元收入，但维亚康姆代表团怀疑其是否能达到这些数字。支付 8 亿美元是真的过分了。

最终，双方未能就 Facebook 如何挣取其另外的 7 亿美元达成共识。Facebook 的谈判者们觉得交易的条款太复杂，而给付方面不确定。不管怎样，扎克伯格似乎临阵畏缩起来。他说的话差不多是这样的："Google 很聪明，早期没有卖，看他们做得多好。"沃尔夫对这话作出回应，Google 在它上市前，其利润数以亿计，而 Facebook 没利润。但对扎克伯格来说，更有意义的是，到那时为止，Facebook 已变成了互联网上流量第七大网站。根据调查公司康姆斯克媒体矩阵公司（ComScore Media Metrix）的数据统计，在 2 月份，其页面浏览达到了 55 亿次。

随着与维亚康姆的交易渐渐悄无声息，Facebook 施行了一些它自己的财政策略。它从风险投资公司那里筹措了更多资金，Facebook 在第二轮融资（被称为"系列 3"，因为这是公司第三次融资）的注资前估价为 5 亿美元，是 11 个月以前阿克塞尔合伙公司 1 亿美元估价的 5 倍。主要风险投资公司格雷洛克合伙人公司（Greylock Partners）带头领导了 4 月份的这轮融资，美瑞泰克资金合伙人公司（Meritech Capital Partners）加入了其中。另外，彼得·泰尔和阿克塞尔合伙公司各自投入了更多资金，追加他们所持有的 Facebook 股票。在他们的共同努力下，Facebook 总共接受了 2 750 万美元注资。融资的一小部分又一次直接落入了扎克伯格及其两三位主要副手的荷包里。这次融资极大释放了公司的财务压力，使扎克伯格相对来说比较容易地从维亚康姆公司面前抽身离开。

Facebook 的成功正在吸引另一种注意力——来自国际的仿效者。尽管公司开始扩张，选择向美国以外讲英语国家的精英学校开放，但其在亚洲并无势力存在，在欧洲也实际上为零势力。而今，在德国有一个网站叫做 studiVZ（"学生姓名地址录"），简直是抄袭 Facebook 的设计，把 Facebook 上的蓝色基本元素改为其网站上的红色。在其他方面，它不知羞耻地仿造了 Facebook。2005 年 10 月，它在德国的大学启动，马上就获得了成功。到 2007 年 1 月，它拥有了 150 万用户，并被卖给了很有影响力的霍兹布林克（Holtzbrinck）出版社。Facebook 非常担心，认为这可能会妨碍其在德国的最终成功。Facebook 曾一度考虑购买 studiVZ 总资产净值的大约 4%。讽刺的是，因为它模仿得太彻底了，购买的预期被认为比较可行，这将使得把这两个网站一体化更加容易。另一个仿效者差不多同时在中国启动，叫"校内网"。其起初并没有非常明显地复制 Facebook 的外观和氛围，但 Facebook 的工程师们发现，它明目张胆地照抄了一些 Facebook 的基本软件代码。校内网也是个很受欢迎的网站，赢得了数以百万的用户。最终它也复制了 Facebook 的外观和氛围。

尽管 MySpace 发生了政变，但新闻集团的默多克如今被 Facebook 激起了兴趣。他和扎克伯格渐渐成为比较不错的朋友，并开始多次交谈。这位传媒大亨醉心于这位年轻首席执行官的激情，而扎克伯格则喜欢默多克对传媒正在如何改革的高瞻远瞩。在大型传媒领袖之中，默多克几乎是唯一一个承认了互联网正在改变所有媒体公司的前景。他认为他买下 MySpace 只是一系列大型举动之一而已，但他不理解为何扎克伯格认为 Facebook 的价值（当时其用户数要比现在少得多）比他买下 MySpace 时支付的资金要多几倍。这些谈话从来没有到达与维亚康姆谈判的那种严肃程度，但他们后来获得了动力，再后来，随着扎克伯格的兴趣渐渐消逝，谈话也渐渐没影了。

扎克伯格变得有一点自大。每个人都想找他谈，每家公司似乎都想买 Facebook，而且每个人似乎都想使用它。他还注意到了另一件事——每次他为公司争取的竞价都比上一次高。与此同时，业务的增长稳定。如果它保持不断扩张，那么它将会越来越值钱。反正他不想卖掉，因此也不急于开展任何这种对话。

但 Facebook 仍然是一台"烧钱机器"，公司还是要没完没了地从融资资金里拿钱来弥补亏损。幸运的是，Google、微软和雅虎都想在 Facebook 上放置阵列式广告，它们想和公司谈成一个交易。扎克伯格授权他的副手们开始谈判。对他来说，这似乎来钱容易得多。反正他也不会卖给它们很多屏幕上的"不动产"。

此时的 Facebook 是如此成功，它向几千所学院开放了注册，大学市场开始饱和。在几乎每一家他们所开放的学校，绝大多数学生会变为其用户。在高中的成功坚定了扎克伯格的信心——Facebook 有能力在新群体中迅速普及。重要的是，目标群需要包括大量密集而且重叠的联系。

所有这种社会团体的起源在哪儿？在工作场所。扎克伯格决定启动他所谓的"职场网络"（Work Networks）。这将是 Facebook 第一次认真尝试吸收成年人成为其会员。Facebook 已在每所大学建立起一个有限制的学生网络，而职场网络将会以同样的方式设立在每家公司。默认的隐私设置是：这种社会团体里的成员可以看到彼此的信息。扎克伯格坚信，职场网络会跳出学院的局限性，将公司无处不在的特性普及至整个国家，甚至可能最终扩展至全世界，或者至少网罗每个职场中人。这与 Facebook 的投资人雷德·霍夫曼的 LinkedIn 网有很大的不同，LinkedIn 的构造更像一个以简历为基础的网络，并不太强调日常的交流沟通或工作场所的社交联系。

2006 年 5 月，职场网络首次登场亮相，但并没有引起太大反响。几乎没有什么人注意，更没有生意。Facebook 创建了网络，开放了入口，但很少人入场。有个特例，就是美国陆军、海军和空军的独特职场网络。军队里年轻人分享经历的热情程度显然与大学生们不相上下，Facebook 对他们来说很有意义。但在 Facebook 最初设立网络的大部分大公司里，职员们的反响甚微。

职场内很少有人知道 Facebook 正在开放注册，而 Facebook 也正逐渐得到了一个坏的名声。几乎是在职场网络初次登场的同时，《纽约客》刊文介绍了扎克伯格和 Facebook，这是公司有史以来受到的最深层次的报道。作者约翰·卡西迪（John Cassidy）把该网站写成一个似乎是使人好奇的东西，暗示扎克伯格从 Winklevosses 网剽窃了他的概念，并暗指 Facebook 的用户是不擅长社交的人。他写道："显然，这个网站如此受欢迎的原因之一是，它使用户们可以摒弃构建真实关系所必需的努力。"他还引用了一位社会学家的话，其推测 Facebook 如此受欢迎的主要原因是"窥阴癖和露阴癖"。

对非用户来说，Facebook 似乎仍然主要是与约会有关的网站，用户在上面做无意义的、可能使人怀疑其用意的事，例如使用"捅你一下"功能打招呼。

在那时，无论何时你添加一个新好友在你的 Facebook 上，都会弹出一个信息框询问你，你是如何认识他们的。其中一个选项是"我们刚混到一起"，这怎么能为专业人士提供服务？而 Facebook 遇到了一个"先有鸡还是先有蛋"的问题，成年人不想加入，除非其他的成年人先加入。

也许 Facebook 终究只能受到学生们的喜爱，也许成年人不需要这种服务，Facebook 的很多高管开始担心起来，办公室里的气氛也黯淡下来。虽然在大学生和高中生中的用户增长依旧坚挺，但成年人不想加入 Facebook，这表明也许扎克伯格的理论出了一些问题。他感到失望和迷惘，这是一个重大挫折。也许，这个世界并不像他所以为的那样，会很快地变得更透明和开放。马特·科勒回忆道："这是他在 Facebook 所做的最错的事，也是他第一次犯错，错大了。"

扎克伯格心中有另一些大的改革计划，但如果成年人对 Facebook 不感兴趣，其中一些计划将失败。随着夏天来到，Facebook 的董事会开始正式讨论这个问题到底会有多麻烦？大卫·斯泽（David Sze）是格雷洛克公司最近在 Facebook 注资的领头人，也是董事会的一位正式观察员，他觉得有必要使用户恢复信心。在一次会议上，也是作为观察员参加会议的达斯汀·莫斯科维茨盘问斯泽，由于遭遇了没有预料到的职场挫折，他是否后悔投资。在那时，与 Facebook 并不乐观的董事会相比，斯泽对公司更有信心。

2006 年的那个夏天，公司成立第三年，Facebook 为一些公司员工租了住房，主要住的都是最近到帕洛阿尔托来的员工。Facebook 新聘了一位律师，他对此提出异议，认为公司出资租房是一个很大的法律责任，但扎克伯格没有理会他的言语。这位首席执行官决定，公司应该支付一半的房租，这样任何人都可以使用该住房的游泳池。实际上，那个游泳池只能被有节制地使用，因为它的加热器坏了，水温总是大约 38 度。扎克伯格在住房里为自己保留了一个房间，供周末使用，但其他日子他独自住在个人公寓里。他与一直在约会的那个就读伯克利大学的女孩分了手，与一位过去的女朋友普丽西拉复合了。普丽希拉已经在 2006 年和扎克伯格原来所在的那个班的同学一起毕业了。扎克伯格没拿到文凭，却拥有一家价值 5 亿美元以上的公司，还有差不多 100 名员工。

Facebook 公司保持了一种大学学院的气氛，员工们把附近的另一间住房叫"兄弟会聚会所"。有 9 个人住在那套房子的 4 间卧室里，他们中有很多是最近刚加入的程序员，都经过哈佛大学的训练。在窗户上，有 3 个大的希腊字母 τ、φ、β——代表了"Facebook"的首字母 TFB，它最初被布置在坐落于爱默生大街上的第一间 Facebook 办公室。

不难理解，为何这位公司律师有所担忧。住房的餐厅被当作啤酒狂欢竞赛的场所，但其中一个住客仅 19 岁。作为乔治亚南方大学二年级学生，克里斯·普特南（Chris Putnam）成功地黑进了公司服务器，使得 2 000 个 Facebook 上的个人简介看起来像在 MySpace 一样。他在编码中插入了一段注解称，他无心搞破坏。这一插曲给扎克伯格和莫斯科维茨留下了深刻印象，于是他们雇用了他。

在"兄弟会聚会所"，员工的娱乐花样更多。"人们会过来编写程序，或者开派对，或者观看电视剧《迷失》，"费特曼（Fetterman）说，"那个地方可以容下公司所有员工在里面开派对。在晚上，我们喝啤酒、看电视、想想新点子，或就在那里开始编写程序，不管是在某人的房间里还是在房间外的院子里。马克或达斯汀有时会现身，他们经常是第一个打开手提电脑的人。"编程员们会在他们所谓的"鼓励派别"中一边开派对、一边工作。他们把新软件装载到网站上，从"兄弟会聚会所"他们所在的位置激活这个程序。

大型广告客户开始慎重地尝试在 Facebook 上做广告，这可不仅仅是小唱片公司宣传格温·史蒂芬尼的歌曲。市场营销领域的一些大型公司如今渐渐对 Facebook 产生了兴趣，但这与他们所习惯的领域不同。为了与扎克伯格对传统广告近乎轻蔑的态度保持一致，公司人数依然不多的广告销售团队努力促使客户去构思独特的广告词和服务。（当雇用新的广告销售主管迈克·墨菲时，扎克伯格对他说："我并不憎恶所有的广告，我只是讨厌差劲的广告。"）首席财务官范·纳塔是个狠角色，也是行业老手，即使是他也难以忍受这些，但还是接受了扎克伯格的指令——广告应该总是对用户起到帮助。尽管他的责任范围是收入，但他喜欢说："如果它不会增加价值，我们大概就不应该从中挣钱。"

切斯信用卡的广告是一个重要的先行者。它与纽约一家叫"噪音推销"的小广告代理公司合作，开创了所谓的切斯 +1 信用卡，这些信用卡特别为大学生设计，而且只对 Facebook 用户开放使用。卡是黑色的，因为那是学生们想要的颜色。它提供了切斯公司称之为"缘分点数"的东西，你可以用来兑换适当的奖品，例如音乐会入场券。但与大多数奖品卡不同，你可以收集点数而不用花费大量的钱。每次购买，不论金额多少，都会获得 20 点数。你也可以通过加入切斯公司在 Facebook 上的赞助群而获得点数，同时还可以在网上上课学习如何管理你的信用积分。切斯公司还赋予了其卡片"社交"功能,你可以把你的"缘分点数"给予你在 Facebook 上的好友。

在该活动启动了一个星期之后,有 34 000 名学生加入了该群,很快切斯公司就发出了数千张卡。银行家们非常高兴,Facebook 也迈出了重要的一步——证明独特的用户化广告业务可以行得通。

几个月后,宝洁公司试着做了相似的事,其首席执行官雷富礼 (A. G. Lafley) 开始谈及宝洁有必要与其消费者拉近距离。得悉此消息后,Facebook 的销售员科勒兰打了一个他很擅长的冷访电话,了解宝洁是否正在大学市场上为其任何一种品牌寻求目标客户。结果表明,尽管宝洁的牙齿美白产品"牙齿美白贴"(Crest White Strips) 从来没有特别以大学生为目标,但公司数据显示,在校园附近的沃尔玛商场,这种美白贴卖得特别好。科勒兰和宝洁公司的市场人员策划出了一个在 Facebook 上发起的活动,叫"微笑状态"。

与切斯公司和苹果公司一样,宝洁公司在 Facebook 上为"牙齿美白贴"创建了一个赞助群。它向"微笑状态"这个群做广告时,只针对位于沃尔玛附近的 20 个大型州立大学的学生。任何加入该群的学生,将获赠即将上映的电影《加油!马歇尔》(We Are Marshall) 的电影票,这部电影由深受大学生喜爱的马修·麦康纳 (Matthew McConaughey) 主演。另外,为"牙齿美白贴"赞助群招募成员最多的那些学校将赢得一场由戴夫杰姆唱片公司 (Def Jam Records) 组织的音乐会表演。2 万多人加入了该群。有 2 万人使用真实姓名明确地向"牙齿美白贴"表示忠诚,这使营销人员兴奋不已。对宝洁和 Facebook 来说,这都是一场大胜仗。

扎克伯格仍然明确表示对阻碍 Facebook 用户体验和使用户分心的广告没兴趣。不论这些广告会带来多少利益,他都反对这么做。2006 年 5 月,雪碧饮料换新包装后重新上市,并推出了一个半开玩笑的广告宣传活动,针对的受众是性格直率的年轻人。该软饮料的广告代理商提出支付 100 万美元做一个横幅广告,要求在某一天把 Facebook 的整个主页变成绿色。扎克伯格根本不考虑赚这个钱。他也没兴趣去讨好他人来做生意。旧金山一家大型数字广告公司的顶级高管第一次造访 Facebook,他偶然遇到了扎克伯格,看到后者光着脚,穿着的NBA 篮球员短裤松松地垂到了膝盖以下。

大多数广告客户仍不确定 Facebook 到底是什么,更不用说如何从中获利了。但在 6 月,世界第三大广告代理商用引人注目的姿态,宣称与 Facebook

结盟。国际公众企业集团（Interpublic Group）承诺，在下一年将代表其客户在 Facebook 上花费 1 000 万美元。作为交易的一部分，这个广告巨子得到了一些 Facebook 的股票。"精通技术的年轻消费者正逐渐回避传统媒体，他们通过网络来定义自己和他们的群体。"国际公众企业集团的首席执行官迈克尔·罗思（Michael Roth）在一次声明中说。他还注意到，此时美国所有大学生中有 65% 在 Facebook 上拥有个人空间。

8月，Facebook 得到了另一个重要认可——这次来自一个科技产业的巨头。首先，MySpace 宣布了和 Google 合作的一项为期 3 年、价值 9 亿美元的重要交易，Google 将在 MySpace 中开通一个搜索功能，并在其网站上放置广告。这是一笔大买卖，可使默多克对 MySpace 的投资获得盈利。这是 MySpace 的第二笔重大交易，而 Facebook 也顺便沾了光。它使 Facebook 看起来很值钱，使这个网站的广告总量看起来像一个金矿。

首席财务官范·纳塔和新聘用的商业开发副总裁丹·罗斯（Dan Rose）已经开始与拥有最大的在线陈列式广告的运营商——Google、微软和雅虎谈判了。丹是范·纳塔从亚马逊雇用来的。Facebook 已经和微软的 MSN 在线部门达成了一笔小额交易——出售其广告空间。

微软最想做的事莫过于超越 Google 了。在宣布 MySpace 与 Google 的交易之后过了差不多一天，罗斯打电话给微软，因为他知道这个软件业巨人参与了争取买下 MySpace 的竞争，但失败了。

罗斯的询问很快得到了肯定反应。与他交谈的微软高管表示，他很乐意与 Facebook 谈谈一个类似交易。他问罗斯："你想要个什么价？"范·纳塔和罗斯协商了一下，很快达成了一个他们认为回报丰厚的买卖。他们直接通过电话，提议微软使用其广告销售网络来代理 Facebook 的横幅广告，并保证它放置的每一个广告都可得到一定的每千次浏览费用。微软一方甚至没有什么异议。"好的，我们明天会去那里搞定这事。"与罗斯谈判的那位热切的微软人士说。双方又花了一些工夫才最终敲定了细节。一个微软的谈判者说："马克固执地想保住用户体验和版面设计，这使得我们的广告工作人员很头疼，因为这样他们很难传递标准的互联网广告单元。"

这是一个具有变革意义的交易。Facebook 现在拥有了一个巨大的而且有丰厚利润的新收入渠道。转瞬之间，微软把 2006 年从又一个赔钱的年度变成了一个获利颇丰的年度。几个月前，维亚康姆的沃尔夫被告知，Facebook 2006 年收入的国内预测目标为 2 200 万美元，但 Facebook 最后至少把这个数翻了一倍。微软的付款占 2006 年公司收入的一半还多。2007 年，与微软的交易保证 Facebook 的收入达到了 1 亿美元。

也许扎克伯格的首席执行官课程正在支付学费。他让经验丰富的范·纳塔扮演的角色与帕克在初期所担任的角色没太大不同——管理外部事务，发展生意，使马克可以关注于改善 Facebook 的产品。范·纳塔正在管控越来越大的交易——与国际公众企业集团和微软的合作。高管团队在清除掉了一些罗宾·雷德招聘来的人后，团结到了一起。罗宾已经离职了，虽然公司的高管团队不愿承认，但她确实帮助这个公司成长了。

维亚康姆公司放弃了购买 Facebook，但扎克伯格在与迈克尔·沃尔夫的谈判中，学到了很多与交易有关的事务以及媒体产业是如何运作的，这会在将来的日子里起到很好的作用。而在公司内部，当他经常晕过去的魔咒被解除后，他似乎更像一个领袖了。他的同事们也终于放下心了。

第 9 章

卖还是不卖

> 我不知道我的朋友们在做些什么！

    Facebook 照片应用的大获成功让公司陷入了一阵沉思，扎克伯格和同事们都在想，是什么让照片项目如此成功？呃，其中一个原因恐怕就是，你能很轻松地找到朋友上传的新照片。因为每个人的首页里都有一个信息中心页面，可以显示最近更新的相册。用户想知道的似乎都是新信息。另一项创新就是，在用户的个人主页上可根据朋友们个人信息的更新时间来排列朋友列表，他们称之为"时间排序"，这项功能受到了用户们的热烈响应。每当有人更新了他们的个人头像，就能迅速得到平均 25 次的新访问量。

    人们在 Facebook 上做的就是查看他人的信息。他们很愿意去了解有什么他们所不知道的新鲜事，会通过不停地点击来试图找出自上次访问之后是否有什么变化。他是不是仍然单身？这张照片是不是意味着他是加勒比人？他为什么去参加那个聚会而不通知我？而要想知道这一切，只需要点击、点击、再点击。因为这些信息对你来说是有用的——你想知道，可是寻觅的过程却冗长而且单调乏味。

    于是公司年轻的领袖们产生了构建一个新页面的想法，这个页面显示的将不仅是你朋友最新上传的照片，而且还包括他们的个人主页上所有最近发生的变化。"我们开始问，'怎样才能让人们得到他们最关心的信息？'"扎克伯格说，"我们想构建一个能显示所有事情的屏幕，所以产生了动态新闻的概念。"

他们打造的这个新工具将在任何预定时间帮你找到你最关心的事情。它可以囊括一切：从一位朋友打算周五去参加哪个聚会，到某人发布了一个关于塔吉克斯坦政治形势的网页链接，重点在于确保你可以看到你所关心的人发生的事情，不管它会是什么样子的。这些信息被显示的顺序将取决于你的行为、你的喜好。扎克伯格向他的同事们解释道："一个在你家门前垂死的小松鼠也许比在非洲死去的人更让你感兴趣。"

所有这些头脑风暴都发生在 2005 年秋季。不久，亚当·德安杰罗和一个新员工克里斯·考克斯（Chris Cox）谈起构建一个全新动态新闻的设想。"我看到他的双眼闪烁着兴奋，"考克斯说，"对于他而言，这不只是赚更多的钱。他说'看，这是一个解决不了的问题——我不知道我的朋友们在做些什么！'"互联网能够回答你一百万个问题，却不是最重要的问题。同时你每天醒来后所想的第一件事情就是："我关心的那些人现在在做些什么呢？"

他们着手设计动态新闻。"接下来的 8 个月里，是我们爱的劳动果实。"考克斯说。这位聪明、说话简洁明了的斯坦福大学研究生毕业的高个子研修的不仅有计算机科学，还有心理学和语言学。这是一个大胆和雄心勃勃的设想：设计一个软件算法，能够分析 Facebook 用户们产生出来的信息，选择最让他们朋友感兴趣的活动和个人主页上的变化，然后用逆时序把这些信息显示给他们的朋友们。因而，每个人的首页都会不一样，这取决于他们的朋友是谁。"这是这家公司创业以来所面临的最大的技术挑战。"肖恩·帕克说道。

在当时，一位 Facebook 用户的平均朋友数是 100 个，软件将会监视那些人的每一位朋友的每个活动。然后，每当你点击这个服务时，它都会根据你的喜好程度来为你朋友的所有这些活动分级。算法主要依据你先前的行为方式来进行，当然还有其他依据。也许你过去提到过感觉压抑，或者你要去看电影，或者你上传了一幅照片，暗示你喜欢约翰·梅尔（John Mayer）的新专辑，又或者你贴了一个《每日脱口秀节目》（The Daily Show）片段的地址链接。Facebook的软件会监听到这个新信息，并决定是不是要把它发送给你的朋友，会以他们的喜好程度为依据。它会根据对你朋友先前行为的评价做出决定。如果他们喜欢嬉皮文化，也许就不会收到关于约翰·梅尔的信息；如果他们从未看过视频，也许就不会见到每日秀的链接。软件会把这个逻辑应用到网站的所有信息和活动上，每隔大约 15 分钟就重复计算一次。这是一个庞大无比的软件工程和产品设计难题。

动态新闻将会是一个巨大的改变。"这不是一个新的特色，而是一个重大的产品升级。"扎克伯格在当时说。这会让 Facebook 面貌一新，是对他在当时已经构想中的未来创新所必需的基础。他以传教式的信念努力说服公司的软件工程师们和产品设计师们，虽然并不总是成功。"我们中的许多人反应都是'不不不，我们讨厌这样干'！"产品经理内奥米·格雷特（Naomi Gleit）说，事实将证明他们不是唯一的反对方。

尽管扎克伯格依然拒绝出售公司，而他麾下的许多人却觉得，知道其他潜在买家的报价是一种不错的营商。范·纳塔是一位善于挖出别人报价的行家里手。2006 年春末，在与维亚康姆的会谈不欢而散后（其报价在 8 亿美元现金封顶），扎克伯格和董事会决定如果有谁愿意出价 10 亿美元现金，他们会认真考虑出售。甚至连扎克伯格也同意这个价格，部分是由于他担心进军职场网络市场会失败，或许会让他的宝贝无法成长到他所设想的那般大的规模。

与此同时，在森尼韦尔市，雅虎的执行官们也正忧心忡忡。他们看着社交网络正风生水起，而他们甚至连一席之地都没有。首席执行官特里·塞梅尔正越来越神往 Facebook。首席运营官丹·罗森维格（Dan Rosensweig）在更早些时候就已经成了一位粉丝，而且 2005 年用他自己的方式结识了马克·扎克伯格。罗森维格不止一次明确表示，如果扎克伯格有兴趣，雅虎会和他讨论一下并购，可扎克伯格对此却毫无兴致。

到了 6 月，雅虎的执行团队一致认为他们应该收购 Facebook。塞梅尔与扎克伯格进行了接触，他们开始讨论相关事宜。很快雅虎就表露出以 10 亿美元收购 Facebook 的意愿。塞梅尔、罗森维格，还有首席战略官托比·科佩尔（Toby Coppel）着手与范·纳塔、马特·科勒以及扎克伯格进行了一系列的协商，相当多的会谈是在范·纳塔位于帕洛阿尔托的家里进行的。（我们这位首席执行官的没有家具、只有一间卧室的公寓实在不适合进行这样的会谈。）

扎克伯格不清楚自己是该庆祝还是反抗。也许是出于这种复杂的情绪，他让一位产品经理在 7 月 4 号公司的全体聚会上买了价值 500 美元的非法烟花爆竹，在帕洛阿尔托公园燃放，为此还与警察进行了一番怪异和短暂的亲密接触。第二天，雅虎就通过塞梅尔正式向扎克伯格送去了一份收购条款书。

在首席执行官和达斯汀·莫斯科维茨这样的盟友看来，事情走到这一步让人感到烦躁无比。和扎克伯格一样,莫斯科维茨没有出售的兴趣。"他们向我推销这个想法的方式,"他回忆道,"是'不找出我们到底值多少是不负责任的,当然我们并不是真的要出售这家公司'。不过很快就像滚雪球一般地发展为,'好,既然现在条款书出现了,那我们就不得不假装去谈了。'"

董事会成员布雷耶却有不同的看法,这可能是一个大赚一笔的机会,用风投的术语来说,是"退出"的绝佳机会。创业邦则会在仅仅 14 个月里就获得超过十倍的投资回报。"我要求召开董事会,讨论此事,"他回忆道,"我说,'我们必须要记录会议内容,要经过讨论好处与坏处的程序。你不能就这样一口回绝,我们还代表着很多员工,对他们而言这是相当现实的钱。'"他说公司的年轻领袖们,"当条款书被送来时,即使达到了他们的心理价位,他们也不想去讨论出售。马克明确让人感觉到他不想出售,所以矛盾是必然存在的。"

在一次董事会议上,扎克伯格失去了耐心。"吉姆(指布雷耶),我们不能出售这家公司,如果我们不想出售的话。"他单刀直入地表示。

"我知道,马克,"不服气的布雷耶答道,"但是我们过去说过,我们的价位是 10 亿美元。让我们具体分析一下再作回应。"

布雷耶绝非是唯一游说出售 Facebook 的董事。两个阵营再次出现了,大多数较为年长的员工与更为年轻的员工之间存在着分歧。相对年长的范·纳塔和科勒都希望出售公司,而肖恩·帕克,此时依然是一位主要股东,站在扎克伯格和莫斯科维茨这一边,他觉得 Facebook 才刚刚起步。彼得·泰尔,年纪较大但同情扎克伯格,虽然倾向于出售但试图尊重创始人的立场。"在最后,彼得愿意支持我,"扎克伯格回忆,"吉姆的立场很强硬,比其他所有人更希望卖掉这家公司。"

莫斯科维茨,扎克伯格一直以来最坚定的合伙人,是极少的几位坚决反对出售的股东之一。"我确信如果雅虎收购了我们,这件产品将会遭到严重的破坏。"莫斯科维茨当时说。"肖恩告诉我,90% 的兼并案例都以失败收场。"他和扎克伯格正密切追踪 Google 在 5 月份收购 Dodgeball 的后果,这家公司利用手机来帮助你定位朋友的现实位置。"我们看到 Dodgeball 的未来没有希望了,"莫斯科维茨说,"而 Google 是创业的圣地。如果连那边的并购都会失败,那我对进入一家著名但却有点落伍的公司就更不会抱什么指望了。"

扎克伯格确信雅虎开出的价格——尽管很有吸引力,看上去也太低了,如果动态新闻能够如他所愿成功的话。这个项目预计会在两个月之内启动，也正好是新学年开始的时候。也差不多在这个时候，Facebook 酝酿了另一项巨大的改变——它打算对所有人开放，每个人都可以加入这个社区。它将不再只限于大学校园、高中或职场网络市场。这次的公开注册被简称为"开张"。它不像职场网络那样，仅仅是把大学模板应用到了一个新的市场中。它是一个立体式的转变——宣布 Facebook 将为所有人服务，但是公司并没有舍弃原来的构架，它依旧把每一位用户塞进一个网际群体中。但是如果你不是在一所学校或一个工作场所，你可以仅仅加入你所在城市的国际群体。这将会是一个真正的考验，看 Facebook 是否能吸引学生群体之外的更广阔的用户。

科勒和布雷耶担心在职场网络市场的失败或许会让"开张项目"也像炸弹一样爆炸，而 Facebook 也就从此不可能再踏出学生市场了。"大学校园市场已经饱和，"科勒说，"高中市场也正在饱和，而 MySpace 在 20 多岁的人群中相当强劲。但马克在当时给人的感觉是一种盲目信仰，他认为，让更大范围的成年人接受我们的产品就可以获得成功。直到进军职场网络市场之前，他总是正确的，而我们中的许多人总是被证明是错了的。"

如果 Facebook 无法跨出大学和高中校园大门去吸引更广阔的人群，那它的增长势头也就几乎就到此为止了。对科勒来说，这意味着雅虎开出的价格也许是他们所能看到的最为优厚的。"马克，我愿意改变我的想法，"科勒说，"把你的想法解释给我听。"

"我无法解释清楚，"扎克伯格回答说，"我只是有这种感觉。"

在公司的许多资深雇员和投资者看来，Facebook 有一个利用其独特性彻底融入大学市场的黄金机会。一些人说 Facebook 有点像当年的 MTV，它的摇滚视频网络创造了一种新的媒体形式，使年轻人沉溺于其中无法自拔。那些抱有这种想法的人认为，Facebook 邀请一大群古板的成年人来共同分享它的服务，这会有降低它在高中生和大学生心目中地位的风险。

扎克伯格不同意，他的观点始终如一而且非常明确——Facebook 需要走出大学，需要成为一个面向所有人的网站，所有人都可以用它来和朋友们进行联系。他和肖恩还有莫斯科维茨从 2005 年中起就一直在说 Facebook 不仅要酷，更要对人们有用。如果在网站拓宽用户群的过程中年轻人厌烦了，那就让他们厌烦好了。扎克伯格很清楚，Facebook 上的用户不论怎样都不会太在意除他们自己社交圈之外的其他人。很可能成年人会成群结队地涌入，而一般的大学年轻

人甚至都不会注意到。

与布雷耶和其他高管之间的矛盾，加之这个决策的压力，让扎克伯格饱受折磨。有些夜晚，无法入睡的他会躲进车里，漫无目的地驶过一条又一条街道，任凭绿日乐队和威瑟乐团震耳欲聋的歌声在耳边轰鸣。他会花上数小时在公司大院的游泳池旁来回踱步，只为了理清自己的思绪。有一天他的女朋友普丽希拉躺在附近的一张睡椅上，对一个朋友说："我希望他不要卖掉公司，天知道他会对自己做出什么样的事情。"在这段时期，扎克伯格和他年长的姐姐兰蒂曾有过一次谈话，她在 Facebook 的市场部工作。"他感到相当矛盾，"兰蒂回忆说，"他说，'这是一大笔钱，这会真正改变许多为我工作的人的生活。但是和钱相比，我们有太多的机会来改变这个世界。我不觉得接受这笔钱对所有人来说都公平。'"

范·纳塔家中的磋商一直持续到了 7 月份的头两个星期。雅虎的律师们对公司的财务进行了详细调查。双方最终达成了一项协议，原则上，雅虎会以 10 亿美元收购 Facebook。但是尽管事情已经进展到了这一步，雅虎方面的一些人依然觉得他们没有说服扎克伯格。似乎在谈判的每一阶段，他都抱着慢慢悠悠的态度。尽管大方向已经在范·纳塔家里敲定了下来，但他们还是不确信扎克伯格真的想卖。他们的判断没错，他并不想卖。扎克伯格的一些态度也让雅虎团队感到灰心，比方说，雅虎的一位谈判代表回忆道："马克对在 Facebook 中融合广告一点兴趣也没有。"

然后突如其来的一件事情缓解了所有的压力。在 7 月中旬，雅虎公布了第二季度的财务业绩。华尔街对他们感到相当失望，在单个交易日之内雅虎的股票暴跌了 22%。很快，首席执行官塞梅尔就临阵退缩了，就和今年早些时候维亚康姆的财务总监一样。如果雅虎为一家只有这么一点可怜巴巴收入的公司花上这么一大笔钱，华尔街又会做何反应？塞梅尔将他的报价减少到了 8.5 亿美元，也同时意识到了双方的交易可能就此告吹。事情确实如此。他的副手丹·罗森维格给扎克伯格打去了电话，告诉他雅虎减少了原先 10 亿美元的报价。电话刚一挂断，露出笑意的扎克伯格就一个箭步飞到几米外的达斯汀·莫斯科维茨的办公桌前，双方来了一个大大的击掌致庆。随后，在一个仅仅十分钟的电话会议里，Facebook 的董事会就拒绝了这个提议，即使布雷耶也对这个决定感到满意。

当这一切都在进行中时，其他传媒和科技公司的高层也开始考虑是不是应该收购 Facebook。关于雅虎 10 亿美元收购的传言已在业界传开。

在时代华纳，关于 Facebook 的讨论曾一度被认真考虑过。美国在线的首席执行官乔纳森·米勒（Jonathan Miller）希望收购 Facebook。他视社区为美国在线的核心，作为其象征的就是聊天室、论坛和即时通信软件 AIM，他觉得 Facebook 完美地匹配了美国在线的宗旨。不过美国在线只是时代华纳下属的一个部门，没有母公司领导层的首肯，米勒不能做出任何重大的举措，而母公司在先前就已经拒绝过他的提案。米勒也很清楚扎克伯格不会有兴趣持有时代华纳的股份，当时它的股市表现十分糟糕。于是任何交易就一定是非现金不可了。

米勒发挥了他的创意。他觉得若是能与时代华纳另一个部门合作，也许会有助于克服来自高层的抵制情绪。他成功召集到了安·摩尔（Ann Moore），时代华纳的杂志部门——时代集团的首席执行官，欲联合收购 Facebook。双方拟定了一个计划，各自出售一些资产来为收购 Facebook 筹集资金。美国在线会出售 MapQuest（地图提供商）和 TEGIC 软件（手机软件，用于提前预测用户试图输入的单词），米勒希望能筹集到总共 6 亿美元现金。至于摩尔，则会出售时代集团旗下的英国杂志出版商 IPC 传媒集团，以此将获得 5 亿美元。这样一来，他们就有足够的现金收购 Facebook 了。

但是当他们把计划呈交给杰夫·比克斯（Jeff Bewkes），时代华纳总裁时，被后者直接一口回绝。他说如果他们没有这些资产也能运转，那就应该直接卖掉，然后把现金上交给母公司。如果他们希望在之后再来讨论 Facebook 的并购，那可以找他商量，他会考虑一下。于是，事情就此没了下文。扎克伯格甚至都不曾听到过这个计划。

夏季还未结束，双子计划预计将在开学的第一周启动，这让公司里的人都很兴奋。Facebook 的动态新闻开发已经到了收尾的阶段，而开放注册的项目负责人也决定引进一种让用户的朋友加入 Facebook 的新方法。用户将能够从任何大型的电子邮件供应商那里下载自己的电子通讯录，比如 Hotmail、雅虎邮件、Gmail 或美国在线，只需点击几下就能在自己的通讯录上找出谁已经加入了 Facebook。用户也可以向其他联系人发送电子邮件，邀请他们加入。这个元素的重要性让一些人开始用"通讯录导入"来代指开放注册了。

动态新闻的开发是 Facebook 迄今为止所处理过的最为复杂和漫长的项目。不过到了仲夏，一个最初版本已经调试成功。一天晚上，克里斯·考克斯坐在他的客厅里，看到了第一条动态新闻"故事"（消息）。在他的主页上出现了这样一条简短的句子："马克更新了一张照片。""当指尖滑动时，感觉就像是弗兰肯斯坦时刻。" 考克斯对此惊奇不已。动态新闻最终会由一长串像这样为每一位用户定制的快讯组成。Facebook 把每一条快讯称为"故事"。计算哪条故事该被发送给用户的后台软件被称为"出版商"。

随着动态新闻初次亮相的日子临近，公司对此的期望值也越来越非同一般。戴夫·莫林（Dave Morin），苹果的一位雇员，被肖恩·帕克和达斯汀·莫斯科维茨招来，在这个额外令人焦虑的时刻加入了公司（帕克也许不再领公司的薪水了，但他对 Facebook 成功的激情却不曾减退）。他回忆起了在动态新闻上线前一晚与帕克的一次交流。"莫林，明天将是决定 Facebook 到底是无足轻重还是比 Google 还要强大的日子。"帕克故意把声音拉长。莫斯科维茨则更为自命不凡，"明天你将会无比热爱这个新首页，"他说，"你会希望不要钱都要在这里干！"

在 9 月 5 号周二的凌晨时分，Facebook 启动了动态新闻功能。此前每个人都在拼命工作，办公室一片狼藉——电线和文件散落得满地都是。公司的冰箱里塞满了为一个盛大庆祝准备的廉价科贝尔香槟。员工们拔出了香槟盖，直接就喝。一些人甚至大声闹了起来，就像新年一样。这是值得庆祝的一件事。就在他们按下正式启动动态新闻的按钮时，人群聚集在了监视器前面。马克·扎克伯格也在那里，光着脚板，上身穿着一件从纽约 GBGB 夜店得来的红色 T 恤，下身则是一条宽松的黑色尼龙篮球短裤。

鲁奇·桑维，动态新闻产品经理，在 Facebook 博客上发布了一条乐观的博文："Facebook 变脸了。""我们增加了两个很酷的功能，"他很厚道，一点都不卖关子，"一个是动态新闻，会出现在你的首页上；还有一个是涂鸦墙，会出现在每个人的个人主页上。新闻动态突出了你的 Facebook 社交圈中所发生的事情，它按照为个人定制的排列顺序更新一整天内发生的新闻故事，所以你会得知马克何时成了小甜甜的粉丝，或者你所心仪的那位又再次恢复单身……个人动态有点类似，除了它的重心只围绕着一个人。每个人的个人动态会显示他们个人主页上最近的变化和更新的内容（博文、照片等）。"

现在，用户的首页完全是由通过算法挑选出来的各条小快讯组成，告诉他们其他朋友们都在做些什么。这里仅仅举出一些会出现在用户动态新闻上的例子：大卫·沃尔特上传了新照片；莫妮卡·塞策恢复了单身；阿曼达·巴莱里奥改变了她的个人头像；亚历克斯·斯特德曼离开了加州大学圣塔克拉拉分校的"学生反对啤酒桌球赛"小组；丹·施塔尔曼和亚历克斯·鲁尔成了朋友；劳伦·周正在观看电影《上帝也疯狂》；加勒特·杜伯曼的心情正在好转因为扎克刚刚为他打过气。还有动态更新：你的 14 个朋友加入了"学生反对 Facebook 动态新闻"小组（正式向 Facebook 请愿的小组）。

是的，当然存在着问题，看来 Facebook 的用户们并不买动态新闻的账。技术团队在激活代码后，他们坐在屏幕前关注着 940 万即将上线的 Facebook 用户的反应，结果第一条回应居然是"把这垃圾关掉！"那晚的照片表明了一场庆祝场面迅速冷场，微醉的员工们不再兴高采烈地挥舞着他们的科贝尔香槟瓶子，开始瞪着屏幕，眼看着来自各处的抱怨在瞬间倾泻而至。

于是 Facebook 所面临过的最严重的危机就这样开始了。Facebook 上所有关于动态新闻的消息中只有 1% 是正面的评价。在伊利诺伊州的西北大学，一个名叫本·帕尔（Ben Parr）的大学三年级学生在周二起床后登录 Facebook，对他所看到的首页感到很不爽，遂立即创建了一个反动态新闻小组，叫"学生反对 Facebook 动态新闻"。"这次你走得太远了，Facebook，"他写道，"几乎没人想让所有人都自动收到我们的更新……这个功能让人毛骨悚然，太有偷窥的味道在里面，一定要把它关掉。"在大约 3 个小时内，小组成员增加到了 1.3 万，在那晚 2 点，人数达到了 10 万，到了周三中午有 28 万用户加入了进来，而到了周五人数突破了 70 万。

还有其他大约 500 个抗议小组，它们的名字包括"Facebook 这个新设置让人恶心"，"查克·诺里斯拯救我们于 Facebook 动态新闻的水火之中吧！"，"动态新闻这个蠢蛋笨蛋混蛋骗子婊子鸟人"，还有"鲁奇是个恶魔"。至少有 10% 的网站用户在积极抗议这次改版。

对动态新闻的反对意见主要在于，它把太多关于你的信息发送给了太多的人。《亚利桑那野猫日报》（*Arizona Daily Wildcat*）在头版头条刊登了"学生用户纷纷说 Facebook 的动态新闻就是偷窥"一文。文章引用了一位一年级菜鸟的话："网站不应该强制记录你在自己页面上的活动。"而在密歇根大学，《密歇根日报》（*The Michigan Daily*）引用了一位三年级学生的话，她从浏览者的角度指出了问题所在。"新版 Facebook 让我感到很不自在，"她说，"让我觉得它就像是一个偷窥者。"许多人开始用"盯梢本"（Stalkerbook）来称呼这项服务。你

155

在被偷窥的同时也成了一个偷窥者，谁希望发生这样的事情？

公司在周二晚上就迅速做出了第一次官方回应。扎克伯格写了一篇博文，用了一个居高临下的标题"深呼吸，冷静下来，我们听到了你们的呼声"，他采取了理性的立场："我们并非没有注意到 Facebook 上的小组对这个功能的反应（顺便说一下，鲁奇不是恶魔）。我们同意，偷窥不是一件很酷的事；不过能够得知你朋友的生活发生了什么事却很酷。人们过去每天在挖掘的就是这种信息，我们把它们经过重新组织和整理后发送给用户，让人们能够知道他们所关心的人的情况。"关于动态新闻，他也指出了一个对于他还有 Facebook 的同事们来说都是最基本的一点："对任何在之前就看不到你信息的人来说，他们也不会知道你的情况发生了改变。"

第二天，各家电视台的工作人员开始聚集在 Facebook 在帕罗奥多的总部建筑门前，公司不得不雇用保安来护送员工进出办公室。来自几所大学的学生们正在外面进行着大规模的当面抗议，员工们有点惊慌。"我们进行了各种各样的讨论，"桑维回忆道，"'我们是不是应该关闭动态新闻？''这会不会拖累整个公司？'"他们在 Facebook 的会议室里进行了非常坦诚的辩论，甚至讨论过是不是应该干脆在动态新闻上屏蔽这些抗议小组，以阻止号召当面抗议的消息传播。不过当时正在纽约进行宣传活动的扎克伯格，通过电子邮件和电话与同事们联系，他坚持认为这事关"新闻诚信"——切断人与人之间的沟通有违公开的精神，而这正是他创办这家公司的初衷。

不过除了喧哗声，扎克伯格和 Facebook 上的所有人都在这一幕里察觉到了一种莫大的讽刺，那就是抗议小组迅速膨胀的规模其本身就证明了动态新闻的有效性。人们之所以会纷纷加入各个小组抗议动态新闻，是由于他们从动态新闻中得知了这些小组的存在。就像当时扎克伯格对我解释的："动态新闻的重点在于它能够浮现出你周遭发生的态势。它浮现的态势之一就是这些反动态新闻小组的存在。我们要让这些小组在我们的系统里能够真正地成长起来。"对他来说，这是动态新闻在按其预想的目的运作的终极证据。

不过，这样冷静和睿智的逻辑并不能平息人们的抗议，于是扎克伯格同意妥协。考克斯、桑维、资深软件工程师波斯维克还有其他几位软件工程师疯狂地用了 48 小时编写了新的隐私设置功能，给予了用户一些控制权，指定了自己的哪些信息可以被动态新闻广播出去。用户现在可以吩咐程序不要发布一些特定类型行为的新闻。比如说，在你对一幅照片发表评论时，或当你改变了自己的婚姻状态时（这是一个重要的方面），你可以让程序不对外广播。

扎克伯格人在纽约，不过周四晚上他在宾馆房间里熬了一整夜，写出了一篇新博文，宣布了新的隐私控制功能的上线。和第一次相比，他的语气发生了显著的改变。"我们真的把这件事情搞砸了，"这是博文的第一句话，接下来他写道，"在解释新功能的作用方面我们做了一件非常糟糕的工作，而在给予隐私控制权方面，我们甚至做得更糟糕……我们并没有立即构建一个隐私控制功能，这是我们犯下的一个巨大错误，我为此向你们表示歉意。"同时宣布，在几个小时之内他会在一个名叫"互联网信息自由流通"的小组上参加一个实时公开讨论，主题是动态新闻。

在那一天，"学生反对 Facebook 动态新闻"小组的人数突破了 75 万大关，不过示威活动被取消了，隐私控制功能的上线迅速平息了抗议声。

动态新闻让很多大型团体如雨后春笋般在 Facebook 上冒了出来，这要放在以前是绝不可能做到的。而那些反动态新闻小组也并非唯一在第一周就蓬勃成长的一类。即使当"学生反对 Facebook 动态新闻"小组势头正猛时，另一个更加稚气的声音也腾飞了，小组名叫"如果这个小组成员数达到 10 万我的女朋友就会玩一次三人行"。这个小组在短短 3 天之内就实现了它的目标，动态新闻的病毒性传染能力让兴趣迅速在用户群中蔓延开来（它最终被证明是一个噱头）。而就在同时，另一个新小组正在得到数万人的支持，而这让 Facebook 员工们确信除了诸多反感之外，这个新功能还是有一些实际补偿价值所在，这个小组就叫做"拯救达尔富尔"。

扎克伯格相当愿意对动态新闻做一些轻微调整，不过他从未考虑过取消这整个功能。考克斯解释道："如果这个功能没有效果，那就证明他关于人们为什么会对 Facebook 感兴趣的整个理念就是错的。如果动态新闻功能不对，他就感觉我们甚至不应该做这件事情。"（这件事情指的是 Facebook 本身）但是扎克伯格知道不论人们在小组里说了些什么，他们其实还是喜欢动态新闻功能的。他有数据来证明。和动态新闻上线之前相比，人们花在 Facebook 上的平均时间正越来越多。而且戏剧性的是，他们正在上面做越来越多的事情。8 月份的用户流量是 120 亿，但是到了 10 月份，随着动态新闻的上线，流量达到了220 亿。

我第一次见到扎克伯格是在 9 月 8 号星期五的一次午餐上，Facebook 在这一天拉开了它的动态新闻隐私控制的帷幕。仅仅在数小时之前，在熬了一整夜后，他才刚刚发布了对用户的悔过信，而过会他又要去参加一个现场问答会来安抚抗议者。

他来到了位于曼哈顿中心城区西 54 街奇特的意大利餐馆 "Il Gattopardo"，身穿一件短袖 T 恤，衣服的一面印着一只异想天开的大鸟形象，完全是一副泰然自若的样子。他很快就信心满怀地就社交网络的前景以及 Facebook 是如何适合这个领域等方面高谈阔论起来，几乎无视让他花了前几天时间试图平息的争吵。他的言辞显现了他的宏观掌控能力以及远见。他几乎是漫不经心地冷静分析了为什么 Facebook 的用户会对动态新闻如此愤慨。他说他没有预料到这场骚动，因为他觉得用户会意识到动态新闻里没有什么内容是 Facebook 过去不曾存在过的，只不过现在被更好地组织和表现出来了而已。不过他现在意识到了他的观点是纯理论性的，很明显人们感到阻碍侵扰的正常障碍被不合适地移开了。他开始意识到用户需要花时间来习惯于改变，不论这些改变在他看来是多么不可避免和必要。

动态新闻不仅是 Facebook 的一次改版，而且还预示着人们交流方式的重大转变。它彻底颠覆了"正常"的交流方式。直到这之前，如果你希望把信息传达给某人，你必须要采取自觉主动的方式启动一个沟通进程，或者把内容"发送"给他们。当你在打电话、寄信、发电报或电子邮件时，你就是在主动和人沟通，即使通过即时通信进行交流也是如此。

但是动态新闻倒转了信息传递的过程。不是向某人发送一条关于你的快讯，现在你只需在 Facebook 上暗示一点和你自己相干的事情，Facebook 就会根据你朋友们的偏好程度计算出也许对你的主题感兴趣的朋友，然后向他们发送这些信息。而作为信息的接受一方，只要查看他们的 Facebook 主页就行了。这种自动沟通的新形式使得付出最小的努力与最多的伙伴同时保持联系成为可能，它让整个世界变小了。

本质上来讲，Facebook 创造的就是一种"订阅"朋友信息的方式。不是等待你的朋友向你发送信息，而是你告诉 Facebook（很简单，通过成为某人的朋友）说你希望听到他们的相关信息。成为他们的朋友就是订阅他们的数据，于是 Facebook 的后台会把他们的信息拖到你的首页上。这种订阅模式的一个重要先例就是大名鼎鼎的动态系统——RSS（简易信息聚合）。RSS 早在前几年就已经在博客群中广受欢迎，它是一种订阅特定博客或网站更新内容的方式。RSS

动态已经成了网站常客们获取新闻、评论和许多其他类型资讯的常规方式。不过，把订阅扩大到个人的行为表现上是一种激进的跨越，时间将证明它会给网络带来深远的影响。

尽管学生们对动态新闻很愤慨，但他们也意识到了某些重要的方面，对许多人来说，当人们可以得知你的一举一动时，这是非常令人困扰的一件事，会改变你行为的方式。动态新闻之所以会招致像偷窥骚扰等负面评价，是因为所有人的个人行为现在被更多地暴露在阳光之下了，这就好比你看到所有你认识的个人都能随时越过你的后院栅栏，闯入你的院子那样。现在你会更多地被要求对你的行为负责。

Facebook 已经拥有了将人们推向表里如一的权力，或至少可以揭露他们不一致的地方。一旦你做的所有事情都按时间顺序被展现在你的朋友们面前，就自然会让他们认识到一些先前所不知的关于你的令人印象深刻的事情，也同样会更有效地曝光那些令人尴尬的事情，比如不负责任。当你聚众吸毒，而一位朋友又恰好抓拍了一张照片，那张照片就有可能被发布到 Facebook 上。如果你举办了一个聚会而没有邀请到某位朋友，那他就会更容易找出这个疏忽。当你被问及是"在谈恋爱"还是"单身"时，你不再能对一个女孩是一种说法，而对另一个女孩又是另一种说法。你在婚姻状况上的任何变动都会被公布在动态新闻中。

许多 Facebook 用户对动态新闻感到不适的另一个原因更没什么奇怪的了——他们接受了太多的"朋友"。Facebook 的设计初衷是让你和已经认识的人进行交流，但是对相当多的人来说，事情变成了"收集"朋友——甚至演变成了竞争，互相攀比谁拥有最多的朋友。但是，如果你的行为将对你朋友列表上的所有人广播，那些陷入交友狂热的人现在几乎就没有办法来控制谁可以看到自己的隐私了。

在策划动态新闻和对这次骚乱的回应中，扎克伯格建立了一种"先干后道歉"的模式，他会在今后的冲突中重复运用这种模式。他出于自己的理念推动了动态新闻的建立，认为这是 Facebook 服务符合逻辑的下一步。而至于这个功能会如何影响用户的隐私意识，以及更重要的——会让用户有什么感觉，他并没有预先多做考虑。并非所有人都欣赏扎克伯格设想中的公开透明，一个人的开放对另一个人来说也许就是隐私侵犯。扎克伯格起初拒绝人们的批评，然后屈服，进而懊悔，最后他欣然采纳了与抗议者对话的建议。Facebook 在所有方面迂回反复的态度赢得了用户的认可。不管怎样，一切都进行得十分顺利。

尽管动态新闻起步艰难，但扎克伯格认为 Facebook 继续扩大它的用户群范围是很关键的。他依然希望尽快朝开放注册的方向行进。这倒不是因为他希望拥有更多用户，使 Facebook 能赚更多钱，而是他觉得若 Facebook 能得到更多的用户，它就能变得更有用。他在 9 月 8 号午餐时和我说："不管什么时候，只要我们扩大社交网络的规模，这个网络就会变得更加健壮。"

扎克伯格从未考虑过搁置开放注册计划。他和两位同事，克里斯·休斯与公共关系经理马拉尼·戴奇（Melanie Deitch），在我们午餐期间确实讨论过是否按计划下一周开放注册，或推迟这个计划等待动态新闻骚乱结束再说。

最终扎克伯格把开放注册的时间往后推迟了两个星期，一直到 9 月 26 号。部分是由于要添加更多的隐私控制，以便让学生用户不会感觉到年长的新用户的加入会遮去他们的亮光。他不会在一个月里犯上两次同样的错误。

不过就在这几周里，发生了另一件让人分心的事，用去了扎克伯格相当多的时间——雅虎回来了。即使 7 月份公司股价跳水并撤回了它的 10 亿美元报价之后，雅虎的首席执行官特里·塞梅尔仍然急切地想拥有 Facebook。他和手下员工密切注视着动态新闻冲突的爆发和快速收场，以及扎克伯格敏捷处理反对意见的手腕，这给他们留下了深刻的印象。另外一件事情是，雅虎的股票恢复了其 7 月份缩水的一多半价值，这也增强了塞梅尔的信心。

现在塞梅尔带着令人惊讶的消息重新与扎克伯格取得了联系，他希望重启原先的 10 亿美元谈判，甚至暗示他也许会出更高的价格。这是一个新的形势。

尽管在处理动态新闻危机中，扎克伯格的表现相当沉着冷静，这位年轻的首席执行官如今却有些气馁。他的用户仿佛一夜之间就变得无法预测了，而进军职场网络市场的失败也一直在折磨着他。他已对开放注册的前景失去信心，而距离这个功能上线仅仅只有几天了。更何况他以前向董事会承诺过，他会认真对待 10 亿美元的报价。

扎克伯格和布雷耶有过一次直言不讳的谈话，双方都回忆起了早先谈判中的紧张气氛。扎克伯格有点动摇，开始疑惑自己是否真的应该要卖掉公司。"我希望让我们有更多的选择，"他告诉布雷耶，"如果在开放注册后，用户数和参与程度没有稳步增长，也许 10 亿或者 11 亿是我想达成的交易。"

开放注册和通讯录导入功能的上线对 Facebook 来说是在孤注一掷，是考验它是否具备长期生存能力的关键一搏。它会像职场网络那样砸锅吗？成年人会不会愿意加入 Facebook？

9 月 26 号，Facebook 对公众开放了注册。在之后两个星期的每一天里，一个 6 人小组都在仔细地审视最新的数据。这个小组包括了扎克伯格、布雷耶、董事会成员彼得·泰尔、首席运营官范·纳塔，"幕僚"科勒，还有共同创始人莫斯科维茨。在 9 月的最后几天里，数据的变化相当不确定，这意味着并购交易很可能就会达成。雅虎的律师们再度进行了详尽的财务调查，为交易做好了准备。肖恩·帕克在一边密切地注视着事情的进展，十分惊恐。"我们几乎接受了他们开出的条件，"他说，"这是仅有的一次，马克感到他无法承受来自团队的压力了。"

然而扎克伯格对 Facebook 策略的信心再度被证明是正确的。一位同事回忆，那几周里他经常在首席执行官的纯白色私人会议室里开会，某一天突然有人闯入，大声宣布："1 000 万！太伟大了！"突破这个用户数是 Facebook 公司成长过程中一个里程碑。

在之后的一个星期内，很明显，成年人不仅仅是在加入 Facebook，他们还在上面邀请朋友、发布照片，以及做活跃用户所做的所有其他事情。他们乐在其中。在开放注册之前，新用户的注册数大约每天 2 万，不过到了 10 月份的第二个星期，这个数字达到了 5 万。而且不像有些人担心的那样，学生们没有起来反对成年新用户的加入。也许动态新闻骚动让他们感到疲惫，也许他们太过专注于查阅从动态新闻里收到的内容，没有时间起来抗议。

特别的是，布雷耶的立场被开放注册的结果缓和了。"开放注册让新的使用方式开始生效，"布雷耶回忆道，"在那一点上，很有点游戏结束的意思。我们的用户增长数看起来相当健康，于是我们说，'我们不打算出售。'"

公司表面上看依然风平浪静，但是扎克伯格身边的一些人却不是如此。在随后的几个月里，他和布雷耶的交涉变得困难重重。另根据首席执行官身边的密友说，范·纳塔由于在推动和雅虎的交易中十分卖力，导致了扎克伯格从此不再信任他了。不过范·纳塔依然在首席运营官的位置上坐了一年。即使科勒，扎克伯格最为亲密的伙伴之一，也感到了压力。科勒曾一度被排斥在了核心集团之外。扎克伯格的一位顾问说："马克要求对公司的彻底忠诚，如果你希望卖掉公司，你就不再是马克·扎克伯格的朋友了。马克记得每一个支持雅虎交易的人的

名字。"

不过在经历了 2006 年 9 月份的动荡之后，扎克伯格作为一个领袖的声望在 Facebook 是腾云直上，许多员工开始带着敬畏的眼光来看他，每个人都知道他在动态新闻和开放注册这两个项目中的决心和毅力。在谈到扎克伯格对于动态新闻骚动的回应时，一位高管说："这是马克的光辉时刻，让他成了公司永远的领袖。他问了自己的良心，然后进行了巨大的妥协，让人们得以更好地控制信息分享。这让所有人都无话可说，而在几天之内整个事件就烟消云散。"

尽管公司的 130 名员工中许多人怀疑拒绝雅虎的收购是否明智——毕竟许多人会因此成为百万富翁，如果扎克伯格松口的话——然而公司的前景似乎正变得无可限量。董事会成员布雷耶开始构思一个更加宏伟的 Facebook，将覆盖全互联网，而这是他在过去一直抵制的。内奥米·格雷特，一位曾经反对动态新闻的产品经理，说出了其他许多人的感受。"他比其他所有人都领先两步，"她说，"他推动了公司的前进，虽然得到了许许多多的负面回馈，但他一直以来都是正确的。"

扎克伯格本人认为那段和雅虎谈判的日子让人不堪回首。"那是压力最大的时期之一。"他说，不同寻常地承认了他当时的焦虑。当他和董事会作出不卖的决定时，他担心员工的反应。"我真的很幸运，因为相当多的公司在经历了一个像那样艰难的决定后，可能会经过数年时间才知道你作出了正确的决定，而在这个故事里结果却来得非常之快。"

在那混乱的几个星期里，当 Facebook 维持前进动力的能力似乎变得遥遥欲坠时，年仅 22 岁的马克·扎克伯格在一次员工会议上表现出的坦诚让许多同事大为惊讶，也加深了他们对他的爱戴。"也许听到我这样说你们会感到不太舒服，"他说，"不过我似乎正在工作中学习。"

在那年 12 月的节日聚会里，公司全体，目前大约有 150 人，集体乘坐巴士去了位于圣克拉拉市的大美洲主题公园。人们从上车那一刻就开始痛饮起来，在抵达公园的时候，许多人已经醉醺醺了。Facebook 的员工们坐在公园惊险的过山车上直上直下，翻转颠倒以庆祝成功的一年，他们这一年也正如过山车般跌宕起伏。在回家的路上，一位员工呕吐在了一辆巴士的通风孔里，为此公司不得不赔偿了几千美元的损失。在某种程度上，这是 Facebook 的最后一丝业余精神，此时的公司已经拥有了 1 200 万活跃用户，已经无法再像经营一个宿舍项目那样来经营这个网站了。

162

第 10 章
你只有一个身份

你要用真实的方式进行交流。

　　我们应该向这个世界表露几个身份？这是 Facebook 强迫我们去面对的一个重要问题。你希望知道我是《财富》杂志的一名高科技领域的资深记者，而现在又在撰写一本关于 Facebook 的书吗？或者我应该告诉你我今年 57 岁，是一名艺术家的丈夫，一位十几岁女孩的父亲，曾一度以诗人为职业，从前也是工会积极分子吗？到现在为止，根据社会背景的不同，我亮给你的很有可能是这些身份中的这个或那个身份。然而在我单一的 Facebook 个人信息上，则很有可能会揭示所有的身份。

　　这不是巧合，这就是扎克伯格设计 Facebook 的方式。"你只有一个身份，"在 2009 年的一次采访中，他在短短一分钟里把这句话强调了三遍。他回忆到在 Facebook 的早年，一些人认为应该为成年用户提供"工作描述"和"兴趣爱好"一栏，扎克伯格自始至终反对这样的划分。"你有不同的面孔——对工作上的朋友或同事表现出一副面孔，而对你生活中熟悉的其他人却又是另一副面孔……就快要结束了。"他说道。

　　他举出了几个理由。"对于一个人来说，双重身份是不诚实的表现。"扎克伯格从道德角度辩护，不过他也很务实，他说："今天这个世界的透明程度将不会再允许一个人拥有双重身份。"换句话说，即使你希望把私生活和职场生活分开，你也不可能做得到，因为关于你的信息正在互联网和其他各个地方传播。

他的逻辑也适用于那些多面人——比如说一个未成年孩子在家表现很乖，在朋友堆中却是一个滥用毒品的坏孩子。

扎克伯格——还有他核心圈子里的同事们也相信，公开承认自己是谁并在所有朋友面前表里如一，会有助于创造一个更健康的社会。在一个越发"公开和透明"的社会里，人们将会为他们的行动后果负责，于是就有可能会表现得更为负责。"让人们更加公开自己是一个巨大的挑战，"扎克伯格说道，"不过我认为我们能行，只是需要时间。对许多人来说，你分享得越多这个世界就会越美好的概念听上去很像是一种十分莫名的思想，在这里你会碰到难以跨越的隐私壁垒。"

大多数人都会发现这些观点很为难，不过扎克伯格并没有把时间浪费在讨论他的理念的明显缺陷上。在通往更加公开透明的道路上，早已铺满了那些隐私被不情愿抖搂出来的受害者的尸体。正如一位隐私法方面的专家最近提出的问题："你要在一个社交网络上公开多少同性恋朋友的数量，才会被社会暗示出局？"过去人们把他们生活的各个方面互相隔开，用不同的面孔在这些隔间里自在地生活，而如今当这些隔间开始交叉时，Facebook 的隐私问题就不出所料地被提了出来。

Facebook 建立在一个激进的社会假说下，即认为现代社会在不可避免地逐步朝公开透明的方向发展。但是信念的力量、始终如一的坚持，再加上灵活的策略，使得扎克伯格能够在 5 000 万庞大用户群给他带来的巨大压力下依然坚持实践这个假说。要想了解 Facebook 的历史，你就必须要了解扎克伯格对 Facebook 的看法，了解什么是"极端透明度"。公司会经历最糟糕的日子，正是因为他采取了实际行动来贯彻这个理念——比如动态新闻的上线，在一夜间用出乎意料的方式把用户的信息暴露在阳光之下。

如今 Facebook 的巨无霸规模以及它的大获成功让这个假说看起来不那么让人惊恐了。不管是好是坏，Facebook 正在大规模重新划定个人之间亲密关系的边界。Facebook 上的大量用户，尤其是年轻用户，陶醉于完全曝光的状态。许多用户愿意详尽地填写关于他们的职业、婚姻状态、兴趣爱好和个人历史等的细节内容，但是社会传统和个人行为在许多地方还没有跟上 Facebook 彻底不妥协的开诚布公的环境。如今精心设计他人对自己的看法正变得越加困难，这会使我们变得更加表里如一呢，还仅仅是为了暴露而暴露？长期担任 Facebook 首席隐私官的克里斯·凯利响应了老板的号召："通过要求人们对他们的行为负责以及使用真实身份，我们已经构建起了一个我们认为更安全、更值得信赖的互联网模式。"然而在公司之外，其他专家的看法则不尽相同。"似乎在每一轮调整中，Facebook 都在让保护用户的隐私变得更为困难。"马克·罗滕伯格（Marc Rotenberg）2008 年在一篇专栏文章里写道。他是电子隐私信息中心的执行总监，同时也是一位受人尊敬的互联网监察人。罗滕伯格相信，首先是用户没有得到足够简单的控制他们隐私的手段，其次是信奉极端透明的 Facebook 在如何处理我们的信息方面也极其不透明。

　　Facebook 数据库中储存的用户信息的规模也引发了公共政策方面关于隐私的疑虑。是否这家公司——或任何一家公司，有这个权力掌握如此海量的公众信息？这是不是应该属于政府的事情？人们希望能够掌握他们自己的电子身份。即使 Facebook 已经在如何处理我们的数据方面做出了承诺，我们又如何能够确信它会按我们认为正确的方法去做呢，不仅仅是在当下，而且是在将来？Facebook 出于自己的商业利益考虑，以汇总表的形式把用户提供的个人信息出售给广告商。公司和它的商业伙伴们对我们知之甚多，而总体看来我们对他们和他们如何利用我们的数据却知之甚少。

　　这恰恰是隐私权活动家罗滕伯格所担心的场景。"随着时间的推移，由谁来控制我们的电子身份？"他问道，"我们依然想要控制权，我们不希望让 Facebook 来控制。"随着隐私制度的发展，Facebook 肯定会再次受到来自用户的抵制和政府管制的冲击。

　　当一个人的年龄越大，他就越可能发现 Facebook 在暴露个人信息方面是过度的和带有侵犯性的。Facebook 的许多成年用户对仅用一个简介栏来涵盖他们私人和职场生活的理念感到相当不爽。一些人因而开始只把它当作私人生活交流工具来使用，而把职场伙伴排除在外。另一些人则把个人内容压缩至最小，不加选择地与同事还有客户进行联络，包括那些他们不认识的人，他们意在把 Facebook 变成一个网络金矿。我在 Facebook 上有一位朋友叫罗伯特·赖特（Robert Wright），52 岁，是一位受人尊敬的非小说类作家，最近刚出版了一本新书《上帝的进化》（*The Evolution of God*）。他很不情愿地上了 Facebook，只是为了推销他的作品。"Facebook 需要一定程度的大方，这让我感到很不自在。我是一个内向的人，不习惯像这样使用现代技术。"他说道。

　　即使连扎克伯格的一些合作伙伴也与他有不同的看法。"马克不相信社交和

165

职业生活是两码事。"雷德·霍夫曼说道。他是 Facebook 早年的投资者和社交网络"内联网"(LinkedIn)的创办者,那个社交网络将私人生活信息排除在了外面。霍夫曼说:"那是一种典型的大学生想法。随着你年龄的增加,你学到的一件事情就是你的生活有了不同的内容。"Facebook 的资深程序员查理·奇弗(现在已从公司离职)也持怀疑态度:"我感觉马克不怎么相信隐私,或至少把保护隐私看作一块踏脚石。也许他是正确的,也许他错了。"奇弗在这里的"踏脚石"指的是扎克伯格把保护隐私看作 Facebook 应该为人们提供的某种服务,等到人们觉得不再需要隐私时就可以取消了。

不过一些商业理论家欣赏马克的方式。现年 59 岁的约翰·黑格尔(John Hagel)是德勤咨询(国际)有限公司的高级研究员和顾问,写过几本关于互联网和商业的畅销书,相信他所谓的"一个完整版的个体"——是未来不可避免的趋势,也很可能是有益的。根据他的说法,原因就在于商业和社会转变的步伐正在加速。"如果我们不加入更为广阔的社交网络来时刻获取最新的知识,我们就会丢掉工作,"他解释道,"但持久的关系必须建立在信任基础上,如果你仅仅透露自己的一部分,那就很难让人信任你。"

这并不是说扎克伯格本人信奉彻底的曝光,他也从来不会在自己的 Fackbook 个人主页上揭露一些隐秘的事情。黑格尔自然也有他的界限,"如果我要批评我的女儿,我也不会在 Facebook 上批评,"他说,"从另一方面讲,让人们知道我有两个女儿是有价值的,因为这让别人对我有了更多的了解。"

而有一些人以无底线的自我曝光为乐趣。杰弗·鲍尔夫(Jeff Pulver),一位纽约的高科技创业者,也是一位技艺精湛的网络工作者,他把自己相当多的业务放在 Facebook 上进行,利用它来发送消息和安排见面。不过他也坚持把真实生活放在上面。"我称他为生活 3.0,"他说,"你越来越多的生活会在网上进行,你要用真实的方式进行交流。那些举起他们的盾牌,不让自己的弱点暴露的人们不会理解为什么 Facebook 和 Twitter 这些社交媒体是如此的激动人心。"

2007 年伦敦的高科技专家莉萨·赖克尔特(Leisa Reichelt)在她的博客上创造了"跨时空接触"(ambient intimacy)这个术语,以此描述这种让个人得以自由地向朋友和粉丝谈论自己的 Facebook 和其他新服务形式的动态。她对这个术语的定义是:"能够在一定的经常性和亲密性程度下,与通常由于时空的阻隔而无法接触到的人们保持接触。"这个术语触动了全世界研究社交网络人士的神经。

在 2008 年的《纽约时报》杂志上，克莱夫·汤普森（Clive Thompson）用他自己在 Facebook 和 Twitter 上的亲身经历对这个术语进行了深度讨论。文章探索了"跨时空接触"的社会含义，对这种接触的优点进行了肯定。"这种新的认识……让人们重新回归了小镇生活，在那里所有人都知道你在做什么。"汤普森用赞美的语气写道。

事实是 Facebook 上没有秘密可言。在这一点上，公司自身的隐私策略也很坦率，你的任何个人信息"都可能被公开，我们不会也不能保证你发布在网上的用户内容不会被未经授权的个人所看到"。公平地说，这句话的用意主要是防止 Facebook 面临潜在的法律诉讼。公司当然会为你的隐私提供保护措施，但是许多人不理解或并不利用 Facebook 通常来说太过复杂的设置来保护自己的信息，从而经常会引发误会或尴尬。

当人们在 Facebook 上暴露了他们的真实行为，那一旦他们做出了一些轻率或鲁莽的举动时，就更有可能被"示众"。盎格鲁爱尔兰银行的一位年轻美国雇员向他的老板请一天假，声称要在周五去参加亲戚的葬礼。然后有人在 Facebook 上发布了一张那天晚上的照片，照片上他在一个聚会上穿着一条芭蕾舞裙，举着一根魔杖。于是办公室里的每个人，包括他的老板，都发现了他的谎言。加拿大温哥华的一位政治候选人放弃了竞选，原因是一份报纸公布了一张他在 Facebook 上的照片，在上面两个人正兴高采烈地拉着他的内裤。奥巴马的演讲稿撰写人乔恩·法夫罗（Jon Favreau）也跌了跟头，有一个博客曝光了一张他在一个聚会上双手放在希拉里·克林顿真人纸板剪影的胸部上的照片，他因此遭到了公开的羞辱。而这张照片是他的一个朋友发布在 Facebook 上的。Facebook 曝光所能够做的不仅仅是让人羞愧。在 2009 年，一份对美国雇主进行的调查显示：35% 的公司曾因他们在社交网络上找到的信息而拒绝过应聘者，应聘者被筛掉的首要原因就是发布"挑衅和不雅的照片和内容"。即使连大学也不例外，如今很多公司在做出任命决定前也开始在 Facebook 和 MySpace 上寻找应聘者相关信息。

也许奥巴马总统对法夫罗事件依然念念不忘，2009 年 9 月，他在面对一群弗吉尼亚州的高中生发表演讲，"我希望在座的所有人在你们的 Facebook 上发布内容时都要慎重，"他说道，"因为在 YouTube 的时代，你做的每一件事情都会在你今后的生涯中被挖掘出来。而当你年轻时，你总会犯错和做一些蠢事。"Facebook 很受青少年的欢迎，尽管公司规定用户年龄必须达到 13 岁，但其实很

多用户只有 11 岁。

犯错的未必都是年轻人，数不清的 Facebook 丑闻表明了那些理应负起责任之人也会做出不得体的行为。英国莱切斯特一所监狱的卫兵被解雇，起因是同事注意到他在结交囚犯。费城一所法庭的官员被停职和调派到其他岗位工作，起因是一个陪审员当庭作证他在 Facebook 上邀请她为好友。陪审员自身也犯过错误。在美国各地，一些陪审团的裁决遭到已经被定罪的被告的质疑，因为后者得知当审判还在进行时，理应保持沉默的陪审员就已经在 Facebook 上发表了评论。

即使连那些从事秘密工作的人也会在面对 Facebook 透明度的诱惑时犯糊涂。2009 年，当英国刚刚宣布约翰·塞维尔斯爵士（John Sawers）担任其间谍机构——秘密情报局（正式称呼为 MI6）的下一任老大后，《每日邮报》就在他妻子发布在 Facebook 上的家庭照片里发现了一个可以公开访问的"宝库"。上面不仅有度假和家庭朋友的照片，还有足够揭示塞维尔斯的住处和他业余生活细节的照片。

Facebook 的透明度也能对亲密关系造成影响。许多人还不习惯于获知和了解他们另一半的往事细节。如果在一张照片里你的男友和另一个女孩在一起，这也许说明不了什么，但谁知道呢？更糟糕的是，当某人通过看到对方 Facebook 上个人主页的改变而得知他们不再是一对的时候，结果甚至可能导致悲剧：英国的一个痴汉杀害了最近刚刚和他分居两地的妻子，据称是看见她在 Facebook 上的婚姻状态从"已婚"变成了"单身"的缘故。

照片尤其能够揭示一个人的私生活，就像塞维尔斯爵士的例子那样，能够揭示你业余时间和谁在一起，和他们做些什么，还有你去过哪里。高中生和大学生基本上都在 Facebook 上公开他们的私生活。他们在 Facebook 的个人"涂鸦墙"上和他们的朋友进行一对一的交流，毫不理会任何访问到涂鸦墙的人都能够看到这些对话的事实。一般来说，这些信息对于任何处在他们校园网络的人都是可见的。

年轻一代的一些持不同意见者发现痴迷于 Facebook 的自我表露并不健康。肖恩·多兰（Shaun Dolan），25 岁，在纽约一家媒体公司做助理工作，他在经过深思熟虑后，决定远离这项服务。"我们这一代是无以复加的自恋的一代，"他在一份写给我的电子邮件里这样说，"当我和朋友们一块儿去玩时，镜头无处不在，仅仅是单纯地为了把照片发布到 Facebook 上去。这就仿佛夜晚不曾出现过，除非在 Facebook 上有证据来证明一样。人们煞费苦心地监视着他们自己的

Facebook 页面，只为了去看哪幅照片里有他们自己的标签，或哪幅照片里的自己最值得分享给朋友们欣赏。"

一些人把这样的行为称为"表现癖"，或者，就像我的 55 岁的《财富》杂志同事布伦特·施伦德（Brent Schlender）所指出的，是一种寻觅"网络名气"的渴望。在 Facebook 上，我们跟踪朋友们日常生活中的点滴，这就和现实生活中无数人在《人物》杂志上跟踪小甜甜布兰妮的绯闻是一样的。安迪·沃霍尔（Andy Warhol）有句名言："在未来，每个人都会出名 15 分钟。"但是在 Facebook 上，限制条件不是你能出名多久，而是你的名声能传播得多远。也许你仅仅在一个朋友圈或校友圈中比较出名。一些爱闹着玩的人现在认定："在互联网上，每个人都会在 15 个人中有名气。"

许多年轻人似乎不知道底线在哪里，不知道什么时候极端的自我暴露就会转变为鲁莽行为。有一位 20 多岁的年轻人在亚克朗市（俄亥俄州）的一家宝多来宠物连锁平价店工作，她在 Facebook 上发布了一张照片，照片里的她拎着两只刚刚被她溺死的兔子。动物权益保护者对此表示愤怒，而她也很快被逮捕，并且以虐杀动物的罪名被起诉。未成年人惯常会发布一些暴露他们和朋友们在一起聚众吸毒或喝酒的照片，而他们尚未达到法定允许喝酒的年纪。在马萨诸塞州的阿默斯特地区高中，一位学生收集了证明学校里的校花和型男在一起聚众喝酒和有可能在吸食大麻的照片，然后把它们打包发送给了校长和社区里的其他人士。在另一所高中，校长亲自出马登录 Facebook 检查本校运动员的聚会照片，勒令照片上所有他看到的在聚会里举着啤酒瓶的运动员停课写检查（那些拿着红色塑料杯的运动员得到了赦免）。

对成年人来说，在 Facebook 上与未成年人之间的沟通则几乎肯定是无法令人感到愉快的，因为这两代人之间对于什么程度的个人披露才是合适的这个问题有着根本性的分歧。旧金山的一位公司高管在 Facebook 上与他合伙人的未成年儿子成了朋友，当他在夏天前往欧洲旅行时，他去了阿姆斯特丹，然后很兴奋地告诉 Facebook 上的朋友关于他的大麻之旅。我的朋友对此感到左右为难——她是否应该告诉她的合伙人这样做不合适呢？那样做会破坏儿子对她的信任吗？弗吉尼亚州一位 60 岁的老妇看到她的侄子在 Facebook 上激烈宣誓的照片，由于清楚他那所学校极为严格的校规会让他就此被开除，于是直接和他本人进行了沟通，而不是告诉他的家长。

由于大多数未成年人仍然不会在 Facebook 上把他们的父母加为好友，于是一些家庭就制定了这样一条规则，即作为拥有一台电脑和上网使用 Facebook 的交换条件，父母有权访问他们孩子的个人主页。这些父母们经常为他们在网上的发现感到忧虑。

Facebook 应该鼓励用户披露多少个人信息？有关这个话题的讨论一直贯穿了公司的整个发展历程。"从创建第一天起，我们的使命就是让社会更加公开。"市场部的戴夫·莫林这样说，他是扎克伯格核心圈子的成员之一，"这就是 Facebook 的全部意义所在，不是吗？我们帮助人们更公开地交流更多的信息。我认为他们始终都无需考虑他们实际上是谁这个问题。"但是 Facebook 的首席运营官，现年 39 岁的谢丽·桑德伯格的看法却有一点不同，她说："马克确实极为相信透明化，相信一个公开的社会和世界，他在把人们朝那个方向推动。不过我认为他也知道实现那个目的的方法就是给予人们精细控制和舒适感。他希望你能够更加公开，而他也是那种乐于帮助你走到那一步的人。所以对他来说，这更多的是一种实现目的的手段。至于我的看法，我不是那么肯定。"桑德伯格比扎克伯格年长 14 岁，认为如果有人不希望让他们的生活透明化，也不是什么坏事情。

Facebook 也具备一个独一无二的能力，能够帮助用户控制自己信息的流动。但这个能力只有在满足了 Facebook 的严格要求、用户使用真名的情况下才能生效。如果你对于人们在 Facebook 上的真实身份不是很确定，你就不能够通过成为他们的朋友来有选择地允许他们访问你的数据。通过把人们放入不同的小组（朋友列表），你可以限制或扩大他们查看你的相关信息的范围，同样也可以调整你看到他们信息的内容。这些小组列表——工作、家庭、大学朋友或无论什么，能够让你向一组人而不是另一组人发送信息。然而，根据 Facebook 的首席隐私官克里斯·凯利的说法，没有多少用户使用这些隐私控制手段。许多用户觉得它们过于繁琐。

和互联网上的任何其他网站相比，Facebook 至少还有更多的潜在方法让用户控制他们自己的数据。公司的资深架构师亚当·德安杰罗说正由于这些控制手段，Facebook 代表了"一种全新的信息模式"。"Facebook 上的每一个信息片段都受到约束规则的保护，你可以控制谁能看到它，"他说道，"特定的人群能看到特定的信息。"德安杰罗是正确的，在互联网上几乎任何地方都看不到这种程度的"精细"控制，部分是因为只有 Facebook 上才存在着如此海量的关于谁正在做什么的信息吧。

首席执行官本人正越发意识到这些约束手段——Facebook 的隐私控制，必须更醒目和更易于使用。一位同事说扎克伯格先前抱着"自由意志主义式"的清静无为态度来对待信息的控制，但是现在意识到为了说服人们进行更多的分享，他需要改变一下战术，让更多的隐私控制成为可能。"我认为更丰富的隐私控制很重要，"扎克伯格说，"这些控制需要相当简单，因为如果过于复杂，人们就不会使用它们了。"就在本书的写作过程中，Facebook 正酝酿在隐私控制方面进行一场重大的革新，让用户更容易控制谁能看到自己的信息。

在给予 Facebook 用户隐私控制方面，扎克伯格或多或少交上了一点好运。很明显，起初哈佛的用户之所以能够进行大胆的分享，能够大胆地暴露自己，是因为他们清楚也只有其他的哈佛学生——Facebook 上哈佛人际网的成员才能看到这些内容。所以当 Facebook 进化后，人际网络的概念也随之跟着进化。起初所有的用户都被默认归属到一个人际网络——属于一所大学、一所高中、一个工作场所，或一个地理位置。多年以来，我一直是时代集团网络的一员，也是一个纽约人。你可以查看到你的人际网中其他人的信息，他们也可以查看你的新动态，除非你调整了隐私设置来阻止别人那样做。（我就是这样做，在两个人际网中都如此）但是人际网之外的任何其他人都无法看到你的信息，除非你明确地给予他们授权。现在，在一次重大的改版中，区域间的人际网络消失了，那会急剧减少能够看到大部分用户数据的人的数目。如果他们不成为对方"朋友"的话，就看不到对方的数据。

虽然 Facebook 面临着诸多的隐私挑战，但是大多数人似乎对网站的运作方式感到满意。在 2009 年 9 月的一次民意调查中，它在全美最值得信赖的公司排行中名列第十。这份调查由研究机构波耐蒙研究所和验证网站的"电子信任标章中心"（TRUSTe）公司共同进行，对 6 500 位消费者进行了采访。Facebook 的位置排在了苹果、Google 和微软前面。（亿贝排名第一，弗莱森电讯排名第二，而排名第三的则是美国邮政。）

但是，当你走进 Facebook 大楼的时候，会发现扎克伯格这个更为极端的信念的影响力还仅仅停留在表面。那里的一些人在谈起这个概念时或者用"终极透明度"，或者用"极端透明度"的称谓。由于这个世界不管如何都可能会越发公开透明，人们也不妨习惯于此。不过争论还是会继续，所有事情都还有待验证。

个人信息最公开透明的地方就是 Facebook 的相册功能。这里是最难以限制你的信息被披露的地方，你控制不了别人发布有关你的照片。虽然你确实有权删除一张照片上有关你名字的标记，以此来阻止信息在你的朋友列表中传播，但一般说来等到你删除一个标记的时候，带着此标记的新闻已经通过 Facebook 的动态新闻或动态消息被传播了出去。（同时任何用户都能调整 Facebook 的隐私设置，让标记对他们无效）默认设置下的相册是公开的，所有人都能访问，除非你精心调整了自己的隐私控制，不过大多数用户并没有这样做。

多年来，许多用户都希望 Facebook 能够移除那些让他们反感的曝光他们的照片功能，那些照片通常都是别人拍摄然后上传到他们自己的相册上。不过，公司在这件事情上所遵循的策略一贯坚定，那就是你有权删除标记，但无权删除照片。照片属于拍摄者所有。从我的观点看来，Facebook 一直不让用户在他们的名字作为标记被添加进一幅照片和传播给朋友之前先得到他们的首肯，这种做法是不对的。

极端透明度的支持者们辩称，尽管 Facebook 也许让人们更加容易找到关于你的照片，但是互联网上还存在着其他许许多多的站点让拍照人上传那些照片。所以，如果不曾发生过任何事情，那 Facebook 也不会促进任何事情。他们指出，即使没有我们的参与，也会有无数其他种公布信息的方式。比如说，带摄像头的手机无所不在，任何人，在任何地点，都能轻易地拍下你的照片，然后立即把它公之于众。

"马克的观点是，Facebook 最好不要徒劳地抵制世界发展的潮流，否则它就会被市场所淘汰。"说起话来轻声细语却热情洋溢的亚当·德安杰罗说道，他对此抱有相同的看法。他俩早在 2001 年，还在艾斯特高中时就已经在讨论这样的话题了。"信息的流动正在加快，"他继续说，"越来越多的人已经意识到其他所有人的感觉和思考。一个现实的后果是，人们不再能够像过去那样剥离他们的身份。（也就是，把它分成几个隔绝的部分）我不认为这是一个道德问题还是什么，这仅仅只是科技进步以后，世界未来的样子。不管 Facebook 怎样做，都改变不了这个大趋势。"甚至谢丽·桑德伯格也颇有点引以为豪的样子，她说："你不能在 Facebook 上不表现出你真实的自我。"

Facebook 里极端透明度派的成员，包括扎克伯格，都相信更彻底的透明度能让我们成就更美好的人生。比方说，一些人声称，由于 Facebook 的存在，今天的年轻一代更难以欺骗他们的男友或女友了；他们还声称，更彻底的透明度也塑造了一个更宽容的社会，在这里人们最终接受了每个人都偶尔会做出错事和傻事的现实。

2006 年 9 月份，动态新闻的上线是这个透明化不可避免假说的反映。这个功能对你的所有行为表现都一视同仁——有效精简了你的所有身份，它不管什么内容都一股脑儿地放到了同样的信息流里。反动态新闻的抗议浪潮在引入一些隐私控制后迅速地消散得无影无踪，这个事实增强了 Facebook 里许多人的信念，他们觉得尽管人们会在起初对自身信息的自由流动感到不适应，不过很快就会意识到它的好处。

那些在 Facebook 上说出自己的想法和展现自我的人有时甚至会认为自己在发起一系列的小战役，为公开和透明而战，其中的一些纷争在成年人封闭的胸襟里投射进了一缕阳光。金伯利·斯旺（Kimberley Swann），16 岁，生活在英国的埃塞克斯郡，她在一家营销公司里得到了一个办公室主管的新职位。把一些同事加为了 Facebook 好友几周后，她在 Facebook 上留言说这份工作无聊透顶。有好事者就把这条留言发给了她的老板，后者立刻就把她开除了。"我甚至没有提到公司的名字。"斯旺在接受《每日电讯》报的采访时说。BBC 电视台在谈到这件被广泛报道的新闻事件时，引用了一位工会官员的话："有些人是在无事生非，什么事情都要插一脚。大多数雇主甚至做梦都不会想到在下班后尾随他们的员工到酒吧，去看看他们在和朋友们谈天说地时会不会对工作发表意见。"

一些高中生已经采取了行动，走上法庭来捍卫他们在 Facebook 上的自由言论的权利。凯瑟琳·埃文斯（Katherine Evans），佛罗里达的彭布洛克派因斯特许高中的一位高中生，创建了一个 Facebook 小组，抱怨她跳级课程中的英语教师是"我所遇见过的水平最差的老师"。校长得知了有这么一个小组的存在后，罚她停课三天作为惩罚。结果她一纸诉状把校长告到了联邦法庭，宣称校长侵犯了她受宪法第一修正案所保护的言论自由的权利。

一些年纪轻轻的人——不经意间在响应扎克伯格，宣布在 Facebook 上表现自己的浪子形象不是一个问题，因为当他们长大后，关于不检点行为的标准必然会被放宽。哦，很明显他们是在拿自己的声誉开玩笑，不过 Facebook 甚至整个社会都在不容置疑地朝自我揭露的方向转变的事实给了这种观点一些可信度。前总统比尔·克林顿的那句说他曾经抽过大麻但"没有吸进去"的话让他饱受非议；而 15 年过后，当总统巴拉克·奥巴马在他的自传里公开承认曾吸过可卡因

时，今天几乎没人在乎这档子事情了。

人们总是希望既能够毫无保留地分享自己的信息，又能够得到保护，避免无意中披露的内容让他们蒙羞，这种想法可以让人理解。不过鱼与熊掌不可兼得，原因则深深地蕴含在人们使用 Facebook 的动机中。詹姆斯·格里默尔曼（James Grimmelman）是纽约法学院的一位助理教授，他在 2009 年发表了一篇文章，对这个进退两难的困局做了解释。文章的题目是"拯救 Facebook"，文中写道："（Facebook）有着严重的隐私问题和一个令人赞叹的全面的隐私保护架构……Facebook 中的大部分隐私问题都是……人们热衷于使用 Facebook 的自然结果。"他同时写道："在可靠的控制个人信息的愿望与不经意间的社会沟通之间很可能存在着不可协调的矛盾。"

格里默尔曼的中心论点之一是，Facebook 上发生的隐私侵犯常常不是由于公司的行为所导致，而是由于被用户接受为朋友的人们所造成的。举例来说，在多所大学里，运动员们如今正寻求避免让教练在 Facebook 相册上发现他们饮酒和其他违反校纪校规的行为。为了防止被人拍照和上传到 Facebook，如今的一些大学聚会禁止携带手机和摄像机入场。有些聚会甚至设有被孩子们称为"射击室"的房间，里面一片漆黑，所以没人能拍下任何饮酒和吸毒的照片。担心他们形象的运动员和其他学生也学会了在不良聚会后立即上网在 Facebook 上搜寻照片，找到有他们标记的相关照片，然后要做的当然就是删除标记。不过那些照片能够被上传和被标记上你名字的唯一途径就是经你"朋友"之手实现。格里默尔曼把这种事情称为"对等隐私侵犯"。

由于我们使用真名上 Facebook，所以就能够为自己说出的话负责。过去互联网上的许多人以假名为掩护，可以恣意发表一些可憎、粗鲁或仇恨的言辞，不过如今这样做则越发困难了。在纽约的哈里森镇，一位警探在 2009 年被降职并退休，原因是他在 Facebook 上说奥巴马的当选总统将意味着"玫瑰园会变成一个西瓜园"。从这个意义上来说，透明化和精确身份是文明的象征。

Facebook 的精确身份文化自然不是万无一失。许多人抱着娱乐的目的编造了虚假身份，比方说，Facebook 上随时都有数打海伍德·雅布洛米（Haywood Jablomie），但是这些冒牌家伙通常一眼就能看出。我们的身份可以由我们在 Facebook 上的好友来验证，而海伍德通常只有寥寥几位或根本没有朋友。不过有些冒牌家伙则较难以辨识。赛门铁克安全软件公司在 2008 年进行过一次实验，

174

设计了一位诱人的年轻女孩，假想了她在硅谷的一家高中就读。仅仅过了几个钟头，那所高中就有许多男孩向她发出了好友请求，据推测是因为他们想和她约会。在这种情况下，也可能会出现可悲的事件，比如说，不良中年男性会假扮成诱人的年轻女性，来引诱男孩向他发送他们的裸体照片。

Facebook 模式也不适用于名人身上。微软主席比尔·盖茨在 2008 年早期就关闭了他在 Facebook 上的个人主页。理由有两点，其中之一就是他每天都会收到好几万条好友请求——他的手下纵使有三头六臂也处理不了。不过在 Facebook 上还有其他五个假冒的"比尔·盖茨"，他们中的每一个都有无数的"朋友"。

那些名字起的比较搞怪的人在 Facebook 上也碰到了另一个麻烦，Facebook 常常会阻止他们在上面建立自己的个人主页。一位澳大利亚的妇女名叫埃尔莫（Elmo 基普），芳龄 27 岁，起先就被 Facebook 拒绝注册，直到她向 Facebook 公司发去她的护照和驾照复印件才解决此事。现年 52 岁的 V·艾德曼（V Adman），住在加州的科斯塔梅萨，在注册的时候被 Facebook 的后台软件拒绝，为此他和 Facebook 的客服有过一段长长的争论，说服他们相信他的法定名就是一个字母"V"。其他也遇到过麻烦的名字包括日本作家伊田裕子（Hiroko Yoda），新西兰的罗伊纳·盖伊（Rowena Gay），还有那些名字中包含"河狸"（Beaver）、"果酱"（Jelly）、"啤酒"（Beer），还有"鸭子"（Duck）的人。甚至连卡特丽娜·菲克（Caterina Fake），国际图片网站之王 Flickr 的著名联合创始人，在起初也加入不了 Facebook。（直到 2009 年末之前，Facebook 修补这些误会的流程都有着严重的不足，后来他们采用了一个更加正式的申诉政策。）

绝大多数用户还是精确定义了自己的身份，这给了 Facebook 一些独特的和具备实际意义的能力。在威尔士的卡迪夫，有一个人在 Facebook 上找到了已失散 35 年的同父异母的兄弟，而他仅仅只是搜了一下他的名字。在 Facebook 的纪元里，像这样的家庭重聚正在变得越来越普遍。

许多人如今已经不再常规地相互交换电子邮件地址和手机号码了，他们仅仅在 Facebook 上相互查找对方的名字，这一简单的目录功能就成了 Facebook 的最不容置疑的优点之一。那些不上 Facebook 的人正在一些团体当中被朋友们视为难以接触和结识，而在像丹麦这样几乎人人都用 Facebook 的国度里，这种情况甚至更为普遍。

是不是存在这种风险，一旦我们的一面在 Facebook 上被揭露了出来，我们就永远没有办法再摆脱这个形象了？我们会不会总是以一些朋友相册中的一幅戴着滑稽帽子的醉酒浪子形象被永远地铭刻在了人们心里？当像我这样的人随着年龄的增长拥有更多判断力和阅历的时候，人们对我的固有的看法是不是很难再发生改变了？考虑到在不久的将来对不忠的道德底线很有可能被放宽，这很难让人感到欣慰。在古代，人们可以通过移动到新的城镇重新开始新生活，以此来躲避人们对于他们的某些负面印象，然而在将来就没有这样做的可能了吗？

在 Facebook 上谨慎暴露你的信息是有道理的。我本人就遵从简单的"头版"原则。我对于把自己生活中的很大一部分内容暴露在众目睽睽之下感到很开心，所以我在个人主页上留下了详尽准确的信息，也积极与别人交流。但是我绝对不会尝试把任何有可能出现在当地报纸头版头条上的内容发布在上面，我不想被"震惊"。

在为公开和透明而奋斗的过程中，扎克伯格得到了一个出人意料的盟友——本·帕尔，西北大学的学生，"学生反对 Facebook 动态新闻"小组的发起人。这个小组曾经催生了 Facebook 史上最严重的隐私危机。2008 年 9 月，已是一位高科技撰稿人的帕尔实际上已经放弃了他原先的观点。"过去的两年发生了翻天覆地的变化，"他在一篇文章中写道，"我们对于向众人分享我们的生活和想法感到越来越自在，不管是向亲密朋友还是陌生人。新技术的发展和扎克伯格的'捣乱'导致了这样的变化……动态新闻真正引发了一场革命，值得我们驻足欣赏。隐私并没有消失，只不过变得更易于控制了——我可以控制想要分享的内容，我能够和所有人分享我的信息，而我想要保密的内容依然留在我的脑海里。"

第 11 章
做成第二个微软

在 Facebook 的早期，马克·扎克伯格就有一种特殊的痴情。2004 年 5 月的一个夜晚，当扎克伯格与早年的合作伙伴肖恩·帕克在那家时尚的翠贝卡餐厅相遇时，他们进行了一次奇妙的交流。在帕克眼里，扎克伯格一直在试图脱离主题，反复谈到他如何想把 Facebook 转变为一个开发平台。他的意思是，他希望把他的新生服务转变为一个公共场所，让其他人能够在上面发布软件。这颇有点像微软的视窗和苹果的 MAC 操作系统，都是为他人开发应用程序而搭建的平台。但是帕克争辩说当时考虑那样的问题还为时过早。

创业邦的凯文·埃法西也有同样的回忆。2005 年春末，在创业邦对公司进行了投资之后，在他与扎克伯格的最初几次碰面里，这位年轻的首席执行官请他帮一个忙。

"凯文，我需要找到一个人帮助规划我的平台战略。"

"嗯，什么？也许将来有一天我们有可能会变为一个开发平台，"埃法西的回答颇为踌躇，"现在我们仅仅是一个只有六个人的小公司……我的意思是，我想我认识一个在 BEA（一家著名的企业基础架构软件公司）干的家伙，他做过一些有趣的平台开发工作……"

扎克伯格打断了他："BEA？我更多是在考虑像比尔·盖茨那样的。你能帮我联系到比尔·盖茨吗？"

"呃，这个……我就不清楚了。也许吉姆·布雷耶能够办到……"

一个星期过后，埃法西再次来到了扎克伯格的办公室。"嗨，"扎克伯格说，"我和他谈过了。"

"和谁谈过？"

"比尔·盖茨！"

当时年仅 21 岁的扎克伯格，发现了他的新朋友丹·格雷厄姆和比尔·盖茨是朋友，遂利用他的关系安排了一次会面。在 Facebook 创始之初，扎克伯格就在尝试着设想他的小服务会如何不再只是互联网上的一个终点，不只是一个为人们互相交流提供的场所。

每一家卓越的高科技公司都经历过一两次关键的转变时期，缘于其创建者们发现他们创造出了一个不一样的东西，远远超过他们起初的设想。在比尔·盖茨崛起的早年，当他还在和合作伙伴保罗·艾伦（Paul Allen）为小型电脑硬件公司定做软件时，他就意识到了软件应该成为一个独立的行业；以后他又做出了第二次划时代的创举，那就是整个电脑都能够被构建在一个操作系统上，于是微软就成了有史以来最赚钱的公司。一天晚上，雅虎的创始人杨致远（Jerry Yang）和大卫·费罗（David Filo）突发奇想，发现当时的互联网上竟然还没有一张联结网络的地图，而如果他们提供收集网络用户详细市场研究资料服务的话，那也称得上史无前例了；然而它却转变为了第一家有广告支持的大型网络媒体公司。当 Google 的创始人谢尔盖·布林（Sergei Brin）和拉里·佩奇发现他们不仅能够将用户的搜索导向到某网站，还能够将它们导向到一个独立的广告数据库时，这家公司就来了个一百八十度的大转弯，互联网上迄今为止最强劲的商业模式也因此诞生。

扎克伯格的第一次"Eureka 时刻"就发生在当他和莫斯科维茨意识到他们的服务能够走出校园时，而对相册应用带来的惊人的成功思考则催生了公司的第二次脱胎换骨。很明显，有一些特别的事情发生在了相册应用上。"我们的图片站点缺乏任何其他类似站点的一些功能特色，"扎克伯格在 2007 年 5 月对我说，"我们不存储高分辨率照片；打印功能可以说是一塌糊涂；而且直到最近你甚至连改变相册中照片的顺序都做不到。可是不知道为什么，到目前为止，我们的这个应用成了互联网上流量最大的照片站点。"类似的情况也发生在了另一个应用程序里。Facebook 的软件工程师们匆匆拼凑了一个让用户能够在活动中邀请他们朋友的功能，结果这个应用程序甚至得到了比 Evite 网还要多的使用率，而后者多年来一直是所有以邀请为主打网站里的佼佼者。

"为什么照片和活动功能这么受欢迎？"他经过沉思后得出了结论，"是因为尽管它们还有着种种不足，却有一点是其他人没能做到的，那就是与社群地图整合在了一起。"这是 Facebook 自身在理念上的突破，而扎克伯格也对自己用来描述这个含义的术语（社群地图）颇感自豪。"我们进行了一番思考，决定把Facebook 的核心价值定位在勾勒出朋友与朋友之间的关系上，"他继续对我说，"我们所谓的社群地图，在数学意义上就是一系列的节点和路径。节点就是个人，而路径就是朋友关系。"他开始显得有些信心爆棚，在当时似乎很有些夸大其词的味道："我们拥有整整一个世代里最具威力的信息传播机制。"扎克伯格毫不谦虚地解释说，同样的力量可以被应用到任何场合，不仅仅是照片和活动功能中。他的确定口气听起来有些刺耳。

他所说的"传播"又是什么意思？当你在 Facebook 上和你的朋友建立了联系，你们就聚合而成了一个网络，即所谓的社群地图，而这个网络可以被用来传播任何类型的信息。如果你上传了一张照片，网络就会通知你的朋友。同样的事情也会发生在当你改变了自己的婚姻状态，或宣布你会去墨西哥度周末时。网络也可以利用任何软件把你的所有活动告诉给你的朋友们，只要能够连接到你的社群地图就行。到那时为止，仅有的利用这项传播能力的应用软件就是照片和活动功能，还有 Facebook 自己设计出来的一些其他功能。

大多数软件公司，如果他们觉得自己有能力创造出独特而强大的应用软件，那么通常就会竭尽所能地发挥自己的创造能力，也许会在他们的社群地图上面添加购物功能、游戏功能或商业功能。然而 Facebook 却反其道而行之，至少在一段时期内，完全停止了继续开发应用程序。2006 年秋季，扎克伯格再接再厉，开始意识到是时候把 Facebook 搭建成一个其他人在上面构筑应用程序的软件开发平台了。他想在互联网领域做的事情就好比比尔·盖茨在个人电脑领域所做的事情——搭建一个标准的软件基础架构，让应用程序的设计更为方便，而今天的应用程序则融入了社会要素。"我们希望把 Facebook 设计成某种操作系统，你可以在上面运行各种各样的程序。"他向我解释说。

我在 2007 年 5 月和首席运营官范·纳塔也有过一次谈话，他以自己的方式描述了 Facebook 在这方面的潜力："如果把今天的互联网想象成一个镜头，那在镜头之下的，就是你所熟悉和信任的拥有自己独立想法的个人，这就是我们会让一个平台具备的能力。当透过镜头就能看到整个世界时，还有什么能比那个镜头更有潜在价值呢？"

扎克伯格几乎是从刚一触摸到键盘起，就一直在构思一个平台。他少年时期，通过为美国在线编写功能代码学会了编程。美国在线是当时占统治地位的在线服务，而不管当时它的领导层作何想法，一个黑客社区——也有扎克伯格的份，硬生生地把美国在线转变为了一个软件开发平台。后来，他在菲利普埃克塞特高中读三年级时，和亚当·德安杰罗合作编成了一个听 MP3（音频文件）用的软件，名叫"Synapse"。"Synapse"流行了开来，部分是由于它允许其他程序爱好者设计能够提供额外功能的辅助程序，这些程序被称为插件。"Synapse"其实就是一个迷你平台。而当扎克伯格在 Facebook 早期放弃了让他痴迷和珍爱无比的文件分享功能 Wirehog 时，他就在把 Facebook 设想成一个平台。实际上，如果简单地说，Wirehog 是第一个运行在 Facebook 上面的应用程序。

成为一个让其他应用程序在上面运行的软件平台，是软件技术一行最为光荣的终极目标之一。微软把它的视窗软件置于了个人电脑操作系统平台中的垄断地位，从而主宰了软件技术工业长达 20 年之久。任何希望为个人电脑设计应用软件的人都不得不使用视窗操作系统。（也正是比尔·盖茨在事实上大众化了"平台"这个术语。）

创造一个软件开发平台可让一家软件公司成为其伙伴生态系统中的结合点，成为其中不可或缺的一环，所有参与者都需要依赖于它的产品。而一旦一家公司处于整个生态系统的中心地位时，竞争对手再想要挤走它就变得异常困难了。苹果公司不仅依靠它的 MAC 操作系统巧妙地实现了这一点，而且它还再度获得了成功，一开始是靠"iPod"，如今则是凭借如日中天的"iPhone"。

通过成为一个平台，Facebook 也能够为自身卸下一些负担，而不用再面面俱到了。在用户感兴趣的各个领域，Facebook 从来都没能设计出最好的应用软件。比方说，投入更多资源研发聊天系统的公司，会持续在这方面超越 Facebook。我最近问了我 17 岁的女儿克拉拉，问她是不是使用 Facebook 的聊天工具，这是在 2008 年中期被增加的一个雄心勃勃的服务。她回答说不，她依然喜欢使用美国在线的王牌即时通信软件"AIM"和苹果的"iChat"。（许多美国的未成年孩子都会给出同样的答案，不管他们多么迷恋 Facebook）"Facebook 的聊天工具用起来感觉就像在用莫拉莱斯码。"她向我解释。它的功能不够，使用也不方便。

扎克伯格决定 Facebook 所做的独一无二的事情就是维护你的个人主页和人际网络。而最终，几乎所有其他服务都会由别的软件开发公司来提供。

Facebook 在 2006 年 8 月跨出了向平台转变的第一步。整个世界几乎没有关注，因为当时的轰动新闻是新闻动态事件。程序员戴夫·费特曼突击编写了一个被称为 Facebook 应用程序接口（API）的软件，或者可以称为应用程序界面。它让用户能够用他们的 Facebook 用户名和密码登录其他网站，如此，合作站点就能够得到他们的数据，包括他们的朋友列表。Facebook 里的一些人——大多数是年长的管理层，反对这种让用户数据脱离 Facebook 掌控范围的方式。他们认为公司在把有价值的东西送给别人，而自身却得不到任何回报，但扎克伯格力推这个项目的通过。为了证明这个应用程序接口，Facebook 还建立了它自己的外部站点，名字叫"Facebank"，后来被重新命名为"Moochspot"，用来跟踪朋友之间的小额债务。

虽然有数千名开发者鼓捣过这个工具，但是真正用它的人并不是很多，也几乎没有 Facebook 用户使用。反而，这个应用程序接口曾一度被软件行业的一些多疑人士齐声讨伐过，从而导致声名狼藉。当时有一系列的博客发文指责 Facebook 使用这个工具把用户的信息泄露给了中央情报局。拷问的逻辑是这样的：Facebook 的投资者，创业邦的吉姆·布雷耶曾经在美国风险投资协会的董事会与吉尔曼·路易（Gilman Louie）一起共事，而以后者为首的一个名叫"英丘泰尔"（In-Q-Tel）的风险投资公司在为中情局服务的一些新兴公司中有投资，这些公司的目的是帮助中情局跟上最新科技的发展。阴谋理论家们的言下之意是创业邦也和中情局有一腿。他们也添油加醋地对 Facebook 的投资人彼得·泰尔是"激进保守主义"团体一员的事实进行了大肆渲染。

这个应用程序接口的真正问题在于，它没有给外部的应用程序合作伙伴带来多少便利，因为它并没有包含扎克伯格所自夸的"传播"功能，它也没有彻底利用社群地图的优势。你的确可以把你的朋友列表导出 Facebook，然而你没办法向他们发送信息。你和你的朋友的确能够在"Moochspot"上跟踪债务的动态，然而它却不能把任何信息回馈到你的个人主页上。

不过随后 Facebook 取得了动态新闻的胜利，这一功能让你的朋友能够方便地得知你在 Facebook 上的活动——包括你在个人主页上安装了哪些应用程序。也唯有当动态新闻出现后，Facebook 才得以真正转变为一个成功的软件开发平台。开放注册也有助于奠定平台的基础。如果应用程序能拥有广大的用户群，能让各种各样的人来使用，那软件开发者显然也会更乐于为 Facebook 编写程序。

动态新闻骚动甫一平息，公司的重心就转向了平台的搭建。亚当·德安杰罗和先前在哈佛计算机科学系担当教学助理的查理·奇弗一起编写了相当多的核心代码。戴夫·莫林得到了"平台营销"的工作——和潜在的软件开发商合作。（他先前在苹果工作时就已经是一位充满幻想的 Facebook 党了，曾徒劳地试图把 Facebook 内置在苹果的麦塔金操作系统里）莫林和程序员戴夫·费特曼考察了那些成功搭建软件平台的公司，包括了易趣、苹果，还有"Salesforce"公司。

但是尽管外面的世界有着种种现成的成功模式，开发团队依然在一直重提原先的一个内部参考点。"我们一直在把相册应用作为模板，"莫林说道，"我们一直在以这个应用为榜样，一直在问'我们如何才能够让所有的应用程序都做到像相册应用那样成功？'"每个人的个人主页上都有一个相册标签，点击这个标签就会把用户带向一个看上去像一个网站的新页面。当你上传了一张照片，这个消息除了会在动态新闻里向你的有关朋友发布之外，还会在你个人主页上的迷你动态中更新。开发团队于是决定允许外部的开发者以相似的方式在个人主页上增加标签，在 Facebook 里构建内置页面。用户在任何应用程序上的活动，自然地也会产生动态新闻消息。

对这个逻辑再深入一步思考，他们得出了一个原则，即 Facebook 不应该在它自己设计的应用程序里做任何外部开发者做不到的事情。这应该是一个公平竞争的舞台，扎克伯格在 2007 年这样解释，他说："我们希望搭建一个不倾向于我们自己的应用程序的生态系统。"这个政策被执行得相当彻底，以至于连 Facebook 自己相册应用里的一些功能都被移除了，因为外部开发者没有权限实现这些功能。

公司把非凡的自由度延伸到了它的新合作方身上。令人称奇的是，它居然打算让开发者用他们自己的应用程序赚钱，却不会因为利用了 Facebook 平台而向他们收取任何费用。"人们可以自由地在这个平台上做开发，"大约就在平台亮相的时候，扎克伯格这样说道，"而且可以做任何他们想做的事情。他们可以在 Facebook 里创业，可以贴广告，可以有赞助商，可以做买卖，也可以链接到另一个网站。在这方面，我们是不可知论者。将会出现这样的公司，它们的唯一产品就是嵌在 Facebook 里的软件应用。"

　　但这样做会不会让 Facebook 赚更多的钱呢？那不是一个优先考虑的问题。"只要这个平台能够增强我们的市场地位，我们就不会强迫自己去问该如何快速利用这个平台赚钱，"他当时这样说，"我们会在以后再来解决这个问题。"

　　这是扎克伯格的理解。不过他的一些同事——尤其是负责为网站卖广告的，则勃然大怒。为什么它的应用程序开发合作伙伴们会被允许在卖广告方面和 Facebook 自身竞争呢？公司开了许多愤怒的会议，但是任凭同僚们如何宣泄他们的怒火，扎克伯格就是不为所动。应用程序上的活动，他争辩到，会让 Facebook 产生更多的互动，由此会带来更多的点击率，而且即便在应用程序的页面上，Facebook 也会为它自己卖的广告保留广告位。扎克伯格也拥护企业进化论。他说他希望外部的应用程序能够帮助 Facebook 保持诚信，并迫使它不断地改善自身的应用来成功地与之相竞争。

　　当时我和扎克伯格有过一次会谈，地点就在他私人的僻静处。那是一间纯白色的会议室，布置着来自 DWR 工作室的中世纪风味的现代家具，这家工作室就位于大学街再往下几个街区。会议室的摆设十分简约，中间是一张白色沙里宁长桌，金属制桌腿相当精致，长桌周围围着一圈白色埃姆斯椅，四周的透明玻璃墙上挂着白色丝质窗帘和白色百叶窗，地上是灰色的地毯和沙发，此外还有一张黑色的大豆袋椅。员工们戏谑地称这间办公室是"审讯室"，既由于扎克伯格探究式的提问方式，也由于房间装饰的朴素让人联想到了监狱里的牢房。我和扎克伯格在那里碰面的时候，那一天正是他 23 岁的生日。他光着脚板，胡子拉碴，穿着一件印着 A&W 乐啤露的 T 恤和一条蓝色牛仔裤。在房间的一角放着一盒未拆封的变形金刚玩具。扎克伯格当时正在四周玻璃墙壁上挂着的白板上画着图表，他画到某个地方，由于一时找不到白板擦，就干脆从地上拾起一顶针织帽来当白板擦用了。

　　4 月份，扎克伯格出席了新闻集团总裁峰会，发表了一次演讲，地点在圆石滩的度假村，帕洛阿尔托以南两小时远的地方。鲁伯特·默多克最近刚刚向外界宣布了一些事情，暗示他在怀疑自己是否收购了错误的社交网络。在大会的晚宴上，扎克伯格和默多克故意凑在了一块，而 MySpace 的总裁克里斯·沃尔夫则很紧张地坐在旁边的一张桌子上。过了许久，扎克伯格才终于站了起来，宣布说他要提前离开去接他的女朋友看电影。"在他走后，MySpace 的家伙们忙不迭地冲到了鲁伯特身边，"同样出席晚宴的博主兼作家杰夫·贾维斯（Jeff Jarvis）说，"这就好像在说'老爹！看我！'"

随着平台启动的日子临近，扎克伯格对这个平台旨在超越 MySpace 的用意也越发无所顾忌，虽然在当时后者依然称雄美国的社交网络。MySpace 最近刚刚裁定了它上面三分之一的应用程序不能再在上面运作，还甚至以怀疑兜售广告为由关闭了其中的一个应用程序。"我们不过有着另一种哲学观和世界观而已，"扎克伯格解释道，"我们是一家软件技术公司，而 MySpace 是一家媒体公司，他们认为他们的工作是掌握和传播内容。"

为了让平台能够顺利启动，Facebook 亟需在开发者群体中提升自己的地位。戴夫·莫林负责平台的营销工作，他和马特·科勒走遍了全球，到处走访新兴的网络公司和大型传媒公司，寻求机会说服他们为 Facebook 编写软件。Facebook 筹划在 2007 年 5 月 24 号在旧金山的一个大型会堂里举办一场声势浩大的平台启动活动。Facebook 把它称为"F8 开发者大会"，这个名字巧妙地意喻着成为一个平台是 Facebook 的"命运"。扎克伯格甚至从他的蜗居里现身，来争取向我这样的记者的提前注意。他邀请我深入公司内部，为公司写一篇准备 F8 大会的独家新闻。就在 F8 大会的开幕时分，我在《财富》杂志和网络上发表了这篇文章，题目为"Facebook 企图勾住全世界"。

Facebook 聘请了一位名叫迈克尔·克里斯特曼（Michael Christman）的资深活动企划来负责 F8 大会的组织工作。他第一次到访 Facebook 的办公室，就陷入了一次冗长的会议。他们在一个大会议室开会，他就坐在门首。会议室里挂着一个纯平电视，还有一个任天堂的 Wii 游戏机。他们正开着会，突然会议室的门被推开了，不慎撞到了克里斯特曼的椅背。两个年轻人在门后出现，不过在意识到这个房间有人使用时就走开了。几分钟过后，他们再度闯了进来，也许是希望会议已经结束，而且又再次不幸地撞到了他的椅子。他们想要玩任天堂。当这两个小伙子第三次出现的时候，克里斯特曼转过身来严厉地说："孩子们，你们想要玩 Wii 可以，但别再撞我的椅子了。"就在此时，梅根·马克思（Meagan Marks），一位负责 F8 的 Facebook 员工开了口："迈克尔，这也许是一个好机会，请允许我来介绍一下，门边这位就是我们的首席执行官，马克·扎克伯格。"

F8 大会来临前的日子是近乎狂热的兴奋和惶恐，创造历史的感觉点燃了员工们的激情。涂鸦潦草的 Facebook 大厅里到处都充斥着奇特的标语："我们将要改变整个互联网！""我们在让互联网社交化！""我们终于要把人们放上互联网！""我们正在网上创造着真正的经济！"苹果的老员工戴夫·莫林回忆起某天晚上在凌晨 4 点，在经过了一阵特别紧张的企划会和构思后，他驱车回家的情景，"这就好像是在设计第一台 MAC 电脑那样。"为了筹备新版的 Facebook，莫林当时正在阅读《论美国的民主》(Democracy in America) 一书，由亚历克里·托克维尔 (Alexis de Tocqueville) 所著。这是一本 19 世纪阐述美国政治体制和经济运作的经典著作，与亚当·斯密的《国富论》齐名。有节制的野心从来都不是 Facebook 成功领袖们的特征。

这是一场编程马拉松。亚当·德安杰罗和他的开发团队在平台搭建期间每周工作 7 天，连续工作了超过 3 个月。就在 F8 大会举办的前一晚，他们几乎已经准备完毕，但还有一点瑕疵。一个核心小组涌入了旧金山 W 酒店的一间会议室里做最后的修补工作。其中多数人已经数夜未眠，但是软件平台的一个关键部分依然不能正常运作。

当时有一些程序员在服用一种叫"亲视觉"的警觉性药物来帮助他们熬夜，他们有点处于一种半狂乱状态，甚至开玩笑说他们应该把"亲视觉"和可卡因混在一起服用，然后把这种混合物称为"爆破视觉"。幸运的是，他们的编码质量比他们的幽默感要高那么一丁点儿。他们挺过了那晚。就在 F8 大会预计开幕前的数小时，他们轻轻地按下了开关。软件成功运行了起来！不过他们的大脑却几乎无法再运转了。

在 Facebook 之外，除去仅有的一些已经同意提前开发应用程序的合作伙伴之外，几乎没有人知道即将发生的事情。公司成功地保守了 F8 的秘密。硅谷知道的唯一事情就是 Facebook 将举办一场盛大的产品发布会。此前 Facebook 从未举办过类似的活动。上百位记者蜂拥而至，占据了会议大厅前排的位置。似乎加利福尼亚的每一家软件和互联网公司都派出了一位代表，此外还有许多远道而来的公司代表。

在 F8 大会开幕时，整个大厅里 750 位观众都屏息注视着瘦小的扎克伯格，他身穿那套标准的 T 恤衫，套着一件羊毛外套，脚上穿着一双露出脚趾的阿迪达斯橡胶凉鞋。他走上讲台，宣布："携手一起，让我们掀起一场运动吧！"这个口号由旧金山前卫的战略和营销咨询公司亚美斯塔公司设计。

扎克伯格的这次平台演示是迄今为止他所做过的最出色的演示。他苦练了措辞，直到上台前的几分钟，还在不停地修正他的幻灯片。他从未如此紧张过。每个人都在注视着他，甚至他的父母也出现在观众席上。但是最后一分钟的修改也让他付出了代价。当他在台上演示时，幻灯片出现的前后顺序发生了错位，和他的演讲词不同步。他停顿了一下，看上去很迷茫。此时甚至连 Facebook 的员工和管理层都为他捏了一把汗。"呃，这在我的办公室里很正常……"他开了个小玩笑，缓解了紧张的气氛。然后正确的幻灯片出现了，一直到结束都很平稳。

这个开发平台让与会者大为惊讶和敬佩，它让 Facebook 正式超越了 MySpace。没有任何一家消费者网站曾做出过像这样的举动。顷刻间无数轰动性的报道在博客和杂志上涌现出来。

一个稳健的生态系统也一道起步了，超过 40 家公司在大会上演示了他们的应用程序。实力雄厚的微软展示了两个把现有的互联网应用和 Facebook 整合在一起的应用程序。华盛顿邮报（还能有谁？）展示了一个叫"政治指南针"的应用程序，能够把你的政治观点和朋友的进行比较。肖恩·帕克与扎克伯格过去在哈佛同寝室的一个室友乔·格林组成团队，开发了一个名叫"Causes"的应用程序，这个程序可以帮助非营利组织筹集资金。平台启动大会上的另一个大型合作伙伴是"iLike"，这家网站之前就已经搭建了它自己的社交网络，以分享歌曲和音乐典藏而闻名。

F8 大会迅即就转变为了一场长达 8 小时的公开的黑客马拉松，在这里任何开发者都可以和扎克伯格还有 Facebook 的程序员合作，现场开发新的应用软件。（这也是它被称为 F8 的另一个原因所在）。免费的红牛被大量地提供给这群"恐怖分子们"。大会在晚上 12 点散场，但是对 Facebook 的员工来说，这一夜尚未结束。

他们再次回到了 W 酒店继续干活，按他们的话来说这次要"让平台动起来"，意思是把这个平台上线。员工们四散在整个会议室里，做着各种各样必要的工作，而达斯汀·莫斯科维茨和戴夫·莫林则坐在一张沙发上用他们的笔记本通过酒店的无线网络到处游说。在平台终于运作起来的时候，他们也都累得趴下了，当然在倒头大睡之前他们还不忘举办了一个小小的庆祝派对。

当戴夫·莫林第二天睡眼惺忪地醒来时，他发现手机里塞满了一长串求救的短信。"我们的流量太大了，服务器承受不了了，我们该怎么办！"一位"iLike"的高管向莫林求救，"你能帮忙弄到更多的服务器吗？"显然，前一天启动的所有应用程序都因大量涌入的用户而面临着服务器瘫痪的问题。莫林负责开发者合作，所以各家公司都找到了他的头上。为了处理这么大的流量，

"iLike"的管理层特地从西雅图飞过来，租了一辆 U 型重载车，开着它在硅谷里四处乱转，从各种各样的高科技公司那里租借服务器用。到了星期五，就在 F8 大会举办后的第二天，已经有 40 000 名 Facebook 用户安装了"iLike"的应用程序。而两天过后，这个数字飙升到了 400 000。

莫林从负责 Facebook 南旧金山数据中心的公司那里得到了协助。Facebook 自身拥有着一系列被称为"笼子"的数据中心——被封闭在室内隔音罩里的塞满了服务器和网络设备的房子，任何有需要的开发商都可以得到一个相邻的笼子来处理它的流量。而最终 Facebook 与一家更大型的数据中心供应商达成了协议，向应用程序开发合作伙伴开放整个设施，在计算机术语里，这被称为与 Facebook "对等"——意味着在互联网上的电子地形图里，双方就住在对方的隔壁。

业界对 F8 的反应几近疯狂。Facebook 平台的启动和一个月后苹果"iPhone"的上市成了当年 IT 界的热点话题。如今人们再也不可能对这个互联网新贵不屑一顾，把它仅仅看作是大学孩子的玩票作品了。颇有影响力的科技博客站点"TechCrunch"对这个平台的评价是"启发思维"。在 F8 大会之前，扎克伯格和他的团队希望在接下来的一年里，Facebook 上能有 5 000 个应用程序，能有一半的用户安装它们就已经不错了。但是在 F8 之后的短短 6 个月之内，Facebook 上就注册了有 250 000 名开发者，运行着 25 000 个应用程序。

就像扎克伯格先前所预料的那样，Facebook 给了应用程序一个不同寻常的能力来吸引新的用户，这就是被自夸的"传播"能力。动态新闻告诉用户他们的朋友何时安装了新的应用程序，于是即便是最低调的应用程序，仅仅由一个开发者单枪匹马编写出来，没有任何营销预算，也能在一夜之间得到百万名用户，只要它对用户有用。动态新闻正在做它应该做的事情——让你知道你的朋友何时下载了一个应用程序。尽管动态新闻依旧由算法决定，有选择地传播新闻，但 Facebook 对算法做了一点点变动，保证新安装的应用程序会被公布。6 个月后，有一半的 Facebook 用户已经在他们的个人主页上安装了至少一个应用程序。

差不多所有的软件和互联网公司都在一夜之间开始讨论起为 Facebook 设计应用程序的话题来——从业界巨头到还在大学宿舍里的孩子。Facebook 的平台架构让独狼们可以轻易地和微软一样开发应用程序。Facebook 在启动它的平台的同时，关闭了"课程表"（Courses）功能，这是一个能够帮助大学生们跟踪其他班级课程表的应用程序。一个还在新泽西一所高中读书的名叫杰克·贾维斯（Jake Jarvis）的同学，在这里嗅到了机会，迅速编写了一个类似的应用程序。在6个月后当他转手把它卖出去时，按他父亲的话来说，这笔钱"足够支付大学一整年的学费"了。

开发平台给 Facebook 带来了前所未有的地位，它让技术人员和普通用户都感觉到这个服务是他们以前从未预计到的。在硅谷和世界上所有的高科技从业人员眼里，没有自己的 Facebook 主页突然变成了一件跟不上时代的事情。

这个平台也同时改变了 Facebook 的体验。一个新的广阔天地就此出现，有着无限多的可能。如果相册应用的引入让 Facebook 给人的感觉像是一处你愿意花许多时间在上面的地方，那向一个软件平台的转变就开始让人觉得有点像是身处一个网络世界里。Facebook 自身正在成长为一个自给自足的宇宙。

对高中生和大学生来说，他们在很久以前就已经习惯了把大部分的上网时间花在 Facebook 上面，如今各个领域和各个年龄段的人们也开始做同样的事情了。在 F8 大会举办的那天——2007 年 5 月 24 日，Facebook 拥有着 2 400 万活跃用户，每天大约有 15 万人加入。人口统计数据已经开始逐渐分散，当时有500 万用户的年龄在 25～34 岁之间，有 100 万用户的年龄在 35～44 岁之间，有 20 万用户的年龄超过了 65 岁。而在此后的一年里，Facebook 的活跃用户数翻了三倍，超过了 7 000 万人。

在为 F8 大会进行的所有复杂而疯狂的准备过程中，令人吃惊的是扎克伯格和他的团队几乎没有考虑过什么样的应用程序最适合在 Facebook 上运行。就和这家公司以前做过的许多事情一样，这个平台也是由理想所驱使，在一个痴迷长远未来的首席执行官的率领下酝酿而生，颇有点高尚情操的意味。Facebook团队预计具备多功能的通用应用程序会在这个新的生态系统里扮演一个重要的角色。当他们在为 F8 大会做准备，把他们自己开发的相册应用里的特色功能取消时，他们的的确确觉得某个家伙会带来一个更好的相册应用程序，能成功地与他们竞争。他们的理念是，这应该是一个为最优秀的、功能最强的、最精致的应用程序准备的公共场所。2007 年在 F8 之前，我在写新闻报道时，Facebook安排我和公司的一位最亲密的盟友进行了一次谈话，他告诉我："Facebook 正在创造一个机会，让人们能够在 Facebook 里构建像'Adobe'、艺电和英图易等这样的企业。"这些可都是行业巨头。和过去一样，公司一向是心比天高。

　　然而，Facebook 只是其用户集体行动的表征，除此之外它什么都不是。Facebook 上会发生什么完全取决于其用户的兴趣所在，而非由马克·扎克伯格决定 Facebook 应该表现些什么内容。Facebook 的开发平台让马克以一种苦涩的方式领悟了这个道理。

　　的确，新的应用程序发疯似的在 Facebook 上生长出来，但是它们无论如何都谈不上高尚情操。传播最快的应用程序基本上是那些最无聊透顶的。最初有一个热门的应用程序叫做"绒毛朋友"（Fluff Friends），它除了让你用电子方法"养"一只虚拟狗或猫之外，就没有其他用处了，然而这却没有阻止 500 万用户使用它。另一个广受欢迎的应用程序让你能够给朋友们来一个"吸血鬼之咬"（vampire bite）。"食物大战"（Food Fight）让你可以向你的朋友扔食物，它在仅仅几个星期之内就得到了 200 万用户。有一个叫做"涂鸦"（Graffiti）的白痴级应用程序——让你可以在朋友的个人主页上乱涂乱画，居然排名第二。这个应用程序是旧金山的几个年轻家伙在他们的公寓里只花了差不多一个星期的时间编写而成。

　　这些都是千真万确的面向公众的应用程序——它们成功地把网下的现实生活中的行为带入了网上的新世界。而这也恰恰是那种反映了依然占绝大多数的 Facebook 大众——那些未成年人和大学生们嗜好的行为。

　　在 F8 大会之前的几个星期，戴夫·莫林和马克·平卡斯喝过一次咖啡。平卡斯是"部落"（Tribe）网站从前的创始人，六度社交网络专利的共同拥有人，也是 Facebook 早年的投资者。平卡斯兴奋地对莫林说他有一个为新平台开发扑克游戏的创意。"它不会成功，"莫林很干脆地下了断言，"游戏没有传染性。"平卡斯没有被莫林说服，创办了一家名叫"辛加"（Zynga）的游戏公司，在 Facebook 上开发了一个得州扑克游戏，取得了辉煌的成功。扎克伯格本人对会出现如此众多的无聊应用程序感到失望，他希望他的公司能够帮助人们进行一些有意义的交流，而不是更方便人们消磨时间。

　　然后就出现了著名的拼字游戏"Scrabulous"现象。来自印度加尔各答的两兄弟拉吉特（Rajat）和杰恩特·阿加旺拉（Jayant Agarwalla）在 Facebook 上公然仿制了经典的棋类拼字游戏"Scrabble"。只要你高兴，你和许多朋友同时开多局都没关系，只要你方便就能进行下一轮。Facebook 上的这个拼字游戏造成了轰动，《电脑世界》杂志在它的"2008 年百佳网络产品"评选中把这个游戏

189

列在第 15 位，就排在"Craigslist"网站后面，在任天堂的 Wii 前面。（Facebook 本身排名第三）它是 Facebook 第一个货真价实的不是白痴一级的热门应用，在某些天甚至有 34.2 万人同时在玩这个游戏。

"Scrabulous"甚至得到了马克·扎克伯格的注意。他过去从未成功说服过他的爷爷奶奶加入 Facebook，不过现在他们也终于同意了，为的是可以和他在一起玩拼字游戏。从此，他对 Facebook 上面游戏的反感态度也开始出现转变。显而易见，当你在玩拼字游戏时，你就是在和你所关心的人进行沟通。而且毕竟，拼字游戏是一个单词和智力游戏——是那种读哈佛的人玩的游戏。

不过所有这些令人激动的事情都没有给拼字游戏"Scrabble"的版权拥有者留下好印象。就在"Scrabulous"上线不久，在美国和加拿大拥有该游戏版权的孩子宝玩具公司就企图收购这个线上游戏，据报道开价 1 000 万美元。阿加旺拉兄弟拒绝了这个价格，于是孩子宝把他们告上了法庭，游戏也被迫关闭。与此同时，在世界其他地方出售这种拼字游戏的美泰玩具公司，也在 Facebook 上为北美以外的用户开发了它自己的游戏版本。最终孩子宝在 Facebook 上开发了一个合法的北美拼字游戏，而阿加旺拉兄弟则修改了他们的游戏，去掉了一些"Scrabble"痕迹，把游戏重新命名为"Lexulous"。新游戏依然很受欢迎。

平卡斯的得州扑克是下一个迅速流行开来的游戏。在某种意义上来说，莫林是正确的——游戏并不会像某些其他应用程序那样在用户间迅速传染，但是它们却会产生非凡的忠诚——用户一旦开始上手，他们就会经常回来继续玩。辛加公司在以后开发了其他游戏，包括"开心农场"（Farmville）和"黑手党战争"（Mafia Wars），这两个游戏现在都拥有数百万的用户。平卡斯从风投募集资金，大胆进行投资。辛加如今已经成了 Facebook 最大的游戏开发商，有大约 250 名员工和超过 2 亿美元的年收入。而且平卡斯说辛加已经实现了盈亏平衡。到 2009 年 6 月，得州扑克在 Facebook 上有着 1 420 万活跃用户，这使它成了迄今为止互联网上最成功的扑克游戏。不过，辛加开发的另一个叫做开心农场的游戏甚至更加让人印象深刻，在开心农场里，玩家管理和种植他们的农场，照料农作物和喂养动物等。你和邻居进行贸易和加入一个农场主社区，目的是为了建成规模最大和最有生产力的农场。这个游戏大约有 6 500 万的用户，每天大约有 1 400 万用户在玩。

如今游戏已经成了 Facebook 上最为成功的应用程序，吸引的玩家数量让人目瞪口呆。不过这也是有道理的，因为游戏是人类的一项基本社交活动。

Facebook 能够让你在上面和你的任何朋友玩任何游戏。在 Facebook 上，大约有
10 个游戏的用户数超过了"魔兽世界"，魔兽是一个高度复杂的网络游戏，在数
年里统治着在线游戏领域。不过，在 Facebook 上玩游戏是一种更为休闲的娱乐
活动。"上千万的人在玩游戏，而他们并不认为自己是玩家。" 加雷思·戴维斯
（Gareth Davis）说道，他负责监督 Facebook 平台上的游戏部分，他说："人们在
上面玩游戏是因为他们希望和朋友一起玩。"

戴维斯正在和所有的大型家用游戏机制造商洽谈合作，力图把经典的电视
游戏移植到 Facebook 上面，在里面融入社交元素。"在未来三年里，所有的游戏
都会变得社交化，"他预测说，"所有的单一设备——不论是游戏机，还是手机，
或是电视机，都将能够连到 Facebook，并能够获取和分享你的 Facebook 数据。"
有一个网球游戏已经在开发中了，由一个叫"社交游戏网络"的游戏公司所开
发。这个游戏可以让人们在网上玩虚拟网球，通过摇摆"iPhone"来挥拍。这个
游戏和 Facebook 绑定，而他们在 Facebook 上的对手可以是世界上任何地方的任
何人，只要摆动他的"iPhone"就可以了。

在 Facebook 平台的第一年里，游戏和无聊应用程序的人气持续飙升，不
过公司也正在发现管理和维护它的开发商生态系统的治安并非是一件
易事。由于任何人都能够开发一个应用程序，这个平台吸引了相当一群不像扎
克伯格那样理想主义，而是更为务实的，更着眼于赚快钱的票友。

应用程序之间因而发生了竞争，为了争夺用户而不惜一切代价。应用程序
的设计，除了要有趣和有用之外，吸引新的用户也同样重要。这里的关键就在
于如何操纵 Facebook 的后台软件，使消息能够被发送到人们的动态新闻里，邀
请他们下载应用程序。于是应用程序都变得非常精明，都善于制造能够流向众
人首页的新闻消息。有一个名叫"娱乐墙"（Funwall）的应用程序，它能让你创
造小动画或把视频下载到你的个人主页上。这个功能本身并没有问题，想法也
不错。但是它有一个阴险的接口，用模棱两可的语言欺骗许多用户向他们所有
的朋友发送下载它的邀请。即使连高科技行业的专业人士也着了它的道。

Facebook 一直试图铲除这些垃圾发送者，并鼓励更有信誉的应用程序，但
是意在惩罚不正当行为的政策变化常常会损害到那些正当的应用程序。戴夫·莫
林说："我们不得不学会许多我们不明白的关于开发者关系和政策制定方面的知
识。我们有点像是在一路跌跌撞撞地学会如何和开发人员打交道。"

公司实施了种种的新规则，试图维持应用程序秩序并且约束它们的行为。公司呼吁用户举报垃圾应用程序；改变动态新闻的后台程序，减少流向用户动态新闻的应用程序消息的数目；聘请了业内的资深人士凌建彬（Ben Ling）来领导平台的架构。凌是一个身材修长，爱卖弄的华裔美国人，此前负责 Google 的在线支付平台。他是 Facebook 从 Google 挖到过的最高级别的雇员，管理层称呼他为"摇滚明星"。

到了 2008 年夏季，开发平台的问题已经彻底失去了控制。那时的 Facebook 平台简直就像过去狂野的西部。于是在那年 7 月份的第二届 F8 大会上，Facebook 宣布了一箩筐的精细改进和规则的改变，包括引入一个评分系统。如今 Facebook 能够通过"核准"优秀的应用程序来淘汰垃圾应用程序。Facebook 希望鼓励那些最有趣和有使用价值的应用程序。于是，虽然无聊的娱乐应用程序继续大行其道，但相当多充实的和有内容的应用程序也确实得到了推广。一个流行的应用程序叫"视觉书架"（Visual Bookshelf），它能让你排列已经读过的书，给它们评分，还可以写短评。

不过扎克伯格最钟爱的 Facebook 应用程序还是前面提到过的"理想"，由他的铁哥们肖恩·帕克和先前哈佛的室友乔·格林开发。"理想"的开发有着崇高的目标——帮助非赢利组织募集资金。这个应用程序会在 Facebook 用户捐赠以后向他们朋友的动态新闻发送一条消息。理论上，这会激发他们的朋友进行捐赠。格林解释："社会认同也包括了慈善。做出大笔捐款的人们希望自己的名字会被铭刻在医院的建筑上。"他说这就有点像戴着一个黄色橡胶手镯对外宣布你支持与睾丸癌进行抗争的行为一样。用户的反响相当热烈，"理想"现在依旧是 Facebook 上用户数最多的应用程序。

今天，开发平台的生态系统已经相当牢固。在 Facebook 上运行着超过 52 000 个应用程序，由来自 180 个国家的超过 100 万注册开发人员所开发。Facebook 的应用程序每个月会得到 300 亿的点击率。投资者对这种新型软件公司有着很高的期待。单单 Facebook 上排名前四的应用程序开发商——"辛加"、"鱼乐"（Playfish）、"理想"（Causes）和"TK"就自行筹集了 1.5 亿美元。贾斯汀·史密斯（Justin Smith）负责一家名叫"Facebook 内部"的研究公司，潜心研究了 Facebook 的开发者社区，估算出社区里有大约 50 家由风投投资的、年收入超过 500 万美元的软件公司，这些软件公司的基本商业目的就是开发在 Facebook 上运行的应用程序。应用程序开发商之王自然非辛加莫属。大部分软件公司的年收入在百万美元左右。还有大约 200 家由 2~4 名开发人员组成的小型软件公司，年收入几十万美元不等。此外，至少还有其他 300 位单干的独狼也在编写 Facebook 应用程序，靠应用程序赚的钱都足以养活自己。

Facebook 的应用程序开发商做得如此出色，他们估计 2009 年的总收入大约能和 Facebook 自身的收入相当——略微超过 5 亿美元。这些应用程序以几种方式产生收益，最普遍的是出售广告——据估计这对应用程序开发商而言将是一个两百万美元规模的生意。应用程序也经常会为其他 Facebook 应用程序打广告，一旦有用户通过广告链接点击并安装了另一个应用程序时，它们平均就会得到 50 美分的回报。

应用程序里的业务甚至产生了更多的收益。"Facebook 内部"的贾斯汀·史密斯估算每年 Facebook 应用程序里的业务量达到了 3 亿美元。这些业务中有相当多的比重是提升游戏里的级别，或购买虚拟商品，诸如在游戏"疯狂踢人"(KickMania) 里买一双空想鞋踢你的朋友。在鱼乐公司开发的"宠物社会"游戏里，玩家建立房间展示他们的宠物，而游戏每周一都会发布新的虚拟商品。2009 年在情人节那天，这家公司卖出了五百万张玫瑰图片，玩家可以把这些虚拟玫瑰赠送给他们的朋友，每朵玫瑰卖价两美元。在辛加的得州扑克里，玩家若对每天分配的筹码感到不满足，想要更多筹码的话，就需要支付真实的金钱来购买它们，即便没有任何办法从 Facebook 兑现奖金。一些 Facebook 游戏每月的运营收入超过了 300 万美元。

有悟性的营销达人早已意识到 Facebook 的应用程序是一种免费把自己推销给消费者的方式，这也是为什么华盛顿邮报自己做了一个应用程序"政治指南针"。当鲍勃·迪伦在 2008 年发行了一张新唱片时，他的唱片公司设计了一个应用程序，用他年轻时的老镜头制作了一段小电影，影片中年轻时的他举着一组标语，Facebook 用户可以在这些标语里填上他们喜欢的话，然后把这段电影放到自己的个人主页上。

在把自身的网络转变为一个开发平台，让任何外部开发者都能够在上面开发自己理想的应用程序的过程中，Facebook 开发了许多的新能力，但同时也伴随着一系列的新风险。除了提供使用和娱乐价值之外，Facebook 上的应用程序对用户数据的保护也常常漠不关心。当用户安装了一个应用程序时，他们经常会连带允许它收集他们的全部个人资料。而个人信息一旦落入了开发者手中，用户就失去了对它们的控制权。Facebook 才刚刚开始着手采取行动来处理这个问题。采集个人信息的底线在哪里依然不明确，所以掠夺性应用程序的数量依然在持续增加。这些程序经常是为了让外部的市场人士能够接触到用户数据，而它们也就依靠出售用户数据来赚钱，这是 Facebook 已经复杂无比的隐私困局中的另一个麻烦。电子隐私信息中心的马克·罗滕伯格说："Facebook 和它的合作方对我们所知甚多，而我们却对他们一无所知，完全不知道他们收集了我们什么样的信息和如何使用这些信息。"

随着越来越多的软件公司拥护这个开发平台，随着 Facebook 在社交网络领域的主宰地位扩张到全球，公司的开发平台策略也在快速地向前发展。它的长远规划是随着时间的推移，将来运行在 Facebook 网站上的应用程序将越来越少。现在一种被称为"Facebook 连接"的服务可以让任何网站都有能力挖掘 Facebook 上的用户和朋友圈的数据，并把用户的活动反馈到 Facebook 的动态新闻上。公司正逐渐鼓励合作伙伴以这种方式来利用 Facebook。到目前为止，已经有 10 000 个网站利用了这项服务。扎克伯格渴望已久的平台策略正在奏效。

第 12 章
捧起广告界的圣杯

把 Facebook 向所有人开放是一个无与伦比的成功。到 2007 年秋季，网站有超过一半的用户来自美国以外的地方。国际用户数量在开放注册后爆炸性的增长是一个强有力的标志，说明 Facebook 正越来越有国际吸引力。公司很纳闷，因为他们从来都没有为世界上其他人的加入提供过便利。有一件事情就可以佐证，那就是当时网站所有的内容还全是英语。

但是用户数的增长也带来了一个严峻的商业问题。Facebook 不得不开始考虑如何赚钱。当时的所有广告针对的还都是美国人，这意味着 Facebook 上有超过一半的用户不能为公司产生任何可以察觉到的收益。Facebook 在一年以前和微软签订的广告协议仅仅适用于美国本土。如果 Facebook 想要利用它近来的全球地位优势，就需要一个合作伙伴来帮助它向全世界兜售在线广告。微软已经明确表示乐意成为这个合作方，把双方的美国境内协议扩大到全球。

扎克伯格本人一贯不稀罕广告，但是 Facebook 如今已经有了 5 000 万活跃用户，开发平台又让它成了业界的宠儿，因此他们必须找到一条平衡收支的途径。每个星期都有几十万新用户涌入，同时 Facebook 也一直在假设未来规模会远比现在更为庞大，要不停扩建它的基础设施，这意味着需花几千万美元购买新的服务器。如果必须要有广告，扎克伯格也希望能够开发一种 Facebook 所特有的、不会影响用户体验的新型广告。扎克伯格最不愿意看到的就是那种给人以看网络电视的感觉，那上面的节目常常会被不相干的和没有意义的广告给打断。

美国境内协议给了微软出售 Facebook 广告条的独家经营权。这个协议必须调整，因为完全仰仗微软，与狮子分享猎物是靠不住的。Facebook 需要建立自主的营收渠道。

另外一件事则是扎克伯格和 Facebook 的董事会做出了决定，他们认为是时候筹集更多的资金了。彼得·泰尔尤其希望在那年秋季就把此事搞定。泰尔对金融市场风向的变动一向都有着灵敏的嗅觉。股市正值自互联网泡沫破裂以来前所未有的高位，投资者正信心高涨。F8 大会的召开和开发平台的启动让 Facebook 的声誉和成长势头大为改观，此时正是利用投资者热情的绝好机会。不过泰尔也很清楚一旦他们发出投资邀请，就会有人试图一举把整个公司全买下。对泰尔和吉姆·布雷耶来说，这是一个很诱人的想法，但却让扎克伯格感到害怕（扎克伯格手中牢牢掌握的两票空缺的董事会席位就像是一种恐惧保险一样）。

首席执行官向范·纳塔向他新聘请的首席财务官吉迪昂·余（Gideon Yu）征求了意见，想知道公司的一小部分股权能够招来多少投资。余认为 Facebook 如今的市值大约为 40 亿美元。那可是一个巨大的飞跃，因为仅仅在一年多以前，公司的第三轮融资（被称为 C 系列股份）募集到了 2 500 万美元，当时 Facebook 的估值为 5.25 亿美元。

不过这家公司和往常一样，不能按常理来论。当时有几家风投和私人股本公司正愿意出价 100 亿美元来收购 Facebook 的一大部分股权。这让余瞠目结舌。显然，他考虑的数字太过渺小了。但是，扎克伯格对那个价位还是不满意，根据另一位知情者的说法，他觉得公司可以值 200 亿美元。他和范·纳塔于是决定按 150 亿美元的价位来试试。果不其然，他们找到了一些感兴趣的对象，虽然这些人并不是很积极。没有人会在这个估值上进行投资而不对条款进行一些仔细的探究。"我们找到了市场价位。"余说道，"我们准备在 150 亿美元的公司估值上达成交易。"

Facebook 着手与微软商讨国际广告合作。范·纳塔悠然自若地玩起了太极推手，他知道如何在微软和它的夙敌之间挑拨离间。他清楚，对于微软来说，

"Google"这个词语就如同魔咒一般，能够轻易驯服这个软件巨人贪婪的谈判本能。微软最近刚刚连折两阵，在几近达成协议时功败垂成，失去了业界的两个最大的合作伙伴。而每一次都是 Google 在最后时刻突然从一旁杀出，夺走了微软的生意。微软的首席执行官史蒂夫·鲍尔默在 2005 年 12 月飞抵纽约，和时代华纳的美国在线商讨一个重大的广告合作关系。在认为这笔交易已经敲定后，他飞回了总部。不想 Google 突然派出了它的广告销售团队，以蒂姆·阿姆斯特朗（Tim Armstrong）为首，在数天的接触里给出了一个更为优惠的建议。双方签订了一份合同，以美国在线估值 200 亿美元为基础，Google 向美国在线投资 10 亿美元。然后在 2006 年 8 月，当时微软不仅和新闻集团的 MySpace 网站已经有了一份合作协议，还出人意料地愿意付出更多的钱。根据一位谈判当事人的说法，微软已经摆正姿态愿意作出 11.15 亿美元的保证，而偏偏又是 Google 在最后关头杀出，赢得了新闻集团的三年保证，总额至少在 9 亿美元。新闻集团迫切地希望能和 Google 合作，它甚至愿意因此而放弃部分收入。让微软更郁闷的还在后面。在 2007 年初，Google 干脆以 31 亿美元的价格一举拿下了国际广告条网络服务商"连击公司"（Doubleclick）。所以这一次，鲍尔默和凯文·约翰逊（Kevin Johnson）下定决心不能再让历史重演。

20 07 年 10 月 10 日，Google 为它最优秀的广告客户们举办了一年一度的广告商峰会，被称为"Google 时代精神"。不仅仅是最大的营销商和广告代理来到了 Google 的园区出席为期两天的会议活动，Google 的董事会成员们也会汇聚一堂，召开他们的季度例会。这是一个做生意的大好机会。Google 广告团队的负责人蒂姆·阿姆斯特朗已经和范·纳塔谈过，知道 Facebook 的国际广告协议正去向未定，微软也很有夺走这份协议的想法。"碰巧"马克·扎克伯格是时代精神大会的主题演讲人之一，阿姆斯特朗遂和 Google 的董事会成员进行了沟通，得到了后者的批准，正式开启和 Facebook 的谈判并尽力抢走微软的生意。董事会甚至同意如果价位合理的话，在谈判中讨论收购整家公司。

Google 毫不掩饰它对 Facebook 国际广告协议的兴趣。在时代精神大会的一次新闻发布会上，Google 的首席执行官埃里克·施密特（Eric Schmidt）称社交网络是"一个非常真实的现象"。他补充说："人们还没有意识到互联网上有多少流量是来自社交网络。"施密特在早年的这番表达以后会转变为 Google 的长

197

期隐忧——Google 的搜索爬虫无法穿透互联网上的栅栏，搜索隐藏在其之后的内容。与 Facebook 保持亲密的合作关系也许会有助于 Facebook 向 Google 开放它的内容，而不仅仅是得到一堆新的广告空间。互联网在不断地演进，这会帮助 Google 依然处于业内的翘楚地位。

当晚所有人都乘坐大巴去了附近的一家公园。Google 在公园里搭起了一座硕大无比的白色帐篷。在一小时的鸡尾酒会后，大约 250 位时代精神的与会人员入座开始享受一顿奢华的几近狂欢的盛宴。第一道主菜端上，盘子居然是用厚冰制作而成。当时，Google 正值巅峰——金钱就像甘露那般源源不断地从天而降。Google 在晚宴上向那些把数十亿计的美元挥洒在 Google 广告上的金主们表示感谢，其实也就等同于宣布自己的富有富有再富有。在主桌上进行热烈谈话的包括 Google 的联合创始人拉里·佩奇、阿姆斯特朗、谈判专家梅根·史密斯（Megan Smith）以及 Facebook 一方的马克·扎克伯格、范·纳塔，还有企业发展部的头儿丹·罗斯。两组人谈到了 Facebook 在与微软谈判时的立场。阿姆斯特朗给 Facebook 高管们留下了深刻的印象，那就是 Google 十分渴望这笔生意。

豪华晚宴在大约晚上 10 点结束，随后 Facebook 三人组和 Google 的高管们一起退到附近的 Google 总部进行一些认真的磋商。他们一直协商到深夜，才达成了交易的大体意向。Google 会接管美国境内和国际的广告生意，同时双方也就 Google 会在 150 亿美元的公司估值上对 Facebook 进行一小笔投资达成了一致。对 Google 来说，以收购一小笔股份来作为拉拢手段相当合乎逻辑，因为把微软这样的巨头赶走会让 Facebook 陷入相当大的麻烦。如果 Facebook 终止那份依然有效的与微软的美国境内协议，它很可能会陷入法律纠纷。但是 Google 走得更远。高层直接告诉扎克伯格说他们有意考虑整体收购 Facebook，尽管那个价格会远低于 150 亿美元。这次，扎克伯格的回答相当干脆，Facebook 不卖。

不过，即使在广告合作方面，Google 团队里的许多人也察觉到了扎克伯格有点不肯作出承诺。他们注意到他一直在争取一些非常具体的优惠条件，比方说在图片广告的大小和形状上，而通常这些事情都是留给手下去办。他们觉得他好像在寻求 Google 作出一些特定的承诺，好让铁腕微软也答应作出同样的让步。在整个协商过程中，Google 团队清楚微软与 Facebook 之前的合作关系给了微软以巨大的优势。把 Facebook 拉出微软阵营的机会依然很渺茫。

　　一周后，微软的首席执行官史蒂夫·鲍尔默也"碰巧"来到旧金山参加一个会议，顺便就与扎克伯格安排了一次会面。与鲍尔默同行的是他的顶级执行官凯文·约翰逊，凯文负责监管微软的广告业务。范·纳塔建议众人在他位于帕洛阿尔托的家里碰面，以免吸引外界的注意。鲍尔默当然不是一个会低调行事的人，他带来了那只浩浩荡荡永远如影随形的贴身保镖队伍，穿着笔挺的黑西装，戴着墨镜、耳麦还有麦克风。当这群"黑帮分子"在巡视后院时，范·纳塔给鲍尔默和约翰逊带来了不好的消息，而扎克伯格和丹·罗斯则静静地坐在一边，同时微软的首席软件架构师雷·奥兹（Ray Ozzie）也通过免提电话在听。

　　范·纳塔宣布 Facebook 希望修改美国境内的协议。事实上，不管微软愿意与否，Facebook 都会在不久后开始推广它自己的广告。鲍尔默此时感到很无奈。如果微软想要谈全球性合作，范·纳塔继续施压，他就必须同意在美国境内协议上做出让步。如果微软不愿意，那 Google 早在一旁翘首以待了。扎克伯格由衷地钦佩他的首席运营官的勇气，为得到自己想要的一切而敢于大胆冒险和对微软持强硬的立场，尽管在当时他还依旧在为一年多前范·纳塔力主将 Facebook 卖给雅虎一事感到耿耿于怀。扎克伯格本人羞于公开与人对抗，他完全没可能做出这样的举动。

　　范·纳塔和鲍尔默之间的交锋注定精彩。范·纳塔也许是一个无所畏惧的、好斗的、永不妥协的谈判专家，但是鲍尔默那庞大的身躯和宏亮的声音使得他自身就成为一个无与伦比的力量象征。你不会想要招惹这样的人，更不要提他是这个世界上迄今为止依然财力最为雄厚的高科技公司的首席执行官。范·纳塔也一定对他所争取的底线有着灵活的把握，因为鲍尔默依然沉得住气没有表现出他那"著名"的激动。鲍尔默反复重申，微软对重启美国境内协议的谈判不感兴趣。他说他真正感兴趣的是购买 Facebook，并且详细地说明了微软提议的这一交易。

　　扎克伯格很谨慎，这位年轻的首席执行官在和雅虎交涉的前一年就吸取了教训——一旦你开始介入了一场不可能的收购，那你就没法脱身了。扎克伯格很清楚地表达了他不愿出售的想法，不过还是建议微软满足一系列的条件，其中包括如果扎克伯格依然掌握 Facebook 的话就得承认它的自治权。微软内部了解此事的人说扎克伯格是"不会为收购的那几十亿美元折腰的人。他根本不想出售，他的期望太高了"。不管怎么样，鲍尔默采用了强硬的策略。当他继续进行交涉的时候，依然再次重申了国际广告业务的事情。

微软希望能够继续和 Facebook 在美国境内的业务进行合作，不过需要有所改变。因为在美国境内的业务每月亏损大约 300 万美元，所以微软需要国际业务的支持。微软将他们最大的一块横幅广告放在了相册页面上，但是 Facebook 的用户并不会去看那里的广告。这样的话微软能从广告主处得到的收入很有限。而且微软是按照页面浏览数向 Facebook 付费，但是和广告主的收入是不挂钩的。鲍尔默告诉范·纳塔，如果 Facebook 愿意取消这样的付费方式，他们将会同意 Facebook 出售其他一些美国境内的广告位。同时微软希望能够和 Facebook 加深合作以获得更多的广告位，这样的话他们可以开始运作刚刚收购的 aQuantive 广告网络。微软最近花了 60 亿美元收购了 aQuantive，这是他们有史以来最大的一次并购交易。

尽管微软迫切地寻求达成国际广告合作协议，但 Facebook 却利用了软件巨头的迁就态度解决了另一个与微软的免费国际邮件服务 Hotmail 之间的纷争。Facebook 扩大用户最有效的工具，就是它在开放注册的时候启动的用户邮件联系地址导入功能。新用户输入他们的电子邮件用户名和密码，然后 Facebook 就会向他们联系地址列表中的所有人发送加入 Facebook 的邀请。到当时为止，这样的用户推荐让 Hotmail 成了 Facebook 最主要的新用户来源。但是问题在于，它把许多来自 Facebook 的邀请信归类为垃圾邮件——人们不想要的商业信息。据增长行家达斯汀·莫斯科维茨说，在 Hotmail 阻击联系地址导入的日子里，Facebook 用户增长数下跌了几乎 70%。所以在广告协议谈判期间，超级谈判专家范·纳塔、莫斯科维茨，还有亚当·德安杰罗前往微软位于华盛顿州雷德蒙市的总部，为的就是摆平这场冲突。"这绝对不是什么我们可以绕过去的事情。"莫斯科维茨说道。经过了大约一天左右的对话，范·纳塔成功地让微软不再干预地址列表的导入，而 Facebook 几乎没有作出任何让步。微软想要的是国际广告合作。

几天之中，在和 Google 进行了更多漫无目的的会谈后，范·纳塔和大部分时间都沉默不言的合作伙伴扎克伯格告知微软，说要么现在就决定广告合作，要么就拉倒。第二天，一个阵容强大的谈判团从微软总部雷德蒙飞抵加州，带队的是微软老资格的顶级谈判专家汉克·维吉尔（Hank Vigil）。上午 11 点，所有谈判人员齐聚帕洛阿尔托大学街，在 Facebook 总部二层的一间会议室里就座。透过建筑玻璃幕墙的阳光照射在会议室里的一张巨大的玻璃长桌上，在桌子两边，双方的谈判代表们正在进行着将改造 Facebook 形象的最高机密的谈判。双方一致同意不谈完不罢休。而在 Facebook 的另一栋建筑里，Google 也派来了一个阵容稍逊的谈判团，讨论希望尚存的合作。

在接下来的 12 个钟头之内，微软和 Facebook 的谈判团队就大大小小的问题进行了反复的拉锯战。微软同意讨论为 Facebook 提供搜索技术，这是这家软件巨子和 Google 在近乎骑士对决的较量中折败的另一阵。Facebook 要求微软不在页面的顶部或左下部显示广告条，而仅仅在右下部显示（Google 的顺从态度为 Facebook 赢得这一回合提供了有力支持）。不像一年多前的协议，这次微软将不会对显示多少广告和付给 Facebook 多少钱作出预先保证，两家公司反而决定分享所有的广告收入。Facebook 成功争取到了比通常在这种商业协议中更高的分成比例。而且这家社交网络得到了对它来说至关重要的灵活性，即在美国境内试验和进行广告创新的权力。

Facebook 的谈判团队——范·纳塔，企业开发部的头头丹·罗斯，首席财务官吉迪昂·余，以及法律总顾问鲁迪·加德雷（Rudy Gadre）时不时地避开众人和扎克伯格到角落窃窃私语。扎克伯格的办公桌就近在咫尺。和过去的谈判相比，这次首席执行官进行了更多的干预。谈判只要一陷入僵局，范·纳塔就会松开微软，拐弯抹角地再次提到 Google。他暗示了，但没有明确指出，说 Google 已经准备好做任何微软不打算做的让步。当然不管怎样，现实情况也差不多如此。

到了晚上 11 点，尽管还有许多细节问题仍留待解决，但很明显距离协议的达成就只有一步之遥了。每个人差不多都快要精疲力竭。不过就在这个时候，一阵砰砰作响的音乐声打破了会议室的沉寂。几个谈判者走到会议室外阁楼式的办公场所去看看到底谁在捣鬼。他们发现一位 Facebook 的程序员突然站在一个 DJ 台前，把音乐的音量调到了最大。这是 Facebook 软件工程师们一个约定俗成的信号，表示一场"黑客松"的开始。这些往往都是一整夜的会议，是传奇的 Facebook 软件工程文化，也是网站众多有趣创意诞生的地方。和典型的黑客松不太一样，今晚的所谓"改写松"有一个特别的主题——改变 Facebook 的底层程序代码，让 Facebook 更容易被翻译成英语之外的语言。网站的多语言界面预计会在几个月内启动，意在进一步加强已经极为迅猛的国际用户增长势头。

回到会议室里，谈判战士们开始踩着音乐节拍摇头晃脑。这是荒唐不羁的一幕，也是充满活力的一幕。一位微软的谈判代表起身友好地和 Facebook 的程序员们凑到一块，等待着外卖中餐的到来好大快朵颐一番。当音乐过去，谈判的进程也再度加快。到了凌晨 3 点，他们终于达成了协议。基本上 Facebook 得到了它想要的任何东西，它实际上是在强行规定着条款。谈判代表们起身回到住地睡觉，任由程序员们继续做他们的工作。

相伴投资的议题在玻璃会议室的谈判中没有涉及，不过第二天早上，范·纳塔单刀直入地提出了这个问题。他的副手丹·罗斯说："我们对他们说，'看，如果你们希望利用投资机会来巩固双方之间的关系，那我们希望你们能够领导这轮融资，'我们说，'我们也许在和你们的竞争对手谈判也说不定'。"微软的态度一直都很明确，那就是如果 Facebook 打算出售，它有兴趣整体收购。Google 也表达了类似的意愿，尽管开出的条件不是那么优厚。不过扎克伯格丝毫都没有卖的想法。范·纳塔正在怂恿微软以 150 亿美元的估值购买一小部分的股权。在那个天文数字般的水平下，即使转让公司的很小一部分股权都会让 Facebook 赚进数不清的美元，用于填补亏损中的运营缺口。香港的亿万富豪李嘉诚，人称"亚洲的沃伦·巴菲特"，这几天也在和 Facebook 进行着艰难的谈判，且最终答应了按那个估值进行投资。"这是一段疯狂的日子，"时任 Facebook 首席财务官的吉迪昂·余说道。所有人都表现得仿佛 Facebook 会变为一个金融巨头，即使在当时唯一庞大的只是它会员的增长数量。

在一番来回拉锯战之后——当然是疯狂的，基本上都发生在那短短的一天里，微软同意按 150 亿美元的公司估值投资 2.4 亿美元来获得 Facebook 的 1.6% 股权，和它一起的是李嘉诚，他会投资 6 000 万美元获得 0.4% 的股权。由于面临着巨大的达成广告合作协议的压力，微软几乎没有时间对公司做任何详细的财务调查。不过对于微软来说很关键的一点是，在这轮交易当中有另一个投资伙伴和他们站在了一起。微软必须要能够证明它不是为了达成一个广告协议而故意按虚高的估值购买股权。否则，如果 Facebook 在以后被算出不值 150 亿美元——可以想象，会计原则将会要求微软把 150 亿美元和公司的实际价值之差作为亏损记在它的账面上。假设情况，如果 Facebook 被证明只值 75 亿美元，那微软的利润就要减掉 1.2 亿美元。但是如果有第三方也和微软以同样的条件进行了投资，那在面对监管者的质询时，微软就能说这笔交易是以公道的价格谈成的。

在法律条款方面，微软也没有得到特别优惠的协议。为了快速达成第四轮融资（所谓的 D 系列股份），微软同意遵循第三轮融资的投资方所接受的同样条件，当时一些风险投资公司在 2006 年中期对公司进行了投资。微软所接受的条款里，它买进的"可转换优先股"有所谓的"1 倍非参与清算优先权"，也就是说假设 Facebook 被整体卖掉，微软将会得到它实际支付的现金 2.4 亿美元，或者是卖价的 1.6%，哪个钱多得到哪个，但是它没有办法阻止公司按一个更低的估值进行后续融资。如果 Facebook 最终上市，那不管公司届时值多少钱，微软拥有的优先股都会根据所拥有的比例被强行转换成普通股。届时公司的市值可能会比 150 亿美元更多，也可能会少。微软甘愿接受所有这些苛刻条件，只是因为它的首要目标在于达成广告协议。不过它还是在最后关头提出了一个重要条件：Facebook 不能接受任何来自 Google 的投资，而且如果公司在将来考虑整体出售给这家搜索巨擘涅墨西斯，必须提前通知微软。

这份协议在 10 月 24 号公布，国内业界一片哗然。《华尔街日报》称 Facebook 是"新近的互联网宝贝"，而且说这份协议"让人回忆起了 2000 年终结的互联网泡沫"。《洛杉矶时报》称 150 亿美元的公司估值"骇人听闻"。"彻底荒谬的估值扭转了实力的天平。"著名博客 TechDirt 这样写道。但是，如果说 5 个月前的 F8 平台让 Facebook 坚定而永远地站到了高科技行业的中心，那微软的投资对华尔街来说也意味着同样的事情。这是迄今为止市场对一家私人高科技公司所做出过的最高估值，而且竟然是一家还没有任何赢利的公司！要么微软的史蒂夫·鲍尔默疯掉了，要么 Facebook 比任何人所意识到的都更为重要，或者两者兼具。在公司估值引起的喧嚣下，几乎没人注意到促使微软加速进行这轮投资的广告合作协议。

Facebook 选择这次协议的时机也可以说是绝佳的。仅仅在两个星期之前，纽约证券交易市场刚刚达到了它在随后的两年里从未再达到的顶峰，道琼斯工业平均指数超过了 14 000 点。2008 年，全世界陷入了自战后以来最严重的经济衰退，但是扎克伯格手中有足够多的现金来支撑他度过萧条时期。除了微软和李嘉诚最初的 3 亿美元之外，李嘉诚在几个月后还追加了 6 000 万美元的投资，还有三家总部位于慕尼黑的风险投资公司，"扎姆韦尔兄弟"（Samwer brothers）在大约差不多时间投资了 1 500 万美元，将第四轮融资募集到的资金总额推到了 3.75 亿美元的新高度。Facebook 如何能够实现这样一个令人目瞪口呆的融资局面，对此扎克伯格有一个很简单的解释。"彼得·泰尔帮我们预计了时间，"他的说法很简单，"有点像'现在是时候募集资金了'。"

如今微软已经不再是 Facebook 在自己的网站上打广告的阻碍了，扎克伯格和他的公司于是马不停蹄地在网站上启动了一系列新的广告种类。11 月 6 号，在与微软的协议达成后仅仅两周时间，Facebook 就在纽约破天荒地为它的广告社区举办了第一次大型活动。这次的宣传活动在表面上由三个部分组成——首先，任何商业实体都可以在 Facebook 上免费创建一个"页面"，它有许多个人主页的特征，包括添加应用程序的功能。"赞助人页面"自此失去了效用。Facebook 的战略是把尽可能多的商业公司拉入它的体系，这里的假说是一旦商业公司在 Facebook 上立足，他们就有理由在 Facebook 上做广告和用其他方式花钱，即使他们创建页面本身是免费的。

用户可以成为这些页面的"粉丝"，而不是像个人主页那样成为"朋友"，用户在这些商业页面上的活动会经过动态新闻向他们 Facebook 上的朋友广播（比方说，我本人不久就成了《纽约时报》页面的粉丝，而我的朋友在他们的动态新闻中看到了这个消息）。在这里 Facebook 很少提到的是一个事实，就是一种被称为"灯塔"的服务也会让 44 家企业，以后还有更多，把一种类似的提示系统扩展至它们的外部站点上，用户在这些外部网站上的活动也能够被发送至朋友的动态新闻上。

这次 Facebook 广告社区宣传活动的重要部分，至少按那些活动策划者的想法，是 Facebook 会启动一种新类型的自助服务广告。它让任何公司，即使是一个很小的公司甚至个人，都能够在网上设计和购买广告，并且把广告精确地对准目标客户群。在具体的实施中，达斯汀·莫斯科维茨在 3 年多以前就倡导的那种定位客户的新广告模式——比如说环球唱片公司（Interscope Records）向拉拉队长们投放格温·史蒂芬尼的单曲"哈拉美眉"（Hollaback Girl）的广告——如今已经被推广到了大众市场。Facebook 在这里的假说是这些新页面的拥有者也会是那类打广告的"重度用户群"，他们会用广告来尽力提升他们在 Facebook 上的形象。这种新型自助服务广告的另一个组成部分是被 Facebook 称为的"社区广告"，把付费商业广告信息和 Facebook 用户的宣传匹配起来。

在宣传活动中，扎克伯格天方夜谭的产品介绍得到了广泛的关注——也可以说奚落。这是他首次在硅谷之外的地方发表重要的产品推广介绍。听着他的演讲，你或许会发现他的态度仿佛一夜之间从鄙视广告变成了妄图独占全世界的广告业。"每隔一百年，"这是他的开场白，"媒体就会发生一次变革。上一个百年被定义为了大众媒体的百年。而在下一个百年里，信息将不仅仅是被推销给人们，而是在人们所处的无数个连接中被分享……没有什么能够比来自一个值得信任的朋友的推荐更能影响人们的消费行为了……'信任推荐'就是广告界的圣杯。"不幸的是，由于 Facebook 的初衷是推广自助服务广告，也就是让更多的企业能够找到他们的目标客户群，而非朋友之间的信任推荐，扎克伯格在这里的产品介绍从一开始就在误导人。

Facebook 社区广告的特色，除了把 11 月 6 号标记为公司的耻辱日，就是"灯塔"服务和它在 Facebook 网站外部运作的方式。"灯塔"是一项设计拙劣的提示服务，它甚至不是一个广告产品，它不产生任何收益。这个服务系统由 Facebook 的平台开发团队而不是广告开发团队设计。但是，尽管这项服务的初衷是用于像玩游戏或者在网上的菜谱盒子里添加一个新菜谱之类的网络活动，但它也能被用于广播你在合作站点上买了些什么东西。而且有一大群 Facebook 的合作站点在那里排队等着，就为了这个目的。比方说，你在电影网站"Netflix"上租了一部电影，在卖鞋网站"Zappos"上买了一双鞋，或在电影票预定网站"Fandango"上订购了一张电影票，你可以允许网站把你的活动通过动态新闻广播给你在 Facebook 上的朋友。但是"灯塔"是在最后时刻才被匆忙加入社区广告系统中，几乎没有经过充分的用户测试。在这项服务上线前的日子里，它所能造成的影响被扎克伯格和 Facebook 高管们大大低估了。

而且这项服务有一个致命的设计缺陷。比方说，当你在"Zappos"网上买了一双鞋，这项服务不会明确地要求你同意将那个活动发送给你 Facebook 上的朋友知道。反而，网站会打开一个小小的下拉菜单，询问你是否不想发送那个信息。如果你不是积极主动地加以阻止，那系统就会向你的朋友发送消息，用网络术语来说，这被称为"选择性退出"而非"选择性加入"。而且这个选择性退出菜单在消失之前仅出现数秒的时间，许多用户似乎完全错过了这个选择。

在社区广告系统上线之后，不幸的故事就开始在报纸上纷纷涌现，许多用户不经意间把他们的商业行为反馈到了 Facebook 上，由此酿成了悲剧。马萨诸塞州有一名男子网购了一枚戒指，在她妻子的动态新闻上出现了这样的消息："肖恩·莱恩从'Overstock'网上购买了一枚 14K 白金 0.2 克拉永恒花钻戒。"仅仅过了两个小时，莱恩惊讶不已的妻子夏侬就给他发了一条短信："这个戒指给谁买的？"这其实是打算作为圣诞礼物给她的惊喜。莱恩说他感到相当"沮丧"，他的惊喜被提前泄露了。（很可能夏侬连接到一个"Overstock"网页的动态新闻消息也同时透露了他得到了 51% 的折扣）另一对情侣关系也被打乱了，纽约的一名女子看到她的男友在"Fandango"网上买了一张电影票，而他们原本说好他在下周带她一起去看这部电影。相当多在与"灯塔"合作站点上买东西的用

户发现他们的整个圣诞礼物列表被公布给了他们在 Facebook 上的朋友。

"灯塔"让人感觉受到了侵犯，而且在滥用个人信息。在许多人看来，Facebook 似乎是为了大赚一笔而想要绑架用户的数据。在问题爆发之后，许多媒体人挖出了扎克伯格在产品发布会上的狂妄言论，把它作为一种解释——Facebook 追求的只是权力，扎克伯格对他的用户漠不关心。这是对这位年轻首席执行官的根本性的误读，但是 Facebook 的成长速度实在太快，规模也实在太大，全世界的新闻记者们才刚刚开始去理解它。

用户的强烈抵制很快就出现了。就和 Facebook 上以往的任何争议一样，Facebook 自身病毒式的传播工具得到了充分利用。令人尊敬的自由派政治团体"前进网"（Moveon）卷入并领导了抵制"灯塔"的运动。它以 Facebook 上的广告为武器（利用新的自我服务组件），问道："Facebook 是不是在侵犯你的隐私？"它邀请用户加入一个抗议小组，有 6.8 万人响应。其实这次的抗议用户占总用户的百分比相对来说是微不足道的，只有 0.1%，完全不能和动态新闻骚动的巅峰时期 10% 的用户抗议相比。但是"前进网"得到了相当多的关注。它和其他积极小组也向联邦贸易委员会提交了正式的抗议文书。一些人也正打算起诉。

时至今日，Facebook 上不论发生什么事情都是轰动性新闻，因为这个网站有着 5 600 万的用户，还有着微软的雄厚资金做后盾。新闻媒体希望扎克伯格道歉并关闭"灯塔"服务。许多文章认为 Facebook 令人震惊的新公司估值让它突然之间，在非常迫切地渴望证明它能够赢利。《财富》杂志的约什·奎特纳（Josh Quittner）撰文阐述了 Facebook 的形象下跌之快，文章标题为"安息吧，Facebook？"。文中认为这家公司"就快要完蛋了"。他把 23 岁的扎克伯格在"灯塔"项目上的草率决策比做"一个无人看管的孩子在一间小木屋里玩弄着一盒火柴"。

"灯塔"是 Facebook 所曾面临过的最恶劣和最有损公司形象的争议，理由有几点。首先，不像动态新闻，这次公司犯下了一个严重的产品设计失误。"灯塔"确实导致了用户的数据被滥用，因而违反了扎克伯格的把隐私和用户对信息的控制放在第一位的原则。但是公司的形象到后来越趋恶化，是因为在超过 3 个星期之内，扎克伯格没有对用户和媒体的抱怨做出任何回应。他越是沉默不言，抗议声就越是愤怒。他其实是在观察用户的统计数据，就像他过去一直在做的那样，而且发现"灯塔"并没有影响用户在 Facebook 上的行为表现。但是他在忽视媒体义愤的同时也忽视了一小部分用户真正的痛苦经历。

从外人看来，扎克伯格就好像徘徊在伪善的边缘，而在像这样的时刻，他的沉默对他的形象十分不利。不过讽刺的地方在于，他一直在无休止地抵制Facebook上任何类似于侵扰性的广告和信息，直到现在也依然如此。在过去数年里一直在说希望为用户提供最好服务的他，仿佛就在一夜之间变得比用户知道得更多。

如今，在回顾这件往事时，扎克伯格承认他当时的表现有点飘飘然忘乎所以。"我们的反应不是很及时，"他很懊悔，"因为我们太习惯于听到用户抱怨这个抱怨那个，可到最后一切都正常。我们就像在说'嗨，无所谓，反正到最后他们都会克服'，然后这件事就像，'嗨，不对，我们实际上把它搞砸了'。"

终于，在 11 月 29 号那天，在"灯塔"启动超过了 3 个星期之后，Facebook才把它全面调整为一个"选择性加入"的系统，不经你的明确同意，就不会发送任何消息。"前进网"发表了一个有所保留的胜利声明。然后又过了一个星期，扎克伯格对这场灾难的首次公开道歉才姗姗来迟，他在 Facebook 网站上发表了一篇表示深深懊悔的博文，标题是"对灯塔的思考"。

"我们在设计这个功能的时候犯下了太多错误，但是在处理这些错误的时候我们又犯下了更多错误。"文章的开头写道，"这项功能的发布太糟糕了，我在此向大家表示歉意……我们也花了太长时间才作出正确的决定……Facebook 能够成功发展到今天，部分是由于它让人们能够控制该怎样分享和该分享多少信息……要成为一个优秀的功能，灯塔也需要遵循同样的原则。"他也对外公布说Facebook 正在让用户可以彻底关闭"灯塔"功能，这也部分是"前进网"所要求的。

"灯塔"给 Facebook 留下的阴影至今尚未完全消散。在公司内部，Facebook社区广告系统的发布被提前戏谑为"流行病"项目，然而它却真的转变成了一场难以被治愈的流行病——在产品被修正以后很长时间依然徘徊不去的负面印象病。在媒体的大规模负面报道后，用户数量的增加速度显著放慢了下来，直到 2008 年初才再次有所起色。丹·罗斯，这位前亚马逊高管，如今领导着Facebook 社区广告系统的市场营销工作，也积极参与了 Facebook 广告系统的上线，他说这轮争议给公司带来的结果是"毁灭性的"。"等到我们修复灯塔的时候，外界已经普遍认为人们不能在 Facebook 上控制他们信息的流动，"他说道，"我们确确实实把这件事情办砸了。我们的品牌花了很长时间才从这段阴影中恢复过来。"

但是"灯塔"确实彰显了 Facebook 在未来的希望走向——成为社会的中心，你在网上种种行为的信息在这里汇集，然后发送给你的朋友知道。如果你在网上购买了某件商品，或在博客上进行了一番评论，或暗示了你喜欢什么，Facebook 的目标是最终它应该能够让你在 Facebook 上的朋友知道这些事情。在实际上，"灯塔"计划直到 2009 年末才被完全终止，一起完结的还有一场针对它的诉讼，双方达成了庭外和解。同时，它的反对呼声也逐渐平息了。扎克伯格现在说他也许是太急于推出"灯塔"项目了："灯塔遇到的一件不妙的事情是人们还没有做好分享他们在 Facebook 之外的信息的准备。"公司在 2008 年推出了一项被更广为部署的技术，称为"Facebook 连接"，这项技术可以帮助人们分享他们在 Facebook 伙伴网站上的信息。事实上这项技术没有遇到抗议，大部分是由于 Facebook 给予用户充分的控制他们信息的权力，让用户能够控制什么信息可以发送给朋友。

在"灯塔"灾难平息后不久，董事会成员吉姆·布雷耶与扎克伯格进行了一次严肃的谈话。"我们搞砸了，"他说，"我们当时就应该立即道歉。这次的事件对我，还有马克你，都是一个教训，证明了这个公司是多么需要一位新的首席运营官。"范·纳塔是一位不可多得的生意天才，为公司的业务发展做出了无与伦比的贡献，但他不是一位扎实、稳定、能够三思而行的二把手，不是一位布雷耶认为一个 23 岁依然在学习过程中的首席执行官所需要的副手，而且公司此时也正需要一位通晓在线广告业务复杂性的人士。扎克伯格考虑了几个星期，然后告诉布雷耶他同意他的建议。他会在 1 月份告诉范·纳塔他的决定，并且开始物色合格的人选。

在 12 月中旬的圣诞派对上，扎克伯格和谢丽·桑德伯格进行了初次的交流。她是 Google 的一位资深高管，把这家搜索引擎公司的自助服务广告业务建成了互联网上的一个经济强国。这两个人最终在一个角落里站了有一个多小时之久，扎克伯格询问了她如何管理一个发展中的高科技公司。他们约定找个时间一起吃饭。

与此同时，在与范·纳塔进行了一番艰难的沟通之后，扎克伯格也开始为首席运营官的职位物色潜在的人选。其中之一便是丹·罗森维格——雅虎的前首席运营官，就在一年多以前他还在和雅虎的首席执行官特里·塞梅尔热心地追求Facebook，也正是他携其妻子举办了那次派对，让扎克伯格遇到了桑德伯格。另一位候选人是杰夫·韦纳（Jeff Weiner），也是雅虎的另一位顶尖高管，以判断力和管理智慧闻名于业界。

桑德伯格自 2001 年起就一直在 Google 工作，从 Google 的股票期权里获金无数，但此时已经做出了离任的决定。一家大型的东海岸传媒公司已经向她抛出了橄榄枝，而她也正在做认真的考虑。她花了整整一个下午和罗杰·麦克纳米（Roger McNamee）在一起喝咖啡，讨论未来的方向。罗杰是业界的标志性人物，也是硅谷最著名的投资人之一。桑德伯格想从他这里征求关于传媒工作的建议。"那是一个非常棒的主意，你应该接受这份工作。" 麦克纳米告诉她，随后又犹犹豫豫地说："不过，你真正应该考虑的是在 Facebook 和马克·扎克伯格共事。" 麦克纳米一直是扎克伯格非正式的顾问，也知道他此时正在寻觅一位新的首席运营官。桑德伯格此前和扎克伯格有过一次偶尔的邮件交流，讨论在下周一起吃个饭。桑德伯格没有把这次碰面当做一次招聘晚餐，虽然在过去一整年中扎克伯格的私人助理和内部招聘人员马特·科勒一直在和她喋喋不休地说Facebook 的事情。"你什么时候能够过来和我们一起工作？"每次和她见面时他都会这样问。

桑德伯格在抵达幽静的硅谷小餐厅之时，麦克纳米已经和扎克伯格谈过，也支持桑德伯格。在晚餐上，俩人一直在进行谈话。餐厅在晚上 10 点关门，扎克伯格尾随桑德伯格，来到她的家里继续会谈。她是两个小孩子的母亲，通常在晚上 9 点 30 就睡。到了午夜时分她不得不把扎克伯格一脚踢出门外，以便能够上床睡觉。

像这样的晚餐还进行了好几次。扎克伯格并不着急。他希望了解这个人，因为他可能会在今后 10 年或 20 年中一直与之共事下去。这次他不想招来某个不愿意成功发展下去的人。桑德伯格说她与扎克伯格的见面时间，据他估计总共差不多有 50 个小时，是"无休无止的"。"他不肯离开！"她坚持要我把这句话写进书里，"他就是不愿意离开我的房子。"

桑德伯格现年 40 岁，举止优雅，身材略高，说话诙谐，脸蛋圆圆的，一头齐肩黑短发。在进 Google 工作前的 6 年里，她为拉里·萨默斯（Larry Summers）工作，担任办公室主任一职，这是一个非常有权势的职位。萨默斯时任克林顿政府的财政部长。她在哈佛遇到了萨默斯，那时她还是哈佛的一位主修经济学的学生。她的毕业论文讨论了由于经济因素对妇女的影响，让妇女依然处于被丈夫虐待的地位（扎克伯格始终在寻觅学术明星，尽管他本人的学业一塌糊涂）。她说话的语速异乎寻常地快，却不省略语调的抑扬顿挫，如珠的话语听来犹如音乐一般。她在 Facebook 办公大厅一角的会议室里向我诉说被招来担任首席运营官的经历。她盘腿坐在一张安乐椅上，脚上是一双黑色普拉达过膝长靴，穿一条黑色休闲裤，上身套着一件羊绒衫。她的优雅与扎克伯格的随意——以及 Facebook 其他所有人都形成了鲜明的对比。

桑德伯格很想保守这些碰面的秘密，不想让关系密切的硅谷社区里的其他人知道。有一次她和丈夫戴夫·戈德伯格（Dave Goldberg），雅虎的一位高级雇员，邀请扎克伯格及其女友普丽西拉·陈在旧金山机场附近一家鲜为人知的餐厅里一起吃饭，因为在那里没人会认出他们。

扎克伯格问了许许多多的问题，桑德伯格也都据实回答。他们无所不谈，从 Facebook 在 5 年后的样子到桑德伯格的从政经验，从管理理论到个人历史。他都在仔细地考察她，而她也同样需要让自己相信选对了公司。就在他们开始会面前不久，源自哈佛的《02138》杂志发表了一篇长文，揭露了 Facebook 盘根错节的起源史。文章采信了文克莱沃斯兄弟的一面之词，暗示扎克伯格很可能是一个盗用知识产权的窃贼。"我们无从得知 4 年前在哈佛宿舍发生了什么事情。"文章在最后得出结论说："问题依然在于：这是谁的创意？"桑德伯格很关心这篇文章里说的内容，对此询问了她的朋友麦克纳米，后者向她保证了扎克伯格的人品。

后来在 1 月份，两人都出席了在瑞典的达沃斯举办的世界经济论坛。桑德伯格邀请扎克伯格共同乘坐"Google 一号"从旧金山飞往苏黎世，这家飞机就是由 Google 联合创始人拉里·佩奇和谢尔盖·布林共同拥有的那架波音 767。在整个飞行旅途中两人都进行着密谋的谈话，不过她的一些 Google 同事们却没有注意到这个情况。

当会谈已经进入到了实质阶段，桑德伯格打电话给她的好友丹·格雷厄姆，征询他对于扎克伯格和 Facebook 的看法。格雷厄姆是她在 2000 年离开财政部时众多想要聘请她的人之一（其他人还包括了《纽约时报》公司和非营利组织"艾滋病疫苗倡议组织"——但她没有告诉我这些，她似乎对任何看起来有自我宣传意味的事情都极为厌恶）。后来被证明了扎克伯格也曾打过电话给格雷厄姆，询问对她的看法。这位华盛顿邮报的首席执行官对双方都给予了鼎力支持。"这是一个多么绝妙的投奔。"这是如今格雷厄姆对桑德伯格在 Facebook 的评论。

吉姆·布雷耶也像对待其他竞争首席运营官一职的人一样，与桑德伯格进行了长时间的会谈。她是仅有的几个人中的一个，没有以这种或那种方式表示说她会考虑有一天成为 Facebook 首席执行官的可能性。那是绝对没得商量的事情。"马克是我们永远的首席执行官，"董事会成员布雷耶这样说道，"我们在寻找的是一位优秀的能够接受那个现实的商业合伙人。"

除了甘愿担当二把手，哈佛同窗的渊源，与格雷厄姆的关系，在开发Google 广告业务上的重要作用，以及作为一名管理者的经验之外，扎克伯格还发现桑德伯格有另外一些引人入胜的地方。"我们花了相当多的时间讨论她的从政经验。"他说道，"Facebook 从许多方面来看更像是一个政府，而非一家传统意义上的公司。我们拥有庞大的用户社区，远远超过其他任何一家高科技公司。我们其实是在制定政策（服务）。"当然，灯塔项目就是一个极度糟糕的政策反例。

他聘用了她，而她也在 2008 年 3 月开始到 Facebook 上班。如果微软的投资向全世界宣布 Facebook 正式成了一股经济力量，那招来这位互联网超级明星就宣布了它会成为一家管理良好的企业。

尽管做了种种周全的准备，可真到了上任的那天，桑德伯格也还是有一些惶恐不安。每天都要为这位年仅 23 岁的男孩打工的日子会是什么样子？在桑德伯格上任的第一天，扎克伯格和所谓的"M 团队"——由差不多 8 位资深高管组成，正在讨论将在人事系统使用的员工评分系统。问题来了：该如何设计一个最优秀的评分系统？桑德伯格在 Google 监督过许多评分系统，所以她明确表态："你总是要分为五个档次——两类在最高，两类在底部，还有一类在中间。"她轻快地说道。有人问她为什么要这样划分。"是这样，三个档次太少了，七个档次又太多了，而六是个偶数。你需要在中间有一个档次给人以安全感。每个人都理解五类划分法。"她下了定论。在这之后会议很快就结束了，扎克伯格走到桑德伯格旁边。

"我真的很抱歉。"他说。

"为了什么？"

"这个，当时我有点不以为然。"

"我甚至都没注意到。"

"是这样，"扎克伯格说，"是我把你带到这里的，我知道我需要给你权力，而且确保让所有人都意识到我信任你，所以我当时不应该表现得不以为然。"

扎克伯格为了这样一件小事就致歉给她留下了深刻印象。"我对自己说，'这能行。'"她在回忆时这样说。而且他们之间这种推心置腹的交流也在不断进行，他们每周都会私下见几次面。每周五例会的前几分钟他们都会互相给对方回馈意见。之前桑德伯格告诉过扎克伯格，说她希望能够定期向他汇报，但是扎克伯格坚持认为两者应该同时进行。

桑德伯格自上任那刻起，就是公司最顶尖的推销员和广告大王，她从 Google 获得了丰富的与广告商打交道的经验，对网络广告的重要性和潜在价值有着深刻的理解。据 Facebook 一些人的说法，在她最初的几个星期里，公司里几乎没有任何其他人可以像她这样做。尽管有了微软的广告合作，尽管 Facebook 推出了自己的广告系统，尽管在网站流量飞涨时很有搭建收入渠道的必要，但是公司内部对于把广告作为让 Facebook 成为一家真正商业公司的谋生手段还有着深刻的矛盾分歧。

我想说，矛盾的根源在于首席执行官和过去一样，他坚定地认为产品和用户体验第一。桑德伯格还要努力。

第 13 章

找到独一无二的广告形式

也许现在终于达到一个合适的平衡点了。

如何将已取得的社会成就转变成一桩可持续盈利的生意呢？即便谢丽·桑德伯格到任时，在 Facebook 的高层管理人员中，这个问题的答案也是众说纷纭，莫衷一是。扎克伯格对此并不担心，但他自己心里也没有一个满意的答案。然而桑德伯格是个非常有条理的职业经理人，她决心在 Facebook 建立起一套整齐有序的领导风格。她接手这家公司，要把它变成一个强有力的广告中心。她要求所有 M 团队的员工和同事协同工作。在她看来，Facebook 毫无疑问是有史以来最伟大的广告平台之一。

问题一点也不复杂，Facebook 需要钱。先前谁也不曾料到，它会这么快用光从微软、李嘉诚和扎姆韦尔兄弟处融到的 3.75 亿美元。扎克伯格在管理层的一些盟友们已经明白，当初拒绝较低的估值是一个错误，那样的话，会有更多的投资人愿意购买，Facebook 也可以筹到更多钱。迄今为止，Facebook 需要支付大约 500 名雇员的薪水，还要维持新增至数据中心的数百个服务器。并且他们很快就要在美国以外建立新的数据中心，以适应全球性业务增长。Facebook 还在离主楼约一个街区的一栋楼里为员工们建立了一个漂亮的自助餐厅，主厨是从 Google 挖来的，所有美食都免费供应。而且，他们已经计划将原来集中在整个帕洛阿尔托上城区 12 个主楼里的员工搬到一个更大的新办公室来。

桑德伯格到任 5 周左右，就决定举办一系列会议，让 Facebook 管理层把重点放在广告商机上，这些会议正好在扎克伯格为期一月的环球旅行期间举办。他圆满完成了寻找公司二把手的任务，终于可以给自己放个假了。他早就想休息一下了，现在正是个机会。

同事们认为扎克伯格故意选择在这段时间外出旅行，是为了减少干预，给桑德伯格让出一条路子，以便她建立起在公司内部的威信。然而颇具象征意义的是，这些决定 Facebook 如何将海量受众变为强势生意的关键会议召开之时，扎克伯格却怀着他对广告爱恨交加的矛盾心理置身事外。来自各部门的高管们从未这样聚在一起集思广益，讨论如何实现 "货币化" 这个互联网界人士经常提及的雅号，即怎样将 Facebook 的用户资源转变成货币财富。

会议每周开一到两次，从早 6 点开到晚 9 点，晚餐时间也包含其中。第一次会议召集了公司里一小群与广告相关的高管：领导广告销售部的麦克·墨菲，负责发展与国际化部的查玛斯·帕里哈皮亚，主管在线自助广告的蒂姆·肯戴尔，管理微软广告合伙企业的丹·罗斯，广告产品的主管肯特·舍恩，负责广告软件的工程师金康行（扎克伯格自哈佛时代以来的密友），以及马特·科勒，扎克伯格的蓬头 "军师"。

桑德伯格在白板上写下："我们要做什么生意？"

最开始，会议以闲谈为主，每个人均有机会发表意见，后来，会议规模逐步增大。坊间开始流传会议上有不能错过的谈话内容。很快，整个 M 团队和更多的广告人参与进来——一般来说，晚上会有 15~20 个人参与进来。

在那时，Facebook 的货币化战略是各种各样的。当时微软正在 Facebook 销售横幅广告，但截至 2007 年底，微软虽然获得了新的国际合约，但也只在广告总收益中占据 25%。而 Facebook 希望进一步压低这个数目，以掌握自己的命运。与悲剧连连的 "灯塔" 同时启动的自助在线广告项目现在也在迅速增长。此外，Facebook 还有他们称为 "资助方故事" 的广告形式，其植入用户的动态新闻里，看起来像是一条好友动态提醒，实际上是来自可口可乐或其他什么公司。虚拟礼物增长迅速但盈利份额仍然极小，用户们互相赠送小小的图标。比如，你可以花 1 美元买一个插着蜡烛的小纸杯蛋糕图标给一个过生日的朋友。最后就是 Facebook 的市场领地，这个分类广告系统刚刚完成处女秀，用户的反应不温不火。

桑德伯格在白板上列出了一些选项。Facebook 可以投身广告业，它可以售卖其用户的信息，也可以向用户销售阿凡达和其他虚拟商品。或者，它可以支持交易，并像 Paypal 那样从中抽一小笔提成。

员工们研究各种各样的市场，精心制作以备下一次会议用的表格，说明各个市场份额数据，像增长率、关键竞争者以及 Facebook 在这个市场中可能的独特之处。

数周之后，在结案会议上，桑德伯格故意绕会议室一圈儿，询问每个与会者，在各个领域内 Facebook 最终可能的利润。几乎每个人都认为 Facebook 超过 70% 的利润将来自某种形式的广告业务。

他们都知道，扎克伯格只对符合 Facebook 长远利益的项目感兴趣。"马克非常关注长远利益，"一个与会者说，"他不想浪费任何资源，除非他有利于长远目标。如果你不知道你做的是什么生意，那你现在做什么都是浪费，哪怕看上去也在赚钱，但可能无法持续。"尽管扎克伯格为环境所迫不得不接受广告业务，但他也仅仅以做到维持收支平衡为限。无论何时，无论何人问到他的优先级，他都会明确表示增长和持续改善的用户体验比货币化更重要。长期的财务成功有赖持续增长，甚至他在 Facebook 广告发布会上隆重宣布，公司将寻求其他方法（盈利）。"灯塔"的惨败动摇了每个人的信心。

为了明确地将一个商业策略充分纳入扎克伯格的长远框架，参加桑德伯格此次发布会的人，不能仅仅说它其实是个广告。他们找到一个 Facebook 根本性的与众不同之处，用于确定 Facebook 所拥有的机会。鉴于 Google——桑德伯格的"母校"和迄今为止无可争议的互联网界广告之王，帮助人们找到他们想买的东西，Facebook 将会帮用户决定他们想要什么。你在 Google 上搜索时，它提供给你一个和你在搜索栏输入的关键字相关的广告——很多时候，它正是你想要的，Google 通过这个方法赚得盆满钵满。但是，通常你点击的广告，是和你已经知晓的你想买的东西相关。用广告界的话说，Google 的广告搜索是满足需求。

Facebook 则恰恰相反，研究小组断言它将产生需求。这就是品牌广告长期占据电视广告渠道的目的，也是广告费用投放最多的地方。品牌广告就是有意将新的想法植入你的大脑——嘿，你应该把钱花在买这个玩意儿上。但是这一类广告一直无法在 Google 上良好运作。在 Google 搜索中敲下关键词"数码相机"时，你也许能够看到一个佳能相机广告，但是 Google 却无法说服你你需要一个数码相机。（Google 所做的工作是引起用户注意。例如，Gmail 的邮件服务中有

软件留意你邮件中提及的词语，并同时显示软件认为你会感兴趣的信息。）

Google 之所以成功，是在于其几乎完全操纵着广告业中相对较小的一部分。桑德伯格的研究人员发现，全世界高达 6 000 亿美元的广告业中，仅仅只有20%的广告是投放给已经了解自己想要什么的人群中。剩下的80%，即 4 800亿美元的广告都是为了吸引需求，而与此同时，越来越多的消费行为正转向网络战场。

在这群人看来，Facebook 广告的长期目标是光明的。互联网正在从电视、报纸和杂志等媒体中抢夺消费者，而 Facebook 在这个网络时代占据了多的几乎过分的份额。到目前为止，在美国和其他几个国家中，Facebook 是网民每天在线时间最长的网站。广告市场专家丹·罗斯说，如果这一点与 Facebook 无与伦比的根据用户信息投放广告的能力相结合，随着时间推移，将会吸引越来越多的需求产生的广告。

罗斯说，在大把大把广告资金投放与所获得的用户关注度之间存在着巨大失衡，而那些钞票在未来 10 年之内都会转移到互联网上来。罗斯工作非常勤力，后来桑德伯格给了他一个负责商业发展和货币化的副经理新头衔。

桑德伯格主持了约 8 个商业模型会议，告一段落之时，扎克伯格正好从他的环游世界之旅回来。（他独自背着背包，去了柏林、伊斯坦布尔、加德满都、新德里、东京和其他一些地方。）

我们团队的这个结论令他印象深刻，"现在马克相信，我们已经有了一个符合长远利益的商业模式，"一位广告事业部高层说，"所以，他现在很乐意投于此。"

扎克伯格详细解释了他关于 Facebook 广告业务的想法。在后来一次关于货币化的远程会议上，他告诉团队，Facebook 与其他网站的不同之处在于，它有能力帮助用户间或者用户与广告投放者之间进行双向对话。Facebook 的基本理念是"广告要变成内容"。他说，它们需要变成组织好的用户正在站点上源源不断产生的内容。许多用户的信息，天然具备商业价值。比如，你看一个人的简介栏，他们填写的几乎所有的项目，某种意义上就是广告——听的音乐、看的电影和书籍、喜欢的商品、玩过的游戏。人们用喜欢的东西来定义自己的身份，但这些信息也具商业价值。

通过和扎克伯格的这些交谈，一个概念慢慢显现出来，Facebook 称为：订制式广告。正是页面上一些来自广告投放者的适度前瞻性的信息，引导用户参加碰巧出现在自己页面上的一些活动。或许是邀请你评论一个视频，希望你也拉朋友一起参加。或许是一次商品试用，例如星巴克提供一些免费试饮的优惠券。或者它们会邀请你和你的朋友们加入交谈，又或者它会促使你点广告，立刻成为该产品在 Facebook 页面的粉丝。

很快，订制式广告取代了赞助商模式的广告，成为 Facebook 广告销售人员的主推广告产品。按扎克伯格的话来说，赞助商广告不是"人们在网站上造出来的有机信息"。这种新的广告方式大受欢迎。第一年，仅此一项就收入好几亿美元。每一千次广告浏览，Facebook 至少收取 5 美元（也就是通常说的5CPM）。而对于那些每月多次查看自己页面的 3 亿多活跃用户页面，这个费用还可以追加。而且，一旦广告和用户建立了某种联系，Facebook 将会获得被其称之为"派生价值"的巨大机会。执行官说一旦一个品牌和消费者建立了关联，平均会产生 200 个免费的"印象分"——也就是人们在 Facebook 上看到该品牌的机会。

我们永远不会再卖条幅广告了，罗斯说。对接式（接触式、触动式、结合式）广告将变成互联网的优势力量，它促使市场人员开始和受众进行对话交流。这和传统网页上的条幅广告非常不同，这种广告方式颠覆了 50 年来电视和平面媒体带给人们的广告体验。与此同时，微软继续为 Facebook 卖条幅广告，双方合作多年，彼此声称合作愉快。2009 年，这些广告至少带来了 5 000 万的广告收益，但桑德伯格说，到目前为止，条幅广告确实在我们的收益中变得无足轻重了。如果这类广告全部消失，扎克伯格或许会更开心，尽管他从未这么说。

当 Facebook 公司着力于开发和细化参与式广告以及经营与微软的关系时，最大一份收益份额却是来源于一种第三方资源自助广告，小广告商可用信用卡直接在 Facebook 网站上购买，任何人都可以买，但这些广告的购买商仅限于本地的。

Facebook 给广告商们提供了比任何网站都更加有针对性的选择，因为用户们将关于自己的海量信息自愿地放在了 Facebook 上，同时他们也在上面花费大量时间进行各种活动，这也就创造了将广告呈现给用户的机会。如果你在 Google 上买一则广告，在有人键入"数码相机"时出现，那么在 Facebook 上，你可以将一则类似的广告专门呈现给在加州的一个有小孩却没有上传任何照片的已婚男人。

在所有重要的广告业务中，甚至在桑德伯格的计划中，有另一个大家认为不久的将来会变强大的盈利方向。罗斯称之为"消费者货币化",意即用户直接购买 Facebook 的一些产品,就像他们花很多钱玩各种各样的游戏,购买其他应用服务一样。

Facebook 已经在卖像"虚拟生日蛋糕"这样的东西了,定价 1 美元,Facebook 还有很多从用户那儿赚钱的办法。例如用户可以用现金购买用于在 Facebook 上做交易的积分点,尤其是在一些游戏中,公司已经在内测这样一个系统了。在社区网络世界中,首页装饰和表现形式方面,友邻之间已经形成一个健康的虚拟交易市场。比如说,在俄罗斯的一个社会网络中,用户们购买一些星号贴在友邻的图片下,表明喜欢那张图片。但如果你用现金购买星号去评价某些图片,就表达出一种更为强烈的热爱。桑德伯格说,她相信 Facebook 最终有 20%~30% 的收入会来自以现金出售网站上的虚拟物品或者点击操作。

Facebook 毫无疑问处在新一轮资本主义基本秩序重建的中心位置。作为一代人的代表,马克·扎克伯格在哈佛大学开始做 Facebook 网站时,就凭直觉认识到了这一点。市场工作将不再是公司强推广告到大众面前,不是说那样做就是错的,而是因为那不再有效。"广告"这个词,已经不能恰当地描述 Facebook 正在做的业务了。在桑德伯格的工作中,它仅仅是个实用的代称,用来指称一个过程:公司花钱让人们对他们的产品更有兴趣。

但是,市场人员再也不能控制这种转变了。这种迹象又一次变得显而易见是在 2001 年博客出现的时候,博客令消费者也变成了信息发布者。受众开始创造媒体。如今 Facebook 正在将这种趋势扩大化,普及到了"技术白痴"型用户,每个用户都有自己的主页和工具去散发信息、创造和转发内容。大部分都是关于商品和服务的内容。

消费者的花费是现代经济的引擎,拉动了方方面面的经济活动。但是"消费者"不再仅仅只是消费了,正如 Facebook 所证明的一样,人们越来越想将一切都处于掌控中。

"不管愿不愿意,各大品牌都已经上了 Facebook 的页面。"汤姆·贝德凯尔说,他是最大的数字广告代理公司 AKQA 三藩市分公司的经理,同时也是 Facebook 的一个狂热粉丝。"无论人们爱还是恨一个品牌,他们都会建立小组或者页面,张贴信息。"

Facebook 的广告销售经理麦克·墨菲经常用到的一个市场调研工具是在 Facebook 的数据库搜索公司信息，以便当他打算去找这个公司卖广告的时候，可以展示一下这家公司在 Facebook 上已经有多少深入度。对于一个家喻户晓的公司，例如麦当劳，这个数字常常是数以百万计。

有些公司采取过注定会失败的措施，试图压制消费者关于该品牌的负面评价。加拿大一家连锁咖啡屋的蒂姆·荷顿发律师信给小组成员要求停止谈论和散发他们公司有关的信息，但收效甚微。

没有律师可以阻止人们在 Facebook 上批评或者侮辱一个品牌或者产品。正如贸易协会互动广告局主席兰德尔·罗森伯格所言，对话不受控制，你只能加入对话。

公司里以前以广告人员自居的人需要搞清楚，如何在 Facebook 上创造交谈，或者加入交谈，而不是打断对话。成功的做法是帮助用户相互联系和沟通，这是种新形式的价值交换。AKQA 的贝德凯尔说："我给你好处，你会感觉良好一些。"

马自达邀请其 Facebook 上的粉丝帮他们设计一辆 2018 年的汽车，全世界的设计系同学都可参与。本 & 杰瑞的冰激凌公司让大家对下一个新产品的口味献计献策。每次，马自达或者本 & 杰瑞的粉丝会在这些页面写下一些东西，在他们的页面上张贴信息，这些信息同时也成为友邻们的信息源头，这些友邻对营销人员而言是很有用的。这就是为何市场营销公司爱德曼数码关于口味的一次活动策划，可以使本 & 杰瑞的粉丝在 6 周内从 30 万增至 100 万。这两次活动都是从在 Facebook 首页上做对接式广告开始的。

当他们参与一些市场活动时，Facebook 的用户常常会获得一些实体性的东西。事实上，他们收到的这些补偿在过去都流向电视或者报纸上举办的活动。星巴克送出免费咖啡券，本 & 杰瑞送出锥形冰激凌。赠品同时也有助于市场人员接近商业客户。AKQA 帮 Visa 公司为小企业在 Facebook 上建立了 Visa 商务网，Visa 给每个公司相当于 100 美元的 Facebook 广告份额。数十万的生意就做成了。

一些客户导向的公司如今逐渐把重点从普通的网络页面转至 Facebook 页面，在 Facebook 上他们能主导广泛多样的 Facebook 应用，参与这些活动的粉丝将信息病毒式扩散至友邻。例如，维他命水开始在电视广告和网站上的横幅广告上引导消费者去访问公司在 Facebook 上的页面。

用户和公司间的关系将会继续快速融入 Facebook，并且很可能产生一些新的发展。越来越多的迹象表明，通过征募消费者加入构思设计甚至产品制造流程，公司可以降低成本，做出用户想要的东西并且加强消费者忠诚度。Facebook可以被视做一个巨大的协作网络。它简直是创新活动的完美平台，马自达和本&杰瑞的竞争策略指出了道路，2009 年一个叫做大众动画的小型电影公司，通过和 Facebook 的紧密合作，将这种理念大大地推进了一步。

他们制作了一部由 Facebook 用户创作的动画电影。这个 5 分钟的电影叫做"Live Music"，包括 51 个来自 17 个国家的人创作的几个片段，包括哈萨克斯坦、哥伦比亚等。参加者都只有 14 岁。大众动画给出一个故事大纲，画面也奠定了影片的影像风格。它的 Facebook 页面吸引了 57 000 个成员，1 700 位用户下载了播放该影片特殊的工具软件。这个页面的成员投票决定哪一段可以放进该影片。获奖的创作者可以得到 500 美元的奖金，并且名字会出现在影片的鸣谢名单，索尼公司将会在 2009 年末在各大院线发行放映这部影片，作为动画电影季的开幕影片。"社区网络正在变成社会工厂。"《维基经济学》的作者丹·泰普斯科特说，"这正改变着我们重组社会的能力，让我们可以去创新、去创造商品和服务。"

Facebook 是史上命中率最高的媒介。广告投放者希望最有可能对他们产品感兴趣的用户看到广告。Facebook 诞生前，他们不得不购买昂贵的服务，费力地满网络乱跑，去跟踪用户的数字足迹，去推测他们的性别、年龄、兴趣爱好和经常访问的站点。但是，在 Facebook 上，关于用户的准确信息唾手可得。因为他们都确信只有经他们批准的友邻才能看到这些信息。一家和 Facebook 合作的大型互联网广告服务公司 Omniture 的 CEO 约瑟·詹姆斯说，Facebook 有最丰富的数据，远远超过其他站点。它是第一个消费者自愿去说"我用过了挺好，我敢说你也会喜欢"的地方。桑德伯格说："我们的信息比任何人都要好。我们知道性别、年龄、籍贯，而且这些都是真实的，而其他公司只能通过推测。其他网站的广告商使用的预测性定位，往往是错误的。"

Facebook 上的用户自发提供了许多自身的信息，并且通过他们在站点上的行为，通过和其他人做页面和小组的交互，制造了许多新的内容。Facebook 用他的数据库追踪和记录所有这些信息，并且据此投放广告。Facebook 的策略是除非服务条约允许，否则绝不查看任何个人资料。它对外表明永远不会将用户真实资料分享给广告投放者。它们只允许广告投放者们使用聚合后的资料，从一大批参数表中去尽量精确地选择定位自己想要投放广告的人群。

任何人都可以在 Facebook 的自助广告服务页面选出有限的组合。你可以只对已婚的年龄 35 岁以上住在北俄亥俄地区的女人展示广告，或者只对在某个特定城市某个公司在某一天上班的白领展示广告（从参赛者中选出最佳人选的员工经常这么做），支付更昂贵的订制广告费用的客户可以从更详细精密的选项中选择其一，比如，已经身为人母正在谈论尿不湿的，或住在城里喜欢听酷玩乐团的妇女。Facebook 的丹·罗斯说，目标简单明确，这是我们可以有今天的动力，也是我们一直在发展的动力。

我是婴儿潮一代，在我的主页上列了很多我喜欢的歌手和乐队。所以，我经常在我的 Facebook 上看到某种 USB 数字转换器的广告，这种转换器可以把旧的黑胶唱片和磁带转成 MP3 文件。广告投放者瞄准我这个年纪的音乐爱好者，因为我们大部分都喜欢收藏一些老的录音带唱片。

Facebook 对其用户的了解和认知，可以帮助广告投放者做市场调研。例如当一家公司决策在电视广告上采用什么音乐时，Facebook 可以对该公司粉丝的页面做一个查询，报告他们最想听到什么样的音乐。你购买对接式广告，Facebook 可以告知你详细的点击用户统计分析。"我会告诉他们，他以为他们的受众是 18~24 岁的女人，而实际上是 19~38 岁的男人。"Facebook 广告部经理麦克·墨菲说。"而且，他们喜欢足球，这些是他们最喜欢的三部电影。如果你想更进一步了解这些人，那么这是他们最喜欢的电视节目。你可以根据我们提供给你的资料谋划全部的媒体推广活动。在地球上任何地方你都买不到这样的情报。"如今 Facebook 公司正和一个叫做尼尔森家庭扫描的服务机构合作，将尼尔森从成千上万个家庭里收到的购物数据和这些居民在 Facebook 上的行为做数据依赖分析。

广告投放者可以了解到他们在 Facebook 看到了哪些广告，而他们又买了哪些东西。其实早在电视时代，就已经有这类数据了，但如果 Facebook 可以演示出它的有效性，广告投放者就会更渴望了解这一块。

Facebook 有能力整理那些用户报告数据，令人确信它们能帮人赚钱。"Facebook 拥有 Google 曾经渴望拥有的机会——为顶级品牌广告投放者建立一个可信赖的提案。"广告度量提案机构尼尔森 IAG 的运营官阿兰·古尔德说，"现在看来，史蒂夫·鲍尔默当初对 Facebook 的评估没那么愚蠢呀。"社交网络广告公司 Buddy Media 公司的 CEO 麦克·拉泽罗说："我相信 Facebook 将会从根本上改变市场营销，它会变成一个大公司。"Buddy Media 公司为 Facebook 的应用程序做推广活动。当你将 3 亿用户的资料整合在一起，你不只是能了解他们住

哪儿，朋友是谁，还能知道他们对什么感兴趣，在线上做什么——它简直就是互联网的基因工程。

迄今为止，用户对 Facebook 利用他们的数据有目标地向他们投放广告尚无抵制情绪，但未来这可能是隐私条例受到最大挑战之处。不难想象，一些定位不准或者丑陋的广告会激起严重的广告抵制情绪，从而损害公司名声。

不过问题尚未发生。真实世界的人们完全是凭个人好恶主导市场走向的，因此最大的危险就来自某个用户现身发起传播一条他们的确不赞同的信息。来自弗吉尼亚州林志伯格的彼得·史密斯 2009 年 7 月的某一天看到一则 Facebook 广告写着：嘿，彼得，火辣单身女正在等着你哦。下面放着一个魅力十足的微笑着的女人照片——太巧了，竟然是他妻子。原来事情是这样的，切利尔·史密斯曾经玩过一个 Facebook 上的游戏，因此她需要准许游戏通过一个 Facebook 程序访问她的个人资料。这家游戏公司使用第三方网络在游戏中投放广告。

显然，这家网络广告公司从游戏中不当使用了她的照片并且粘贴到了征婚广告中。这种盗用活动有违 Facebook 的规章，因此立刻被禁止了。公司接着重申了它们的广告指引，进一步明确这种分享用户资料的行为是不允许的。但是用户通过多种多样的方式使用 Facebook 和各种应用程序打交道，公司监督资料的使用方式变得日益困难。错误在所难免。

桑德伯格到任 Facebook 的几个月里，公司领导层经历了一场基础性重组，多人离职。毫不奇怪，范·纳塔是第一个离开的，因为随着桑德伯格的到任，他不可能继续坐在 CEO 的位置上了。不到一年，范·纳塔就逮到了一个美差，担任 MySpace 的 CEO。桑德伯格进驻并重新定位 Facebook 的基础业务为广告业务后，扎克伯格的那群年轻的 Facebook 初创元老们也都一一各奔东西了。

马特·科勒，从 2005 年起就是扎克伯格的智囊，他加入了卓有声望的投资公司——基准投资公司，成为一名风投资本家，这是他一直向往的一份工作。他和扎克伯格仍然关系密切。

亚当·德安杰罗，扎克伯格艾斯特高中时的发小，已经来来去去好几次了，最后他自己开了一家新公司，并且带走了 Facebook 的顶级工程师查理·奇弗。

但是最引人注目的离职是达斯汀·莫斯科维茨，从事业初始时就是扎克伯格的股肱之臣，至今仍是公司最大的股东之一，他拥有 7% 的股份。莫斯科维

222

茨和德安杰罗仍与扎克伯格关系密切。莫斯科维茨离开后开了他自己的网络软件公司，名叫 Asana，很早之前他就开始琢磨这个想法了。他致力于打造一个与 Facebook 相关的在线商用软件产品，和 Google 文档、微软的 Office 和其他同类软件竞争。

这是个巨大的野心勃勃的愿景。他说他考虑了很久，看是否可以继续呆在 Facebook 实现这个新想法，但最终的结论是这会分散他对 Facebook 的注意力。

当公司员工超过 1 000 名，各个部门逐渐变得专业化时，这个自学成才的由室友变成的财务官的影响力不可避免地衰弱了。他经过很长时间的磨合才逐渐控制了公司的发展方向。但是公司壮大时，扎克伯格的权力也跟着壮大，莫斯科维茨的权力被削弱了。尽管他占有大量的股份，但他已经不能再发挥以往的影响力了。

他们在公司发展方向上产生了分歧，据他们共同的朋友说，当你和一个喜欢大权独揽的人共事时，这种分歧就变得不可调和了。而且因为扎克伯格一再表示他对增加功能令 Facebook 在工作场所发挥更大的作用毫无兴趣，莫斯科维茨离开 Facebook 组建 Asana 就在情理之中了。

每次离职事件中，扎克伯格的好友们——他们也认同这一说法，一致表明，他们的离去并非因为和马克有本质上的冲突。德安杰罗，扎克伯格合作时间最长的好同志说他只是不适合大公司常常需要妥协决策。他说，他仍然非常关注 Facebook，但是倦于应付每天的官样文章。扎克伯格对此比任何人都有耐心，因为那是他自己的公司。

克里斯·休斯，公司的创始人之一，离开得更早，也更加直言不讳。他认为扎克伯格常常联络的朋友们，就像他，离开 Facebook 部分是因为他们感到厌倦了。和扎克伯格一起工作很有挑战性，他说，你永远无法确认你所做的他是否喜欢，和他做朋友好过和他一起工作。

好友的相继离开令 CEO 扎克伯格有点郁闷。他说离开一年前莫斯科维茨第一次提出想辞职时，他很难过。直到他真正辞职，扎克伯格一直抱着听天由命的态度。而对科勒和德安杰罗而言，扎克伯格说我希望我们可以找到一个方法继续发挥他们的角色。

引入桑德伯格作为 2 号人物对团队影响很小，但是莫斯科维茨是个例外，他没有对桑德伯格团队爆发出的热情听之任之，也未与他们达成共识。当我问到桑德伯格对 Facebook 的影响时，他的回答一如既往地直率，"当然都是积极的影响啦"，他打开话匣子，但接下来却有点欲言又止。"我积极不起来，因为我觉得她的想法和我想的 Facebook 的进程挺矛盾的，当然，我很理解她这么想。我是个狂热的产品信仰者，我相信有多少都应投资到产品上。对于令用户感到反感，不愿意加入网站的投资，越少越好。这样就经常导致我的想法和她在上面投广告相冲突，但那是她的工作职责。"他接着说，"她做得不错，她理清了广告在 Facebook 上的投放方式，"但是又加了一句，"我把那视为必要的魔鬼。"然后，他承认"也许现在终于达到一个合适的平衡点了"。

尽管大家已经达成共识：Facebook 靠广告盈利，扎克伯格还是常常宣布增加用户仍比把用户变成钱更重要。莫斯科维茨和德安杰罗仍然坚定不移地相信他。"今天你可以从一个用户赚到 1 美元，但如果你吸引他邀请 10 个朋友进来，你可以赚 11 块，Facebook 还处于快速成长时期，很难说现在就开始权衡利弊是个合适的时机。"莫斯科维茨说。德安杰罗同样对于将重点放在广告业务上毫无热情。"我个人认为仍在增长时期，我的意思是，如果你想把 Facebook 变成将来网络世界的一个领先产品，正如我所希望的那样，你得这么做，把它推广到全世界人都在用它，对我而言，不言而喻的是你必须靠一个全世界人都喜欢用的产品才能赚很多钱。"

尽管扎克伯格反对广告业务的盟友们撤退了，但他仍坚持对 Facebook 的长远规划。"让人们了解我们现在所做的仅是个开端，这非常重要。"他说，"成功的有影响力并能最终胜出的公司，都是目光长远的公司。"董事会成员彼得·泰尔始终是此策略的坚定支持者，他也认为需要循序渐进地加强 Facebook 的用户端。即便是在谈公司发展史时，如果扎克伯格侧重其他问题时，泰尔就会坚定地重复他的坚持："加强用户端，加强用户端。"

现在看来，扎克伯格引入一个可以紧密合作的人来关照一下账单也是必要的和有效的。公司在发展壮大，桑德伯格努力建立的 Facebook 清晰的商业模式也物有所值。Facebook 的用户仍在迅速增加，尤其是被交互式广告和在线自助广告所吸引的用户，专注于较大的广告商仍是 Facebook 的主要收入来源。2009 年时，预计有 5.5 亿的营收，比 2008 年的 3 亿有了惊人的 70% 的增长。而且，桑德伯格宣布 Facebook 预计在 2010 年末实现全面盈利。

麦克·墨菲，Facebook 体格魁伟广为人知的老销售员，承认 2006 年刚进公司时，他一直有些焦虑，担心广告业务是否和用户增长受到同等的重视，这焦虑几乎令他发疯，"我的挫败感大大降低了，"现在他说，"马克对于任何一个他给我们资源的承诺从未爽约。"公司有 150 个专门做广告销售的员工。桑德伯格到来前，Facebook 只在帕洛阿尔托和伦敦设立了销售部，但是根据桑德伯格的规划，在后续几年，他们在都柏林、巴黎、悉尼、斯德哥尔摩和多伦多等处都设立了办事处。

桑德伯格说，任何事务中，关注用户增长与盈利都不矛盾，"我们的目标是，弄清楚人们共享了多少信息？同样重要的是，我们有多少用户，收入几何？这些都是非常重要的整个事业的推动力，但你不能只做这个，不做那个。"

广告业开始将目光转向 Facebook。从 2008 年到 2009 年，使用 Facebook 自助在线广告的广告商增加了 3 倍。国际广告协会在 2009 年的调查报告指出，66% 的市场人员通过不同方式使用社区型媒体，而在 2007 年，只有 20%。如今的社区型媒体几乎就是 Facebook 的天下，大部分的美国头号广告商开始在那儿投广告了，大客户包括百事、宝洁、西尔斯百货和联合利华。Facebook 的用户也随着大公司广告业务的入驻而大量增加。商业页面有 TK 百万的粉丝，每天有超过 600 万用户成为这些页面的新粉丝。粉丝超过 200 万的页面有阿迪达斯、可口可乐、费列罗金莎巧克力、品客、Skittles 彩虹糖、星巴克、维多利亚的秘密和 YouTube。

Facebook 的财务前景看来一片光明，公司内部也很乐观。2008 年初，扎克伯格曾经邀请马克·安德森加入公司董事会（填补一个由扎克伯格控制的位置），当时他还不能充分地说出 Facebook 究竟能做多大。"Facebook 有个我们熟视无睹的可以实现货币化的跳板。"他说，"如同夜晚紧随着白天，随着电视、广播、杂志、报纸广告收入的下降，大约会有 2 亿广告费用流入市场，这部分钱主要流向了网络。而 Facebook 恰巧想把这部分钱当作它所有的用户活动的一个回报，它瞄准了这部分钱。"

在最近的经济衰退期，Facebook 的生意还那么好，连桑德伯格都很惊讶。在 2008 年后半年，公司大幅降低了增长目标，削减了预算。"整个世界经济都在衰退，我有点紧张。"桑德伯格说。看上去，不可避免的全球经济衰退将会重创 Facebook。

但是没有，在 2009 年中的一次访谈中，她说："我们的广告率基本上保持住

了，在一个别家都不断剧烈降低目标的时期，我们却越来越好，越来越好。"统计公司康姆斯克报告表明，美国在线广告业务正在转向社区型网络，现在占总体广告份额的 21%。2009 年 6 月，Facebook 展示了 2 700 万条广告。"这就是大家都在等待的，关于我们商业模式的传奇。"桑德伯格说，"我们找到了盈利模式，那就是广告，那就是我们做的生意，它行之有效。"Facebook 公司再也没有人费尽心机去和她意见相左了。

第 14 章
开放整个世界

要为全世界创造出一个交流工具。

　　马克·扎克伯格坐在一辆大客车里，在西班牙潘普洛纳著名的纳瓦拉国立大学校园里穿行。时间是 2008 年 10 月，他刚刚在该校最大的礼堂里完成了长达 1 个小时的演讲。讲堂只有约 400 个座位，但那天挤进来的学生至少有 600 人。在客车准备离开时，人们聚集起来，发疯一样地用力挥手吸引扎克伯格的注意力。当客车开动时，大约五六个女孩跑在了前面。当他们到达下一个目的地——总统办公室时，那几个女孩已经在那里了。扎克伯格顺从地答应了她们合影的要求（当然，是用来发在她们的 Facebook 上的）。之后，女孩们中间爆发出得意洋洋的咯咯笑声，她们目光中依然带着惊诧，仿佛不相信自己的好运气。"你现在可是个摇滚明星了。"扎克伯格的私人助理安尼卡·弗拉戈特（Anikka Fragodt）说。弗拉戈特是跟随扎克伯格一起完成欧洲宣传之旅的 3 个 Facebook 的雇员之一（此外还有我）。

　　2009 年 3 月，尼尔森公司研究所宣告了互联网划时代的巨变：全世界的互联网用户在社交网络上花费的时间第一次超过了使用邮件的时间，这种新型的沟通方式已经变成了主流。全世界的用户花在社交网上的总时间在 2008 年呈现了 63% 的健康增长，然而，Facebook 的时间增长却在另一个数量级上，将尼尔森统计到的其他所有类似服务远远抛在了后面。Facebook 的

用户总时间增长了 566%，高达 205 亿分钟。

Facebook 近两年的全球增长规模很难确定。从 2006 年秋天，Facebook 对非学生用户开放的那一刻起，全世界的英语使用者就开始大规模涌入。在 2008 年初，Facebook 开创了一项新颖的翻译项目，到 2008 年底时，网站便有了 35 个语言版本。当时，Facebook 的国际化项目仅仅处于初期，美国以外的活跃用户就已经达到了 1.45 亿，占总数的 70%。当时尼尔森的统计显示，全世界 30% 的互联网用户都注册了 Facebook，这个数字比一年前增长了 11.1%。用户量仅次于 Google。

Facebook 公司的自我预期也在不断被超越。2009 年初，野心勃勃、当时还对外保密的内部目标是到年底前达到用户 2.75 亿人，即使在公司内部也少有人认为能够完成。但后来这个数字在 8 月就实现了，到了 9 月，用户量达到了 3 亿，遍及 180 个国家。到 2009 年后期，新用户的增长速度高达每天 100 万。

难以置信的统计数据持续出现：据 Facebook 全球监控系统 (Global Monitor) 称，全球有 11 个国家，超过 30% 的公民都成了 Facebook 用户，这些国家包括挪威 (45%)、加拿大 (43%)、智利 (35%) 和英国 (37%) 等。在狭小的冰岛，52% 的国民都使用 Facebook 服务。在文莱、柬埔寨、马来西亚、新加坡和其他的一些国家里，Facebook 是排名第一的社交网站。据康姆斯克的统计，在 2008 年 5 月，Facebook 的全球访问量超过了 MySpace。2008 年年中，Google 全球搜索关键词中，"Facebook" 的搜索次数超过了 "Sex"（性）。

在 Facebook 各部门间一直流传着的一个笑话，称 Facebook 追求的是"完全控制"，其有趣的原因是这句话正在成为令人惊讶的事实。扎克伯格很早之前就意识到，大部分用户不愿意花时间同时在多个社交网站上为自己填写多个简介。他也从在哈佛和帕洛阿尔托关于"网络化效应"没完没了的自由讨论中意识到，某个交流平台一旦巩固下来，一个赢家通吃的市场很快就会加速形成。人们愿意加入使用用户数量最多的交流工具。因此，他设立了目标，不仅仅为美国，而是要为全世界创造出一个交流工具，其目的是超越其他各处的一切社交网站，赢取他们的用户，并且成为实在的行业标准。在他看来，不成功，便成仁。

在巴西、中国、日本、韩国和俄罗斯这几个关键国家和其他的几个地区，其他的社交网络比 Facebook 拥有更多的用户，这些国家都由本地玩家控制着整个市场。对于扎克伯格来说，削弱这些对手的支配地位是一个至关紧要的战略性任务。就像扎克伯格在他的西班牙之旅中对马德里的观众所说："开放整个世界并非一朝一夕，这是个需要 10~15 年的事情 。"而他还有很多工作要做。

但是，为什么 Facebook 会如此迅速地增长？在搬到加利福尼亚之后不久，扎克伯格就开始思考 Facebook 转变成全球现象的可能性。受大野心家肖恩·帕克的影响，扎克伯格开始觉得，如果他能很好地运作，这个网站可能会成长为国际巨头。他在很多事情上都决策正确，为此后的全球性迅速增长打下了基础。一方面，扎克伯格使 Facebook 的界面保持简单、干净和整齐。就像 Google 一样，一个极简的表面包含了幕后的海量复杂技术，同时又让各种各样的用户都觉得界面友好。在这次西班牙之旅的其中一站,扎克伯格总结了他的国际化战略:"做最好、最简单的、能让用户用最方便的方式分享信息的产品。"

Facebook 的一个最基本的特性是你只能在上面看到自己的朋友，这也是他们能够在多个国家获得成功的制胜关键，这种基于身份识别的基本特性将 Facebook 从一开始就与其他社交网站区分开来，也使其成为众多网站中独一无二的全球现象。在美国的众多网站服务中，Facebook 是感觉上最不美国的一个。比如说，在意大利使用 Facebook 的数以百万计的量用户并不太经常看到意大利以外的人们。来自土耳其，智利，或是菲律宾的用户在 Facebook 中所接触到的价值观、兴趣、语气和日常行为习惯也与他们在离线世界的日常生活非常相似。

精确来说，用户在 Facebook 上所用的语言，也渐渐与他们的线下生活接轨。Facebook 在 2008 年初发布的翻译工具是他们有史以来最伟大的产品创新之一，也对他们日后在全球发展产生了巨大影响。那年年底，Facebook 的使用语言增加到了 35 个，包括中国大陆使用的简体中文以及中国香港和台湾地区所偏好的繁体中文。到 2009 年底，Facebook 使用的语言已达 70 种，涵盖了 98% 的世界人口所使用的语言。

Facebook 的翻译工具采用了一种新颖的方法，很好地利用了世界各地用户的疯狂热情。他们并没有安排自己的雇员或是找承包商花费数年时间将站内的 30 万条词语和短语翻译成其他许多种语言，而是把这个任务转交给了全世界，并收获了巨大的集体智慧。

在开发每一个语言版本的时候，Facebook 的软件会给用户提供一个待翻译的词语。每个使用 Facebook 的人都可以解决一个或多个的西班牙语、德语、班图语（Swahili）或者塔家路语（Tagalog）的一个词语。每个词语都被很多人翻译，然后软件将询问该语言的母语者，用投票选出最好的词语或短语来填补空缺。

这个工具最早在 2008 年 1 月用于西班牙语版本上，当时在西班牙语国家已经有 280 万用户使用 Facebook 的英文版。仅仅在 4 周之内，世界各地的西班牙语使用者就创造出了一个完整的版本。Facebook 的工程师只需插入总结，于是西班牙语版 Facebook 在 2 月 11 日就上线了。下一个德文版，2 000 人只花了两个星期，3 月 3 日上线，而法语版本是 4 000 名用户在不到 2 天的时间内完成的。增加新的语言版本几乎没有给 Facebook 增加任何成本。Facebook 中标志性应用"捅你一下"，由用户分别翻译成西班牙语"dar un toque"、德语"anklopfen"和法语"envoyer un poke"。

这个项目的开展扎克伯格并没有过问。"我非常为之骄傲，因为这个产品我根本没有参与。"在翻译者项目上线时他说，"这难道不就是创业过程中最令人期盼的结果吗？你根本不需要关照任何事情，就能有人创造出与公司理念如此契合的产品。"

Facebook 的平台战略，即允许任何第三方基于他们的平台自行编写程序也从本质上促进了他们的国际化扩张。从 2008 年 7 月开始，Facebook 允许开发者们在应用程序上使用翻译工具，因而 Facebook 程序也开始出现了多语言版本。2008 年秋天，当扎克伯格访问西班牙时，Facebook 上已经有超过 6 000 个西班牙语版本的应用程序。对于西班牙或智利、哥伦比亚的用户来说，Facebook 就像是一个西班牙语网站一样。西班牙语版本上线 8 个月后，西班牙语使用者翻了 4 倍，到达了 1 200 万。"我们觉得我们能够获得多达 30%~40% 的西班牙语使用者。"扎克伯格在马德里对记者们说。（光西班牙就有 4 600 万人口）。

扎克伯格的全球化探索中有一个很教育意义的组成部分。在纳瓦拉拥挤闷热的讲堂里，他说 Facebook 是给"全世界所有年龄的所有人"用的，让人们了解更多身边人的信息会"制造出更多的关心"。扎克伯格坚持 Facebook 应该是一种教人从善力量的理念，并由此获得了一个出人意料的同盟——他的导师和董事会成员彼得·泰尔。这个对冲基金经理和风险投资家认为 Facebook 是使世界变得更小的关键工具。"在全球化的世界里，人们之间的距离应该更近，"他说，"我们思想中的关键价值观会变得更加宽容。我喜欢

Facebook 模式的原因是它以真实的个人为中心，使得人们不仅可以在他们的固有语境中，还可以在固有语境之外与其他朋友建立友谊，开拓关系。全球化并不一定意味着你要与世界上的每一个人成为朋友，然而全球化在一定程度上意味着你将会在更多的语境中对更多人开放。"在西班牙的另一个会议上，当记者问到为何 Facebook 会成功时，扎克伯格回答说："如果你提供了更好的分享信息的方式，就会改变人们的生活。"

然而，扎克伯格的 Facebook 其实是彻底的美国制造，尽管在国际用户看来并非如此。Facebook 的美国化不是在某个阿塞拜疆的年轻人遇到一个来自俄克拉荷马州的孩子时显现，而是在其对人们行为的预设。扎克伯格的价值观反映了美国人一直宣扬的自由精神。Facebook 将这些价值观传至全世界，其影响有正面也有负面。

在美国，人们觉得一定程度的透明度和言论自由是理所当然的，然而，在其他的文化中，这些却可能导致付出巨大的代价。沙特阿拉伯的一位父亲发现自己的女儿在 Facebook 上与男性交流后，竟杀害了她。在阿联酋，用户们组建的诸如"海湾航空太差了"和"抵制迪拜海豚馆"的抗议小组都还在界限之内。然而 Facebook 也测试出了他们的底线。当群组渐渐增长，出现了诸如拥有 138 个成员"迪拜女同性恋"小组时，当地政府就将 Facebook 完全禁用了。

世界各地的许多政府都在努力研究，如何控制那些过分利用了 Facebook 所提供的自由的用户们。在意大利，当褒扬狱中的黑社会头目的 Facebook 群组出现了以后，一位参议院提交了一份议案，建议迫使 Facebook 撤下为犯罪行为"煽动辩护"的内容，然而此议案并未获通过。（Facebook 的内部政策更加详尽，他们会撤下宣扬仇恨、暴力或是违法的内容。）

在约旦河西岸，抗议者们的愤怒直指 Facebook，并且将其变成了微妙的国际政治问题，在占领区的犹太移民十分气愤 Facebook 要求他们说自己住在巴勒斯坦。一个叫做"这里不是巴勒斯坦，是以色列"的群组迅速召集了 13 800 名成员。几天之后，Facebook 同意了让一些大型聚居区的居民宣称他们居住在以色列。而同时，另一个名为"Facebook 上所有的巴勒斯坦人"的成员增长到 8 800 人，并且开始抱怨，其中就包括 Facebook 迫使住在东耶路撒冷的巴勒斯坦人宣称他们住在以色列，而以色列在东耶路撒冷的占领在国际上并未被承认。于是现在，约旦河西岸的用户既可以说他们住在以色列，也可以说在巴勒斯坦。

231

尽管美国式价值观中的透明度并非不能经常被接受，但在许多文化背景下的人们正在接受着更高的开放度。在菲律宾，在 Facebook 上发布四五月份的度假照片以及在旅行中时时更新状态通知朋友，已经成为中产阶级们的惯常生活方式。到 2008 年底，facebook 上的互动变得格外流行，以至于意大利的国家邮政系统开始在办公室里禁止上 Facebook。（然而在那不勒斯，官方规定公司应允许雇员每天用一小时以内的时间上 Facebook。）

文化差异并不能阻挡大势所趋，在许多个国家，人们发现使用 Facebook 已成必然。2008 年 4 月，丹麦首相拉斯穆森（Anders Fogh Rasmussen）在 Facebook 上拥有 1.2 万个支持者，他也亲自回复每一条评论。那时他决定举办一次与他在 Facebook 上认识的人一起进行的集体慢跑活动，一位幕僚称这是与普通选民沟通的一个绝佳方式。名不见经传的哥伦比亚摇滚乐队也开始求助于 Facebook。比如 Koyi K Utho，这个因日本动漫得名的重金属乐队在 Facebook 上找到了自己的听众，并且通过这个平台宣传演唱会和专辑。

Facebook 的美国化也有一个方面是优势，特别是早期在美国以外的学生中。源于哈佛和常春藤盟校的学术根基使 Facebook 更具有说服力。"我曾听 Facebook 的人说，他们曾担忧这样的根基让他们看起来比较精英化，但事实上，全世界的孩子都会仰视这些学校。"杰瑞德·科恩（Jared Cohen）说，他曾写了《圣战之子》这本书，阐释了中东青年如何看待文化和技术。早在 2007 年年中，Facebook 就有 2 万个说英语的埃及用户，他们多是著名的西方化高校的在校学生和离校不久的毕业生。"我每天要上 Facebook 约 3 个小时，经常在夜里也上。"2007 年 5 月，一位开罗的市场高管雪利·艾尔马瑞吉（Sherry El-Maayirgy）这样对《今日埃及》（Egypt Today）英文杂志说。"Facebook 确实是一个很棒的地方，你可以认识新的人，也可以和已经各奔东西的老朋友们联系。"但这篇报道还提到，许多在线行为是很放荡的，有一个叫做"如果这个组超过 1 000 人，我女朋友就会和我上床"的本地群组获得了许多支持性的评论。并且选美活动也日益活跃，其中有一个组就叫作"开罗美国大学最火辣的姑娘"。

Facebook 在全世界的迅速增长给美国人带来了错误的印象，认为这是个主要给小孩玩的网站。正当美国的许多成年人依然拒绝使用或是很快失去兴趣时，在其他大多数国家 Facebook 的用户正在向所有年龄段的用户扩张。据尼尔森的统计，Facebook 在 2008 年全球增长的最大份额来自 35~49 岁的人群。到现在，这个年龄段的用户已经构成 Facebook 总用户的三分之一。"从国际上来说，人们觉得 Facebook 是主流，而 MySpace 着重吸引年轻化的用户群体。"尼尔森公司的一份关于全球社交网络的报告指出。Facebook 似乎是真实世界状况的反映。在世界上的大部分地区，女性都占据了 Facebook 用户的一多半，除了在中东和非洲，这些地区的国家都是女性权利被极大限制的地方。

在某些国家，Facebook 赋予个体权利的重要性常比其他国家意义更加凸显。受过良好教育的中东年轻人常常是热情且活跃的 Facebook 用户。"那里孩子的个人简介是最复杂的。"《圣战之子》的作者科恩说，"这些国家都处在强权镇压之下，人们几乎没有表达的途径，所以他们在网上比在现实生活中更能感受到真实世界。"在土耳其和智利，Facebook 在受教育的社交圈子中无处不在，以至于不上 Facebook 就等同于自我隔离。其中原因可能就是，这两个国家不久之前都经历了高压时期，反对政府可以使一个人永远消失。

Facebook 面临的对手们依然强大。MySpace 仍然在全世界范围内保持着极大规模，然而研究机构的数据已经显示出其在许多国家的衰退现象。更令人担心的是那些主导着某个国家或地区的社交网站。在日本，为首的社交网站 Mixi 的服务非常尖端，它在手机上能像在电脑上一样运行，并且他们以游戏作为专攻对象。

2008 年，Google 将 Orkut 总部移到了巴西，依然主导着巴西市场和印度市场，此外 Orkut 囊中再没有其他主要国家。Alexa 互联网数据服务显示，2009 年末期，Facebook 在受欢迎程度上超越了 Orkut，即便如此，Orkut 在印度还是非常强大的。Orkut 在印度和巴西的受欢迎程度甚至带来了一种新型朝觐——年轻的印度男性开始漂洋过海坐飞机苦行万里去巴西与在 Orkut 上认识的女网友见面。为了在印度与 Orkut 抗衡，Facebook 不仅仅开发了使用者最多的北印度语版本，还包括其他的语言，例如孟加拉语、马来亚拉姆语、旁遮普语、泰米尔语和泰卢固语版本。

巴西也许是 Facebook 取代 Orkut 争取用户数量的最后一役，但 Facebook 在别处还面临着更多艰苦战斗。在 2004 和 2005 年，当 Facebook 在美国受欢迎程度崭露头角时，德国、西班牙、俄罗斯和中国的本土企业家们便仿照 Facebook 创造出了以学生为基础的社交网络。虽然 Facebook 已经超越了德国的 StudiVZ 和西班牙的克隆对手 Tuenti，这些仿效网站依然在俄罗斯占据着大量的用户资源。

倒霉的 Friendster 在美国国内几乎已被遗忘了，然而在 2009 年中期之前，它是 Facebook 在东南亚市场的最大障碍。Friendster 的 1.05 亿用户中 90% 都来自东南亚地区，然而到了 2009 年末，Facebook 在其最主要的三个国家大胜Friendster，成为印尼、马来西亚和菲律宾的所有网站类型中的第一。

中国国内最大的 Facebook 仿效产品"校内网"在 2008 年迎来了巨大的增长，当时日本的软银风险投资公司（Softbank Venture Capital）为其母公司注资 4.3 亿美元。紧接着，校内网改名为人人网，以开拓市场。

Facebook 抗衡人人网（同时也有 Friendster）的一部分力量来自和香港富翁李嘉诚的紧密伙伴关系。李嘉诚在 2007 年底和微软一起向 Facebook 投了 1.2 亿美元。这个商业巨头掌控着包括和记黄埔（Hutchison Whampoa）在内的许多公司，和记黄埔是生意遍及南亚的主要移动电话服务提供商，它已经在该地区发布了一款特殊的"facebook 电话"。在像印度和印尼这样的国家里，人们普遍通过手机使用社交网络，所以 Facebook 也正与当地的移动运营商建立伙伴关系。同时他们还发布了一款"小型"版的供电脑使用的网站页面，此版本只提供最基本的功能（省去视频、聊天和其他的一些功能），但要求的带宽很小，在网络信号不强的地方很好用。

Facebook 正在开始为每一个国家定制产品模型，以适应当地人的偏好。例如，他们在德国和具有支配地位的本地邮件提供商合作，使注册和添加邮件地址中的好友更加容易。在日本，Facebook 的博客和手机功能很快会改进，变得更加易用。实名化依然是使用 Facebook 的大势，但管理人员也开始思考如何适应日本用户不愿意用实名公开使用 Facebook 的习惯。

Facebook 的自身规模是一个不断增长的优点。尖端的社交网络功能需要大量金钱来开发。然而由于其巨大的用户基数，Facebook 的每一行代码的使用率都比其他任何一个网站的类似代码要高，这也使得对手不再可能像以前一样直接剽窃 Facebook 的软件。按照用户比率来说，Facebook 运行和开发的成本都低了许多，随着时间推移，对于对手来说，这将是最骇人的优势。

扎克伯格常说在 Facebook 的近期发展中，增长比盈利更加重要，其主要原因就是在美国之外区域性竞争对手的力量。他并非一个多虑者，他仅有的担忧就是国家主义和封闭的地方文化会使诸如 Orkut 之类的社交网络占了 Facebook 的上风。在我和他在马德里碰面的几天之前，他在德国接受采访时坦率地说："增长是最重要的，盈利只在第二位。"他的观点很快便在互联网上被指摘为幼稚，在我随同扎克伯格的行程中，仍然不断有博客作者和媒体用这个话题来纠缠他。

扎克伯格愿意忍受长达数周的欧洲路演的唯一原因，就是对于 Facebook 国际性增长需求的热切盼望。他本不喜欢站在众人面前演讲，但如果这是必须的代价，他当然要去做。在马德里与一群当地企业家的会议中，东道主欢迎他时说："对于你的到来我们期望很高。"他的同事们也开始阿谀，但扎克伯格仍然面无表情，声音严肃认真。

他带着目的上路，但却坚持自己的独特作风，甚至不顾伤及自己的形象。这次的旅行正渐渐消磨他的精力。他头天熬夜处理邮件和即时信息直到凌晨 4 点，助手说他应该打个盹儿，但他说没用。其实，他只是不想再麻烦取出隐形眼镜。在马德里的下一站，主教大学（University of Comillas）的两位院长接待了他。其中一位拿出带有学校标志的足球衫给他，但扎克伯格却不愿穿上。"我一直就穿这些。"他指的是身上的黑色 North Face 毛绒夹克、T 恤衫、牛仔裤和跑鞋。几天后在纳瓦拉，讲堂里闷热无比，他对观众说自己快要"烧起来了"，并向一个冲上舞台的粉丝走去，但他始终没脱掉毛绒夹克。之后他承认，在走上舞台之前，他几乎要昏过去了。

在 2009 年 5 月，扎克伯格获得了另外一位强大的国际化同盟，总部在莫斯科的数字天空科技公司（Digital Sky Techonolgy）投资 2 亿美元分得 Facebook 的一小杯羹。数字天空是一个专门投资互联网的控股公司，同时也是 Facebook 在俄罗斯的仿效产品 VKontakte（"保持联系"）的主要所有者，而控股 VKontakte 也为常务董事尤瑞·米尔纳（Yuri Milner）带来投资 Facebook 的胆识。目前，VKontakte 是俄罗斯最大的社交网络，用户规模占据了国内互联网用户的 50%，并且据米尔纳称，其盈利颇丰。VKontakte 的销售业绩主要来自虚拟物品，平均用户盈利远远超过 Facebook（每年不到两美元），是他们的 5 倍还多。"我们所了解到的是，"米尔纳说，"当市场已经成熟，你将可以在用户数量基础上赚到很多钱。如果 Facebook 能达到我们在俄罗斯获得的成绩，将会非常好。"

正是这种认为 Facebook 终将大规模盈利的信心使米尔纳敢于在 Facebook 被估值 100 亿美元时投入资金。尽管如此高的估值与微软和李嘉诚在 2007 年 10 月所接受的估价 150 亿美元时的价格仍然少了许多，米尔纳的投资还是证明了硅谷评论家的评论是错误的，他们曾预测 Facebook 的估值如果在 50 亿以上就不会有人再投资。关于 Facebook 是否能够成为商业模式的疑问一直悬在空中，并且自微软投资之后，金融市场就一直处于劣境。但数字天空对于 Facebook 的巨大热情不仅仅表现为从公司购买股票，除此之外米尔纳还花了 3 亿美元从其雇员和外部投资者手中购买股权。米尔纳说他对 Facebook 的承诺将是长期的，即使到将来首次公开发售股票、投资者变现的最佳时机之时，他也不会卖出手中的股份。

Facebook 在全球范围内的迅速增长正从技术和管理两个层面挑战着扎克伯格。一方面，Facebook 仅有的两个数据中心仍然设在美国，全世界用户从 Facebook 上看到的信息都由那里传出。在遥远的地方，载入 Facebook 页面耗时很久，所以在这种情况下，Facebook 还能拥有如此多的海外用户群确实是一件令人惊奇的事情。现在，Facebook 公司正准备在美国之外建立几个昂贵的附加服务器群，一个商业结构基础也将同时跟进，他们已经在都柏林设立了国际总部，并且在伦敦、巴黎、斯德哥尔摩和悉尼设立了销售办公室，以后还将增加更多。

还有一个复杂问题，即如何保证世界各地使用各种语言的数以亿计的用户和数万程序开发者遵守 Facebook 规章制度。例如，在以色列积极分子们指出之前，Facebook 公司并未注意到在阿拉伯的群组中关于"犹太"的话题是可以随意讨论的，这些群组随即被关闭，但 Facebook 将如何监督群组的问题被提上公开议程，例如，如何监视一个使用泰米尔语（泰米尔语使用者长达 30 年支持在斯里兰卡的游击战）的仇恨群组。到目前为止，Facebook 仍然满足于依靠用户来监督自身，就像是翻译项目一样。

2009 年中期，关于 Facebook 未来的一个煽动性话题在印度尼西亚被摆上桌面。当时拥有 850 万用户的 Facebook 已经成了这个国家最受欢迎的网站。Facebook 的流行程度促使这个穆斯林国家的 700 个伊玛目，即宗教教士，举行了一个长达两天的会议来裁决是否可以接受 Facebook。"教士们认为需要对虚拟网络设立一个法令，因为这种线上的关系可能会导致色欲，而这在伊斯兰教中是不被允许的。"当会议进行时，一位发言人如是说。

在他们并无约束力的裁决中，伊玛目们称如果 Facebook 被用做搬弄是非、调情、散布谎言、询问过分亲密的问题或是有粗俗举止，那它就要被禁。然而总体来说，教士们表现出令人惊讶的积极乐观。他们赞许地说 Facebook "能够打破时空的限制"，会让夫妻们在结婚前了解他们双方是否合适。2009 年末，超过 1 500 万的印度尼西亚人注册使用了 Facebook。

第 15 章

Facebook 的馈赠型经济

一天晚上，在共进晚餐时，我向马克·扎克伯格问起 Facebook 的社会影响力，尤其是对政治、政府、媒体和商业的影响力。他和我说起印第安人的冬宴，这是北美地区西北海岸线一带本地人一个传统庆典盛会。每个司仪神父会拿出本部落所有的食物和其他物品，任何人都可以取走他想要的东西。拿出最多的那个人将获得最高荣誉。

"你知道馈赠型经济吗？"扎克伯格问道，"在一些不太发达的地区，相较于市场经济，这是种非常有趣的非主流经济形式，我拿出一些成果分享给大家，出于感激和表达慷慨之情，人们会回馈给我一些东西。整个文化就建立在这种彼此的馈赠框架下。之所以冬宴可以照常举行，人们凝聚在社区周围，是因为社区足够小，人们可以清楚看到彼此的献祭。但是一旦某个社区的大小超过一个临界点，整个系统就会崩溃。人们不能明确掌握任何正在发生的事了，可能会有不速之客进入社区。"

扎克伯格说，Facebook 和其他互联网公司正在努力为馈赠型经济创造足够的透明度，以便使它可以在一个较大规模下运行。"当它足够开放，每个人都可以迅速表达自己观点的时候，大部分经济模式开始以馈赠型经济运行。它能令公司信誉良好，值得信赖。"在扎克伯格看来，这种透明度共享性和馈赠性都将

对社会产生深远影响。"它确实改变了政府的运作方式，"他说，"一个透明度高的世界，其组织会更好，也会更公平。"这对他而言，是核心价值观。

扑克伯格认为，透过 Facebook 的透明性，建立一个大规模的馈赠型经济并非奢谈。当然有人会质疑这种表述太过理想化，但是考量一下这项服务透过不同方式对这个社会不同方面造成的影响，会非常有价值。他说这就是他希望这项服务所做的事。那么，究竟是怎么一回事儿呢？事实上他的意思是，他视每个人在 Facebook 上的表达为对另一个人的"馈赠"。表现的不同取决于究竟是哪种表述。最乏味的交换莫过于一个高中生在另一个高中的墙上写个"LOL 真搞笑"——这仅仅是个我们作为个体在日常生活中对身边的朋友的一种馈赠，没什么新鲜的。只不过是个新的电子化邻居而已。

但涉及政治事件时，Facebook 完全是另一番景象了。许多情况下，我们在 Facebook 上不可避免地以真名示人。我们对某个政治议题表态的同时也就表露了我们的观点。分享并不是必要的。所谓"馈赠"，就是我们用真名实姓发表某些观点，使我们的弱点暴露出来，受人批评。在扑克伯格看来，如果你在 Facebook 上对奥巴马总统的医保改革方案做评论，基本上你就加入到这种自由分享经济的"馈赠"中了。把它作为一个对这项政策的"馈赠"意见，最终强化了这一政策的影响力。

加入一个 Facebook 上的反对群组并不像在现实中跟随众人联名签署反对某件事，而可能是更加方便且有了更多的公众担当。有点像用真名和住址签署一个反对法案，而且人们立刻就可以看到我们的真实信息。想想看吧，奥斯卡·莫拉莱斯昨晚建立反对 FARC 小组时曾经犹豫再三。Facebook 是第一个给他这个平台的，令他感到心安，所以他终于跨出这一步，尽管在哥伦比亚，过去这种行动被认为是种冒险。

当我们浏览一个有关商业行为的新闻时，例如表达我们对一个公司和产品的看法，或者仅仅是转发一些看到的类似新闻故事这样的东西，我们的表现行为并没有那么令人不快。即便如此，我们仍然在表达一种友谊的姿态和我们的慷慨大方，从某种程度上说，Facebook 把这些事变成例行之事。它通过加强客户关联的力量，改变了商业和媒体环境。在这种各式各样的有益交流中，你的付出得到了回报，通常是种连锁反应，通过这种相互的贡献和交流，你可以从别处知道一些你从不知晓的东西。Facebook 当然不是仅有的一个在商业或政治领域产生这样影响力的服务，众所周知，Twitter 是另一个，但是 Facebook 迄今为止是这种工具中最强大的一个。

佛罗里达大学生威尔·安德森亲身感受了 Facebook 的力量。2008 年初，州议会在讨论一个法案。当听说这个法案时，他有点担心。这项法案建议重新分配州立奖学金，从支援像他这样的文科生转而分配给理工科学生。像莫拉莱斯一样，他行动起来。安德森建立了一个叫做"保护你的光明前途"的 Facebook 群组，并且邀请了 200 个 Facebook 友邻加入。11 天内，这个群组就迅速增长到两万人。这时安德森接到州议员杰瑞米·林的电话，这个议案是他提出的，他撤回了提案。"你不能忽视两万人的意见。"林在接受南佛罗里达《太阳守望报》访问时说道。

2009 年，埃及的 Facebook 用户们组织了一场示威游行，反对一项关于限制互联网带宽使用的法令。没多久，通信部长就大幅修正了法令以满足大家的诉求。像埃及这样的国家，任何形式的反对都可能招致逮捕和严刑拷问，这样的成功尤其令人振奋。印度尼西亚的一名妇女，因为在给朋友的私人电子邮件中批评一家医院而以极其荒唐的罪名被逮捕。成千上万的人加入了 Facebook 小组，谴责这种不公，当局释放了她，如今大家将目标转移到检举人是否在这次检控中存在渎职行为。过去，在这两个国家以真名实姓批判公共事务是很危险的事。

Facebook 如今成为世界上第一个供不满的人群发泄他们的怨言，展开抗议行动的地方。这些活动之所以可以在 Facebook 上圆满举行，主要是因为 Facebook 大规模的交流方式可以迅速让大量人群关注某些事件并加入其中。2008 年在南非的斯泰林堡，警察开展了一次突袭行动，突袭三家夜店清剿毒品。Facebook 上立马建立了一个小组抗议这种执法手段，36 小时内该小组成员就达 3 000 个。脱口秀主持人大卫·莱特曼讲了个关于沙拉·佩林女儿的黄色笑话，一天内 1 800 人加入小组抗议他。市民们加入 Facebook 抗议扩张圣地亚哥附近的监狱；抗议新西兰达尼丁附近建新的停车场；抗议英国伯恩茅斯附近的吉普赛露营地；抗议菲律宾众议院修改国家体制的提案；抗议将美国关塔纳摩湾军事监狱的囚犯转移到百慕大。

"我称之为数字化民主。"贾瑞德·科恩这样说道。他是《圣战之子》一书的作者，同时也是前布什政府国务卿康多丽扎·赖斯的秘书长，毕业于斯坦福大学。

科恩 24 岁时赖斯就被聘请加入国务院重要政策规划组。"Facebook 是史上最天然的民主推进工具。"科恩说道。当 2006 年末刚加入国务院时，他甚至不愿在会议上提起 Facebook，那儿的同事们差不多听都没听说过。但是 Facebook 一直保持着全球性增长。到 2008 年末，各种危机爆发时，白宫局势研究室成员都会在会议上谈起 Facebook。

布什政府支持度降低的那些日子里，科恩、赖斯和其他国务院官员都在留心哥伦比亚局势。他们想知道，哪怕是在最凶残暴虐的社会里，Facebook 也可以凝聚起民众采取政治行动吗？它能否变成一个反对恐怖主义的有效工具？毕竟，莫拉莱斯的百万反对 FARC 之声曾是一场成功的反恐运动。

国务院开始密切关注像土耳其青年公民会这样的群组。这个冒天下之大不韪的群组，以宽容和民主的多元化穆斯林国家为宗旨，组员大部分是学生和年轻人。这个小组的头像是一个红色高腰胶底运动鞋。它略带嘲讽地强调，这个小组与那些主宰土耳其人民每日生活的穿军靴的武装力量划清了界限。Facebook 深深地渗入土耳其人的生活——尤其是受过教育的年轻人的生活。青年公民会 Facebook 上的群组有 13 000 个成员，Facebook 成为他们常用的沟通工具。在一个被种族和宗教仇恨搞得四分五裂的国家，该小组深感自豪的是，他们的成员包括土耳其的不同种族和宗教信仰的族群——包括库尔德人、亚美尼亚人和其他种族歧视的受害者。青年公民会利用 Facebook 组织示威游行，游行队伍里同性恋者和蒙着面纱的穆斯林妇女并肩同行。

2008 年 9 月，青年公民会通过 Facebook 的线上线下活动游说土耳其总统阿卜杜拉·古尔参加世界杯橄榄球赛，当年的世界杯在土耳其凤敌亚美尼亚共和国首都埃里温举办。最终古尔同意由青年公民会代表队参赛，土耳其队轻而易举赢得了比赛。尽管有着历史的原因，但是这两个充满仇恨和相互厌恶的国家还是在和解之路上迈进了一小步。2009 年，土耳其和亚美尼亚重启建立外交关系的谈判。

2008 年 12 月，Facebook、AT&T、MTV、Google 和网络电视公司 Howcast 邀请包括青年公民会在内的全球 17 个活跃于 Facebook 上的青年行动组织，到哥伦比亚大学参加一个高峰会，这次交流为期两天，名为青年运动同盟。大会宗旨是帮助热爱宽容、反对恐怖主义的群组互相学习交流，以便各自回国后能够使自己的群组更加强大。哥伦比亚的奥斯卡·莫拉莱斯来到纽约参加了大会，布什政府国务院公共外交次长詹姆斯·格拉斯曼也参加了交流。

"这是公共外交的 2.0 时代。"格拉斯曼在一次演讲上说，"新技术给美国政府反恐活动带来了强大的竞争优势，先前我还说阿盖达在互联网上抢了我们的午餐，以后不会这样了，阿盖达还停在 web1.0 时代。现在互联网是交互和对话的地方。如今网络本身已经是文明社会 2.0 的地盘，相比之下，阿盖达慷慨赴死、狂热崇拜的意识形态，将对话和批评封锁在门外。"然后，他面向这群来自缅甸、哥伦比亚、古巴、埃及、黎巴嫩、墨西哥、沙特阿拉伯、南非、土耳其、美国以及英国的年轻人说道："你们是我们大家最美好的希望。"人们为他这番言说热烈鼓掌，他似乎很愿意冒险在政治立场上站在 Facebook 一边。他把 Facebook 当作打破全球权力平衡的一个变化来谈论。政治实践主义者在 Facebook 上的行动，解释了外交专家法理德·扎卡利亚在其著作《后美国时代的世界》中称为"余众的反抗"的概念。非传统的力量赢得了世界级影响，扎卡利亚解释说，包括像 Facebook 群组这种非国家力量。

Facebook 诞生前，公共互联网上几乎没有需要实名操作的站点。大部分情况下，匿名现象泛滥，这常常会导致不幸的后果。正如格拉斯曼所说，恐怖分子和世界上其他的犯罪分子仍然保持匿名，避免和对手做公开的谈判。想想看那些匿名行为吧，尽管没那么大的杀伤力，想想许多博客上那些情绪化的恶毒匿名留言，美国在线聊天室里那些明显不负责任的互动行为。在 Facebook 上，你必须对自己的信念抱有极大的信心和勇气。

如果你浏览一下 Facebook 上正在运作的群组，就会发现，通过不同方式促进跨文化交流和理解的小组随处可见。比如，Facebook 上有个群组叫"未来穆斯林领袖"，该群组由来自 75 个国家的 300 个年轻的穆斯林成员，包括来自沙特的时装设计师、伊朗的说唱歌手、伊斯兰学校的革新者、美国的博客写手和一个荷兰律师。2009 年他们相约，参加一个在卡塔尔的多哈召开的致力于和平与正义的全球交流会。之后继续活跃在 Facebook 上的这个群组像个团队一样一起合作。

乐意将自己的观点公之于众固然令人钦佩，但是同时有人会觉得事实上加入 Facebook 上的某个政治组织太简单了。你如此便捷地浏览一种观点，然后仅需要点一下你的鼠标，就支持了某种观点，这种支持的坚定程度相应也就降低了。而且加入一个群组的人数和动机究竟是否有意义，至今仍不是很明确。三名来自加利福尼亚大学圣芭芭拉分校的政治学家试图找出这个问题的答案。2009 年，他们给出了一份调查报告，名为"Facebook 是……培养政治参与：一项关于在线社区网络群组和线下参与活动的研究"。通过研究加入 Facebook 上政治群组的学生会员在真实世界中对政治事件的参与度，他们得出结论："在 Facebook 上加入在线政治群组，对线下政治活动的参与性有鼓励作用。"

政治人物也能在 Facebook 馈赠型经济中受益。巴拉克·奥巴马就曾娴熟地运用 Facebook 来为 2008 年总统大选造势。Facebook 的创建人之一的克里斯·休斯甚至让公司为造势活动的线上策略团队提供一个较高级别的帐号角色。当然奥巴马有个庞大的 Facebook 页面，整个造势活动中集结了数十万粉丝。另外，本地各个区域的奥巴马造势运动组织者，邀请支持者加入他们自己的群组，调动起当地选民中的大批支持者。

奥巴马如此娴熟地运用数字工具，以至于有人戏称 2008 年大选结果为"Facebook 之选"。尼克·克莱蒙斯是希拉里·克林顿选举造势运动指挥官，成功地在新罕布什尔州和其他几个州取得了初选成功。因为 Facebook，他感到处于不利地位。"在竞选活动中，我们明显感到了差异，因为奥巴马正在使用那些工具，"他说，"有人说'我'要为奥巴马摇旗呐喊，意味着他在 Facebook 上发动 30 个朋友，如果其中 5 个人转发，人数还会成倍增长。他们早于任何人熟知了这项技术，能够从一代先前从不参加选举的人那儿凝聚力量和承诺，与此大有关联。"

奥巴马仍是 Facebook 上最受欢迎的政治人物，到 2009 年末，他的页面上有 700 万支持者。而排名第二的是前共和党副总统候选人沙拉·佩林，有 120 多万粉丝。佩林在 Facebook 上的政治术可谓娴熟得当。卸任阿拉斯加州长后，佩林专心经营她在 Facebook 上的公众影响力。2009 年 8 月，她在 Facebook 上发帖断言奥巴马的医改新政旨在创造一个"死亡裁决组"来决定谁该生谁该死。此举激发国内保守势力对医改新政的抵制。

对于这篇帖子引发的全国范围争议，佩林概不回应。5 天后，她又在 Facebook 上贴了另一篇名为"关于'死亡裁决组'"的帖子。此举令她登上了各大传统媒体的头条，增加了数万追随者。"Facebook 尤其适合像沙拉·佩林这种喜欢剑走偏锋的人，"前布什政府白宫发言人阿里·弗莱舍接受政治家杂志采访时说，"对她而言，这是扩大地盘，保持主流媒体曝光率最理想的方式。"

许多政府机构乐意把 Facebook 作为便捷的沟通工具，事无巨细，用它和员工、市民保持紧密联系。2008 年 9 月初，飓风古斯塔夫袭击路易斯安那时，针对灾区用户，在首页顶端发出了一个特别通告，邀请灾区用户用一个标明他们人身安全的记号更新自己的 Facebook 状态。他们协调联邦及州立机构，提供灾区民众需求的实时数据。当未来灾难来临时，Facebook 仍打算使用这个计划。再举一个没那么恐怖的例子，2009 年奥巴马的就职典礼举办时，有几千人无法进入会场，被困在华盛顿一个地下管道里长达数小时之久。事后，有人建立了一个 Facebook 群组，名叫"紫色隧道劫难生还者"，成员迅速达到 5 000 人。此后不久，负责就职典礼安保工作的美国参议院警卫队中士，特伦斯·威廉姆·盖纳访问了这个群组的 Facebook 页面，写了一封长长的致歉信，并和几个那天被困地下通道的人进行了线上交流。

通过 Facebook 上的交流来解释各项政策，正在成为政府例行工作的一部分。纽约卫生部想要通过推广使用安全套防止艾滋病传播。他们在 Facebook 上开设了一个页面，开发了一个小应用，允许用户互相传送一个叫做"电子安全套"的图像。美国海岸警卫队指挥官外出时用手机更新 Facebook 状态，美国派驻伊拉克军队最高级将领在 Facebook 页面上回答用户提问，告知他们美国军队在伊拉克的各项活动。白宫工作人员将奥巴马总统的新闻发布会现场内容逐条整理，即时放在 Facebook 上，允许用户对每件事实时评论。甚至沙特阿拉伯的信息产业部长也在 Facebook 上开设页面，允许记者加入友邻，接受访问邀请，发布信息。如今，政府官员们在 Facebook 上谈论延长驾照期限的可行性，或者交流其他方面的问题。

至于媒体，就更不难发现一个馈赠型经济模式的显现，网络已将新闻的定义改写，变成由普通人创造供给朋友们看的某种东西，Facebook 无疑是对此贡献最大的一个站点。我给你写点儿新闻，你也给我写点儿。

2004 年，Facebook 在哈佛启动时，每个人的页面上都有个文章列表，列出《哈佛深红报》中提到自己的所有文章，不久这个功能就被拿掉了。2009 年，曾是哈佛学生的扎卡里·苏厄德在尼曼新闻实验室的文章说："扎克伯格……意识到 Facebook 不是一个保存别的新闻源的站点，它是用于创造属于自己的新闻的地方。"事实上，这正是扎克伯格浏览订阅新闻源的一贯方式——新闻源中那些有关联性的新闻，都是和自己的朋友有关的信息和国际新闻。早在 2006 年新闻订阅功能首次亮相前，扎克伯格就异常细致地写了一篇日记，清晰表达了如何保持新闻订阅中的新闻都是真实信息，并且为新闻订阅功能中的"故事"创建

了一个样式表和一些语法规范。

新闻订阅表里的新闻比任何一家专业媒体机构提供的新闻都更为个性化，这是你的朋友正在做或者感兴趣的一些日常琐事。记得扎克伯格对内部工作人员解释新闻订阅组原理时说："你家门前有只濒死的松鼠此刻可能比非洲濒死的贫民更合你的兴趣。"如今，你在 Facebook 上的一举一动对你的朋友而言，都是新闻。

Facebook 在大学和中学的影响力，已经使传统的校园平面媒体，如校园报纸和年鉴，变得无足轻重了。人们到 Facebook 去看有什么新鲜事儿，大家在干什么。密切关注自己身边每日发生的琐事，有可能使人们对远离自己的事变得漠不关心，比如非洲濒死的贫民。这是 Facebook 导致的社会问题之一，需要继续深入研究。

协助扎克伯格设计开发 Facebook 基本页面布局的肖恩·帕克，热衷于利用 Facebook 改变媒体环境。在他看来，如今每个个人都可以轻易地像任何一家本地媒体的主编一样决定他们的朋友看什么。事实上，Facebook 允许你的朋友为你构建一个个性化的新闻门户，就像雅虎、美国在线、微软做的那样。如果我看到某个友邻推荐了一则新闻，而这则新闻恰好是他非常专业或者他极度热爱的领域，那么我会去点这个链接，而不是点雅虎首页上的。而且，本着馈赠型经济无心插柳投桃报李的精神，我也会经常贴一些我觉得有趣、有用或者好玩的链接作为回报。智力超群自学成才的帕克称之为"网民充当把关人传播相关信息的站点"。一些站点像 Digg、Reddit 和 Twitter 在分享与扩散功能形式上与此相近，且更加匿名化。

如果一则信息足够强大，无论是源自谁都可以播诸四海，无远弗届。Facebook 的副产品经理，扎克伯格的忠实门徒，克里斯·考克斯如此解释说："我们想赋予每个普通人和大众媒介一样强大的力量，去传播每一则消息。"

那么，传统媒体组织怎能适应这种以个性化为中心的信息组织结构？吊诡的是，如果他们希望最大限度地从 Facebook 中受益，就不得不学着像个普通人而不是一个组织那样去运作新闻。这个战场上的等级划分，是建立在客观公平地对待任何一则信息的基础上。任何一家媒体公司、报社、电视台都可以在 Facebook 上创建自己的页面。然后他们就得像普通人一样提供有趣的相关的有用信息。用户订阅媒体公司的活动，就像他们订阅其他个人用户的信息一样。首先你不得不吸引用户成为"粉丝"，就像变成某个个人的友邻。然后，就要努力让人认可你发布的信息，他们会点击无处不在的"喜欢"按钮或者对你发布的信息做评论。接着，他们会将此信息大范围地传播给他的友邻网络，从而保证了信息的新鲜度。这在很大程度上是由于可以高效执行这一过程。Facebook变成了媒体网站的顶级信息传输员之一，仅次于 Google。

Facebook 也挑战了传统守旧媒体已经过时的盈利方式，和其他网站一起，瓜分了那些赚钱的品牌广告投放，而以前这些广告费用是电视杂志报纸的主要经济来源。

遭此剧变，许多主流媒体公司选择和 Facebook 合作而不是对抗它。比如，2009 年夏季，NBC 试映了一个即将开播的节目，叫"Facebook 专区"，只有那些加入这个节目的粉丝用户可以看预告片还可以下载这些预告片。据统计，鉴于这项服务在年轻的精通媒体用户中的深入度，不难推出，这个节目的主要观众和潜在观众已经在 Facebook 上了。所以禁止通过 Facebook 传播节目等同于限制观众。既然 Facebook 可以提供关于公司粉丝的可靠统计资料，不如从中取得观众的确切资料。

Facebook 和传统媒体间的界线渐趋模糊。威瑞森电信公司（Verizon）将Facebook、twitter 和其他几家社区性媒体网站整合在一起，纳入它们旗下的FIOS 宽带电视新业务。你可以用 Facebook 帐号在电视上的分屏登入，更新状态，和朋友分享你正在主屏幕观看的电视节目。一些媒体公司，像赫芬顿邮报，在他们网站上全面整合了 Facebook 功能，读者可以使用他们的 Facebook 帐号分享评论报道和视频。

接下来，Facebook 和旧媒体，尤其是电视媒体之间可能会有个更加彻底的联姻。正如 FIOS 启发的那样，实际上，Facebook 为观众提供了一个可以和朋友们一起看电视的平台。还有其他更多的方式来做这件事，Facebook 已经将实时评论网上的视频、广播变得非常简单，用户可以通过更新他们的状态信息达到这一目的，这些信息可以在任何一个整合了这些用户的页面上看到。第一个做此整合尝试的是 CNN，他们允许用户在观看奥巴马就职典礼时，在线评论。你可以看到所有其他用户的评论（高达每分钟 8 500 条），或者只看你友邻的评论。ABC.com 在转播 2009 年奥斯卡金像奖时，采用了类似的方式。

在一个人人都有简洁的窗口与其他人分享并作出贡献的世界，或是在一个如同印第安冬宴风格的世界里，没有人会留意究竟大公司间是如何协同工作的。因为目前几乎所有美国公司的员工都在 Facebook 上，它和传统组织结构公司的结合，在一定程度上会有点尴尬和不便。现代管理学大师之一，加里·哈梅尔认为这是不可避免的："正在网络上发生的社会变革将会完全颠覆我们判断一个组织大还是小的方式。"用他的话说，历史上只有两个基本方式去"集中和扩散人们的才能"，它们就是官阶体制和市场。"而在最近十年，增加了第三个——网络，它让我们能够协同工作对付一些棘手的问题，但也削弱了掌权者的力量，通常只有掌权者可以决定谁可以知道什么。"

没有公司可以有效解决这一矛盾。上层管理人员，如一个公司的经理，很少愿意放权。作家及策略顾问约翰·赫格尔说："公司面临的问题，和普通用户一样，就是什么样的开放度和透明度是合适的。"他接着说："但通常普通个人比大公司走得更快，更乐于进行一些尝试来解决这个问题。"这也是许多公司限制员工使用 Facebook 的原因之一。作为一个沟通平台，对一些管理层而言，Facebook 传播得太快了，他们还来不及搞清楚究竟这意味着什么。

也有些领导者将 Facebook 带入公司管理之中，他们这么做的时候，几乎处处遭遇到动态社区搅乱公司权力平衡的问题。山列纳软件（Serena Software）是位于硅谷的一个气数将尽的软件公司，该公司为大型中央处理机提供软件支持。新上任的 CEO 杰里米·伯顿在公司管理中引入 Facebook，希望能够改变先前因循守旧的学院式企业文化。公司甚至在每周五专门抽出两个小时，他们称为"Facebook 星期五"，让员工和同事、供应商、客户或者其他任何人在 Facebook 上交流。

伯顿在 Facebook 上把公司的 900 多个员工都加为友邻，结果，伯顿获得了许多有用的信息，很快便对公司的每日运作洞若观火。员工们轻松地在 Facebook 上发布自己的工作内容，直率地发给他 Facebook 站内信息，对公司事务畅所欲言。"员工们觉得在 Facebook 上和 CEO 交谈比以前用电子邮件或者单独汇报更加友好，"他说，"他们觉得没那么正式。"但是，伯顿为这种熟不拘礼付出了其他代价。伯顿远在英国的小弟弟有时会毫不客气地反对他在 Facebook 上的言论，于是全公司的员工和其他一些朋友一同见证了这种尴尬情形。

接着，2008 年经济大衰退来临，和其他公司一样，山列纳的盈利直线下降。伯顿不得不解雇 10% 的员工。相应的，他不得不决定，一旦炒掉某个员工，是否需要在 Facebook 上也和他解除友邻关系。整个裁员过程令他深感不安，他把这些烦恼写在 Facebook 上，几个被解雇的前员工或对他的留言深表同情，或对他面临的困难表示理解。有些人还称，无论结局如何令人不快，但他们在山列纳软件公司度过的时光弥足珍贵。至今伯顿仍在 Facebook 上和几个他炒掉的员工保持着友邻关系。

在另一家截然不同的公司，全球新闻金融信息巨头汤森路透，主编史进德也发现了不同寻常的变化。他是 Facebook 的狂热支持者，声称一天至少刷新 Facebook 页面 24 次。尽管掌管着一家世界上最大的新闻机构，但他承认："说实在的，我觉得 Facebook 的新闻源才是真正的新闻，它为我提供了我感兴趣的新闻。"他的 Facebook 主要用于联络员工，但他说他并不是依据实际工作职位来联络员工。"有些记者，在公司组织上比我低六个级别，但我们在 Facebook 上关系密切，"他说，"一个高级记者可能会向我征求报道意见，而以前他们绝不可能打电话或者发邮件直接和我沟通。这太神奇了，我喜欢。用人力资源部人员的'黑话'说，这叫越级。"和伯顿一样，史进德是个自信满满的领导者，他们都愿意分权给组织里的其他人。那些喜欢大权独揽的管理者可能会觉得不舒服。我们知道，有大部分这类领导者，他们都远离 Facebook。

公司常常急于让市场人员和销售人员上 Facebook 以彰显它们在网络世界变得越来越重要。Facebook 早期的广告商索尼映画，在 2006 年宣布主管都要有 Facebook 页面。在计算机芯片制造商英特尔公司，曾在 Facebook 上举办过一次寻宝活动，以一个 iPod 作为奖品。想要参加寻宝活动，必须从他们 Facebook 页面上的一个小说中获得线索。但为了看到他们的页面，你不得不自己先注册一个。

很早以前，公司就曾经试图向 Facebook 提一些专为公司使用的特殊功能，但是扎克伯格从未特别关注过。比如说，公司用户希望隔离员工信息，不让公司外的"友邻"看到公司内部的交谈。如今这依然无法做到。Facebook 执行人员说这个功能最终会实现，但当公司处于一个上升期时，更加关注普通用户的增长，这个需求的优先级比较低。但是 Facebook 创始人之一达斯汀·莫斯科维茨，非常强硬地支持为公司做一些特殊的应用，令企业的内部沟通更加方便快捷。

莫斯科维茨在旧金山的新公司 Asana 预测，以电子方式提供便利的沟通协调模式，会日益成为每个成功公司组织的一部分。在 Facebook，莫斯科维茨不断提出建议，为员工们提供工具，帮助他们获得更多参与公司的授权，直到今

天他的很多创新发明仍在 Facebook 上广泛使用。

微软——世界上领先的商业软件公司，Facebook 的合作伙伴和投资人，几乎定期争取某些版本的 Facebook 应用，将其与 Office 相结合。令部分微软员工惊讶的是，他们的提议一直以来都会遭到闭门羹。

Facebook 本身既是他的老板所鼓吹的动态馈赠型经济的受益者，也是牺牲者。一方面，越多的用户提供信息，进行活动，Facebook 可以用来做投放广告的页面也越多。但是，因为扎克伯格为 Facebook 用户提供了强大的表态工具，当他们做了什么令用户不满意的事时，不得不经常忍受用户宣泄不满。数字民主对 Facebook 公司本身的影响比对其他用户的影响还要大。

扎克伯格接受了这个不可避免的事实。他说："我们只提供了一种媒介，让人们可以分享信息，因此我们掌握着趋势，我们要靠它谋生。"当 Facebook 只有不到 1 000 万用户时，对付那些稀奇古怪的关于新闻订阅功能的论战绰绰有余。如今，当他提供给用户的这一强大工具背负着 3 亿多用户的授权和贡献时，扎克伯格的生活也随之变得复杂起来。

第 16 章
一切才刚刚起步

> Facebook 是一个在不断改善的项目。

    在 2009 年的第一个工作日，那个总蹬着橡胶凉鞋、套着 T 恤衫和毛绒夹克的扎克伯格来到办公室，身上却穿着一件白色正装衬衫，打着正式的领带。"这将是严肃的一年。"别人问起时他都这样回答。他说自己这一整年都会打领带，以显示他非常重视那些 Facebook 发展到达高位时面临的种种问题。到 8 月下旬，Facebook 的活跃用户人数总计已突破 1 亿，达到 1.45 亿。但公司内部的目标雄心勃勃，将要在 2009 年底达到 2.75 亿。

    但仅仅只是用户增长并非扎克伯格认为需要提请同事们严肃对待的原因，这样做也不是出于货币化的需要。真正的原因在于 Facebook 面临推出交流平台的挑战，因为这个平台虽然已经拥有了海量受众，但还要能适应快速的发展。拥有数以亿计的用户固然很好，但同时这也使公司的灵活机动性受到限制。

    扎克伯格仍然将 Facebook 看作是一个在不断完善的项目。2008 年快结束时，我曾问他什么是他眼中最大挑战。"最大的问题就是如何引导用户基础接受必须经历的持续改变，"他毫不犹豫地回答，"我们在发布任何主要的新产品时，总会遇到一些强烈抵制。我们需要保证在继续强势地发布先进产品的同时，管理好这个巨大的用户基础。我希望我们能够继续打破种种极限。"

    当时 Facebook 还未满 5 岁，但用户们已经历了一系列几乎是划时代的改变。其中包括：添加照片功能、引进新闻订阅、通过许多应用平台及其各自的翻译工具实现 Facebook 的扩张。这些变化都以其特有的方式从根本上改变了 Facebook 的产品，使用户有了不一样的体验。现在，扎克伯格和他的工程师们正酝酿着进一步大刀阔斧地变动，他不会放弃这样做。即便不需要十年八年保持严肃态度，至少这一年也要严阵以待。

2008 年下半年，在坦言对 Facebook 的不断进步感到担忧之时，扎克伯格也已经着手推行一系列改变，用户们可以由此相互交换更多的信息。2008 年 9 月，庆祝 Facebook 用户到达 1 亿的变装派对仅仅 2 周之后，Facebook 更换了个人信息页面，而很多人觉得新页面很别扭。和往常一样，大量的用户对此表示抗议。但在公司内部，这次改动有个绰号叫"FB95"，颇具讽刺意味地向 Windows95 致敬——正是 Windows95 操作系统使得微软的 Windows 系统无可争议地成为市场主导产品，装有 Winows 系统的 PC 机也成为通行世界的垄断产品。他们以此命名，希望 Facebook 也能像 Windows95 那样走遍世界。

改版最主要的目的是增加用户间信息交流的速度，用 Facebook 的术语讲就是"分享"——同时也简化了网站设计，使网站更易于消化越来越大的信息量。最重大的改变是个人资料页面中的两个不同的部分合二为一，这两个此前独立的部分分别是：显示朋友发来的即时消息的"墙"和显示用户本人信息的个人化新闻"迷你订阅"。这两者在一起组成了新的墙，用户或用户的朋友可以从中看到仅仅与该用户有关的信息，该用户个人的所有动态都会在一处显示。这样做的核心目的是创造更多的交流平台。现在，在个人信息页的顶部是一个叫做"发布器"的发布框，它改进了之前用户仅仅发布个人状态的文本框。现在的"发布器"可以发布任何种类的信息，所有的样式——从"我现在要去冲个澡"这样最典型的状态更新到照片、视频和网上所有有趣的文章或站点的链接。此前，状态更新框的提示语类似于"大卫·柯克帕特里克正在……"，而现在发布器里是一个更开放的问题："你在想什么？"而在主页上，显示朋友动态的初始登录页面并没有太大改变，但加入了更多的好友动态更新内容。

为了使越来越挑剔的用户适应 Facebook 的新版设计，他们在所有用户正式使用升级版的大约前两个月推出了一个试用版，试用版中既有新版也有旧版。正如扎克伯格所说，"技术其实是最不困难的部分"，管理 Facebook 逐渐变成了对人群心理的一场实践演练。

然而，他们体贴用户的举措只到此而已。许多用户很讨厌改版，虽然人数没有当年反对新闻订阅的那么多，仍有数千人成为抗议者。在改版推出的几天之后，连迈克尔·戴尔（Michael Dell）都加入了一个叫做"反对新版 Facebook 的请愿"的群组。年轻人对于从 2004 年底开始用的墙更是表现出特别的支持。

2008 年 7 月，正当 Facebook 开始展示其改版设计时，著名的科技记者迈克尔·阿灵顿（Michael Arrington）在他影响很广的新闻网站 TechCrunch 上写下一篇预言性的文章，标题是"Facebook 的 Friendfeed 化"。Friendfeed 是几个前 Google 公司的顶级工程师于 2007 年 10 月开始做的小网站，阿灵顿说他们"非常专业地将由 Facebook 首创的活动动态信息流和 Twitter 网站引领的微博潮流结合在一起"。现在，阿灵顿认为改版中的 Facebook 正在模仿 Friendfeed，一方面延续着自己传统的新闻订阅信息，一方面推出了类似于 Twitter 上所谓"推"的加强版，让这两者结合在一起。

这是 Facebook 自诞生以来第一次被迫、或者至少是部分被迫对别家的创新产品作出回应。新版看起来有点像规模依然很小的 Friendfeed，其实新的主要推动力还是源于 Twitter。Twitter 诞生于 2006 年，它为用户提供的发布平台只能发表不超过 140 个字的状态内容。对许多人，尤其是没有同时使用过这两种服务的人来说，Twitter 和 Facebook 看起来很像，因为两者的重点都是个体之间快速的信息共享。但在 Twitter 上，你并不与其他人成为"好友"，注册以后你可以"跟随"任何人发表的推，"推"是用户们给这种电报体信息起的名字。Twitter 使用者甚至不一定是个人，相当一部分 Twitter 帐户是化名或是公司。与 Facebook 不同的是，Twitter 的联系是单向的。Facebook 传统上是以身份识别为基础的平台，用以和线下认识的人们交流，而 Twitter 是一个传播平台，对公司、品牌、博客作者、名人或任何想将信息传播给大量受众的人来说，Twitter 都是一个完美的媒介。

不可否认，两个网站之间有类似之处。状态更新是两者共同的核心功能，而且像 Facebook 一样，Twitter 也早已向其他程序开放。许多用户通过例如 Tweetdeck 这样的独立网站来阅读和发布推文。Twitter 比 Facebook 更不计盈利。2009 年，Twitter 已成立 3 年，仍无任何盈利。增长是 Twitter 的唯一目标，而且也在这方面大获成功。

之后的几个月里，Twitter 的用户持续累积，媒体也对它关爱有加。Facebook 现在规模大了，名声在外了，在媒体眼中就有些过气了。Twitter 正是下一个潮流，很快成了"最潮"的技术公司，而这个地位在 2007 年和 2008 年的绝大部分时间里都由 Facebook 占据。坊间关于 Twitter 将取代 Facebook 的预言广为流传。扎克伯格及其团队也密切关注着 Twitter，他们最留意的莫过于媒体有多少热情投向了 Twitter。

Facebook 新设计发布两个月后的 9 月初，在 Web 2.0 会议的公开采访活动中，扎克伯格说 Twitter 给他"留下了极深的印象"，还称它的服务有"出色的模式"。与此同时，Facebook 也参与了并购 Twitter 的秘密谈判，报道称交易股票值达 5 亿美元。交易最终未获成功，其中一个原因是 Twitter 高层对 Facebook 的股票价值并无太大信心。

Facebook 在 2008 年末还经历了另一个巨大的转型。那时扎克伯格已经开始准备将 Facebook 嵌入到互联网的基本架构中。在这次对 Facebook 平台的根本性改变中，他们推出了一种叫做 Facebook 联谊会的服务，其主旨在于吸引应用者们以新的方式打造 Facebook。

联谊会使得在任意网站上用 Facebook 帐号登录成为可能，这样就实现了一举多得：无论在哪里登录互联网你都可以显示自己的身份，同时还可以将你在其他网站上的活动信息回馈给 Facebook 好友，并将这些信息像其他 Facebook 内部的活动信息一样存入信息流。这也借助了 Facebook 在病毒式传输信息方面的优势，即信息由一个人传递给许多朋友的高效途径，可以将这种优势应用于任何想利用的网站。

对于用户们来说，Facebook 联谊会使统一的互联网登录帐户成为可能。超过 10 万个网站正赶时髦起用联谊会，其中包括诸如 CNN、赫芬顿邮报、Gawker、TechCrunch 等媒体网站，还有 Fanbase 和 foursquare 这些新兴的热门网站。使用 Facebook 联谊会的读者们在上述任一网站登录评论或互动时，会自动显示出他们的 Facebook 头像照片和真实姓名。对于博客和新闻网站而言，相当一部分读者会匿名发布极端、有侮辱性的内容。联谊会的应用也同时解决了长期困扰它们的一个问题，因为当讨论者使用联谊会实名登录时，他们的对话会变得十分文明。外部软件也可通过联谊会与 Facebook 链接，例如 iPhone 的应用程序和 Xbox 中的游戏都可以用来与 Facebook 好友互动。

"Facebook 联谊会是交流平台未来运作的方式，"扎克伯格说，"我认为将来的趋势并不是在 Facebook 里应用小程序，而是所有的网站使用 Facebook 的用户信息，以共享更多的信息。"他认为 Facebook 内部用以让程序在服务范围内运行的平台仅仅是一个"重要的训练步骤"。

尽管各界对联谊会的热情高涨，认为它提供了能够利用 Facebook 亿万用户的机会，一些潜在的合作者却持怀疑态度。"这是个特洛伊木马策略。"纽约一位媒体公司的 CEO 说，他没打算使用联谊会。在他看来，联谊会是一个挡在自己与客户之间的程序。他还预测，当网站开始依附于 Facebook 的用户接入量时，他们就会开始有所图谋。到目前为止，使用联谊会是免费的，但他认为这个政策今后会变。

联谊会也很有希望成为发布广告的手段，但迄今为止这个方法没有受到企业管理者们重视。然而，因为如今已经离开公司而言论不受拘束的达斯汀·莫斯科维茨认为，使用联谊会同时也能够展示 Facebook 提供的广告。"你会知道哪些 Facebook 用户登录你的网站。"他解释道，"所以你同时也可使用 Facebook 所有针对信息的广告。这一点绝对是联谊会的核心战略。"分享在其他网站上投放这类广告的收益可能会成为 Facebook 的一项重要业务。

联谊会的另一个功能是 Facebook 将会拥有更多的用户信息，他们能够收集到的用户信息已经不仅仅限于 Facebook 一家网站。

1月份，当扎克伯格正在整理领带时，Facebook 内部爆发了一个性质将很严重的危机。刚刚当选总统的奥巴马在组建内阁和顾问团时将拉里·萨默斯聘入白宫，让他担任国家经济委员会的主席。萨默斯在克林顿政府担任财长时，谢丽·桑德伯格曾担任他的办公室主任，而现在萨默斯再度鼓励她加入他的团队。这时已是扎克伯格二把手的桑德伯格也觉得自己需要慎重考虑一下。一连好几个星期里，她是否会加入新政府都不甚明朗，最后她还是选择留下。对于扎克伯格来说，她已经成了一个越来越不可或缺的伙伴。

到了 2 月，这一年的形势变得愈发严峻。Facebook 的法务部对"服务条款"做出了一些改变，他们加入的法律措辞主要为了让公司能从容应对提起诉讼的不满用户。每个新用户注册时必须声明自己已经阅读且同意这个规定，不过通常他们并不这么做。一开始，几乎所有人都忽视了这个新版的规定。然而在 2 月 15 日，一个星期日的下午 6 点，消费者联盟在他们"消费者至上"的博客上仔细地分析了这些改动，并发表一篇文章，题为："Facebook 新的服务条款：我们可以随意使用你的信息，永远都是。"

这篇文章针对这些条款提出了警告，并引用了一段对用户发布内容的规定："你将授权 Facebook 不可改变地、永久地、非独家地、可传递地、有偿地在世界范围内（同时有权分许可）使用、复制、发布、传播、储存、保留、公开发布或播放……"等。事实上，与之前的版本相比，这些听起来很恐怖的言辞没有大量改动，只是一个关键性的后续条款被删除了，即用户将其个人内容从Facebook 移除时，这个许可将失效。在"消费者至上"看来，删掉这个后续条款就改变了一切。在文章中他们建议："不要上传你觉得只是适合阶段性发布的信息，因为它们一旦发布，所有权就是 Facebook 的了。"

这篇文章很快被其他许多博客和主流媒体转载，一时之间，扎克伯格陷入了突如其来的压力之中。世界各地涌现大量质疑的文章，它们质问：他能够宣称自己拥有 Facebook 用户发在上面的信息吗？不，他不能这么做。而扎克伯格认为自己并未这样做过。与他此前对类似事件的反应不同的是，这次他很快就准备好了回应。到周一下午的 5 点，他就在 Facebook 官方博客上发表了一篇长长的、深思熟虑的回复，标题为：Facebook 的用户拥有并且管理自己的信息。"事实上，我们不会用你不希望的方式传播你的信息。"为使用户消除疑虑，扎克伯格这样写道。然后他接着解释自己正在运营的这个网站遭遇到复杂的法律问题。用户们希望保护自己的信息，但他们有时也希望控制和转移其他用户授权给他们的信息，例如手机号码、照片等。"这两种情形无法协调。"他这样写道。

但这样做仍然不够。很快，洛杉矶的一位叫朱利叶斯·哈珀（Julius Harper）的 25 岁用户组建了一个名为"新服务条款反对者"的群组，并很快与来自挪威奥斯陆的用户安妮·凯瑟琳·派特洛（Anne Kathrine Petteroe）组建的另一个抗议群组合并。到星期二时，这个组已经集结了 3 万个成员，到周三增长至 10 万。Facebook 提供给用户的迅速交流平台又一次地成为遭到攻击的痛脚。同时电子隐私信息中心和其他 25 个消费者保护组织也在周三准备向联邦贸易委员会提出投诉。

最初那篇回应文章发表仅仅 3 天之后，扎克伯格就迅速妥协了。周三凌晨 1点，他在官方博客上宣称，Facebook 在未决定今后走向以前，会暂时重新启用旧版服务条款。在之前的文章中，他也提到自己认为服务条款中的语言过于正式，应该更简化一些。于是，在这篇深夜发出的文章中，他邀请 Facebook 的用户们加入一个新建成的公司群组，讨论服务条款应该怎么写，并且承诺说："制定新条款时将有很多用户参与。"

接下来的一周，扎克伯格宣布 Facebook 制做出了两套新文件：一套是Facebook 基本原则，用于设计公司政策的"指导框架"；另一套是"权责声明"，用于取代旧的服务条款。他邀请大家评论这些文件，并宣布用户们将在文件生效之前受邀投赞成或反对票。在公布的声明结尾，他说了一番你很少能在 CEO 口中听到的豪言壮语：“历史告诉我们，当决策者和受决策影响者之间形成能够公开、透明的对话时，才能最公正地管理国家的制度。我们认为这个原则同样适用于经营公司，历史也终将证明这一点，我们期待着与你们共同走向这一趋势。”

在接下来的几周之内，Facebook 信守承诺，邀请了抗议群组的发起人哈珀和派特洛帮助评价和整理关于这些文件的评论。扎克伯格宣布进行投票，如果有至少 30% 的用户参加，这个投票将具有约束力。在他做出此决定的前一周，Facebook 的活跃用户人数已经高居 2 亿，这就意味要有 6 000 万用户投票。虽然实际可行性不高，但至少理论上，他在顺从用户们的意愿。

最后，仅有 66.6 万用户参与其中，并且 74% 的压倒性优势支持修改过后的新权责声明。“消费者至上”表示非常满意，互联网活动家也对此深有好感。乔纳森·兹特兰（Jonathan Zittrain）是哈佛法学院教授和警示书籍《互联网的未来——以及如何阻止其到来》（*The Future of the Internet-and How to Stop It*）的作者，他为此写了篇褒扬的文章，称扎克伯格鼓励 Facebook 的用户们将自己视作公民——Facebook 公民。

投票结果公布两周后，我与扎克伯格有过交谈。那时他显得很高兴，并且计划将来还要开展更多的投票。“当我们要做有争议的改变时，投票意味着我们在对用户负责，”他对我说，“我们要与他们清晰明了地沟通，我认为这样会让我们保持诚信。”这是严肃的一年，而他也表现出了与之匹配的严肃作风。

3 月份，Facebook 又做出了一系列引人注目的改变，而这一次明摆着就是冲 Twitter 来的。这次改版最明显的部分不是在个人资料页的“墙”上，而是在刚登录 Facebook 时显示朋友信息的首页上。在那一页的顶端，现在也设置了一个与个人页面相似的发布框，而提示口号变得更加响亮了，分享！在发布框之下，新闻订阅已经演变为 Facebook 所说的“流”，成为显示朋友们的更新和其他相关信息的连续列表。在信息流中，你订阅并成为“粉丝”的页面动态，也会显示在上面。这样一来，在 Facebook 上成为一个商业页面的粉丝，就几乎和在 Twitter 上跟随一个人或公司一样了。

与老版不同的是，新的新闻订阅页面做出了两大基本改变——首先是实时更新（像 Twitter 一样），另外就是不再以计量为基础（也和 Twitter 相似）。之前的新闻订阅依靠软件观察用户之前的行为，试图猜出其可能感兴趣的东西，但用户永远不能确定接下来会出现什么。相比而言，新版的流被 Facebook 理论家们称为"可自我决定的"，用户完全能确定出现在眼前的东西。Facebook 还在左边框加入了过滤器功能，以便你能够掌控自己的信息流里出现的东西。例如，用户可以用过滤器功能浏览视频、照片、状态更新，也可以将好友与页面放入不同的群组，订制不同的个人化视图。例如可以在设置后只看到用户的家庭成员，或者高中同学、Facebook 员工，或者最好的朋友。

这是一个让人着急同时又迷惑的混合体。首页上仍然保留了一小部分基于算法的区域，称为"亮点"，这个列表位于页面右下方，毫不起眼，有一些项目和微型图片，但没什么人觉得有用。这一次，Facebook 放弃了此前改版时引进新版过程中的温和作风，并没有设置试用期或是新旧版并行以使读者适应改变。这一切来得显然太快，以至于 1.75 亿的 Facebook 用户中很多人都对此没有好感。

防备心渐重的 Facebook 员工也不喜欢这次改版。就在 Facebook 刚刚开始推行新版时，有人就组建了一个群组，名字嘲讽地叫做"我自动地开始仇恨新版 Facebook 主页了"。其许多组员就在 Facebook 里工作。小组描述中写："我讨厌改变及其带来的一切。我希望生活中的一切都静止下来。"有雇员甚至激进地说："让 Facebook 重归往日荣耀，只要哈佛时代。""我会一直讨厌这个改版，直到下一次折腾到来，到那时我将热爱这个版本，并且激烈反对下一次改版。"另一个人这样写道。

这次改版两周后，另一个仿 Twitter 的功能在 Facebook 上线，即增加了新的隐私设置。它能使你向 Facebook 上的所有人完全或部分地公开自己的信息。其中的关键是，他们还在计划使用户能够成为个人的"粉丝"。这种个体之间单向性的联系功能一旦添加，Facebook 大致上就变成山寨版的 Twitter，基本的功能都与 Twitter 相像。扎克伯格最早 2009 年 9 月就开始计划添加这样的功能，而直到 11 月他也没有正式决定。

2009 年年中，Twitter 拥有了 5 000 万个活跃用户，Facebook 则继续处在恐惧的阴影下。"每次我和 Facebook 雇员在一起的时候，他们都会问我对 Twitter 有什么看法。"5 月时，达斯汀·莫斯科维茨这样跟我开玩笑说。他多少仍然保持乐观，但他担忧的是，高级工程师们开始更倾向于在 Twitter 的工作机会，而不是选择来 Facebook（或他新组建的公司）。"在 Facebook，我们觉得只要能重视这一点，我们就一定能赢。"他说，"然而如果仅仅是因为我们没有留意，Twitter 又做了些我们搞不懂的项目，并且因此赶超了我们，那就真的感觉糟糕了。"Facebook 的董事会成员，同时也是 Twitter 的投资人马克·安德里森几乎在同一时期告诉我，两家公司在角力。"任何想在 Facebook 的领域与其竞争的公司都生不逢时，"他说，"所以一旦出现 Facebook 的威胁，这威胁就必定是破坏性的。破坏性的威胁一般来自底部，他们不是直接冲你本人来，而是弄坏你的排气管。所以 Twitter 这样的对手正是 Facebook 要格外留心的。"

与 Facebook 产品决策保持一定距离的肖恩·帕克一直支持让新闻订阅成为看上去更像 Twitter 的信息流，可实际上扎克伯格在很长一段时间里都拒绝这种改变。后来，来自 Twitter 的竞争压力日益增加，帕克和亚当·德安杰罗等其他同仁的游说也攻势强大，最终扎克伯格被说服了。"马克总对我说他不想这么做，"帕克说，"但马克典型的工作方式就是会听取各方面意见，然后在某个特定时刻得出自己的结论，那就是他要走的方向。"

对于 Facebook 需要怎样发展，帕克有个特别的想法，为了解释自己的理论，他列举了自己对 Facebook 好友关系的分类。"当你在 Facebook 上与某人成为好友，你基本上会做三件事情，"他开始说，"你公开宣布你认识这个人，你默许了朋友能够看到你的所有动态，并且你自动订阅朋友的所有信息。然而在未来，Facebook 会把这三者分开，形成更易于用户定制的服务。"

Facebook 长期以来自我定位为一个与现实世界的朋友保持联系的空间，而这个理念正稳步地慢慢失去了核心地位。成为"好友"需要双向的互动，你和你的朋友都必须同意，帕克这样解释说。但现在 Facebook 上也出现了其他有用的关系类型。

扎克伯格承认"好友"这个概念已经承载太多，他说好友这个说法有效地"让人们跨过一系列障碍"。最重要的是，这个词语让他们开始习惯于分享关于自己的信息——在只有朋友能看到的情况下。但 Facebook 仅提供了两种关系：好友或非好友。将来网站会提供更巧妙的手段逐渐调整用户的人际关系。结交好友不再完全是双向选择，并且更细化、更准确地反映我们与他人不同层级的关系。于是，当我们遇到不太认识的人发出好友申请，为是否应该接受邀请而苦恼时，我们就会有更多的选择。

但同时，网站的其他方面也正在发展，随着时间的推移，Facebook 所涉及的将不仅仅是朋友关系。第一个改变的表现就是他们添加了粉丝页面，并将这些页面的更新与其他的个人信息更新一起融入你的新闻订阅中。扎克伯格许多年以来都在说 Facebook 的"社交图表",事实上与人建立关系仅仅是第一步而已。曾经的 Google 老员工,现在 Facebook 平台的市场部负责人,同时也是扎克伯格团队中的核心成员伊森·比尔德 (Ethan Beard) 说:"在开始改进自己的想法时,我们意识到,可以用图标表现的不仅仅是人,也可以是任何和你有联系的物体、项目、组织、想法等所有的东西。当展示出这一切时,我们就可以充分地了解某人的个性。"换句话说,你是 U2 乐队,或是你家附近的咖啡馆,又或是美国著名哲学家和小说家艾恩·兰德(Ayn Rand)的粉丝,在形容你是一个什么人时,这就会比"你与去年某个会议上认识的人是朋友"更有说服力。

Facebook 未来为人们提供的工具能根据共同的兴趣或行为而与他人建立关系。其中的一大风险就是这个新方向可能会让 Facebook 变得更像是一个自我推销的场所,而不是建立友谊的地方。对扎克伯格和他的团队而言,如果要使这两类关系在 Facebook 中共存,就是在考验他们设计的敏感度。

当 Facebook 开始规划所有这些新增的关联,并且关注每个用户使用它们的互动时,扎克伯格就预测到用户分享的信息量将愈发增长。"把这想象成一个巨大的信息流,"他说,"这几乎包含了人类的所有意识和交流的信息流,我们的产品只是它那些不同的侧面。你的档案信息反映出这个信息流中你的活动,而你订阅的新闻是你朋友的动态中最有趣的部分。社交图表这一理念已经是个非常有用的架构,但我认为,以汇聚用户个人信息而形成社交信息流这一概念将同样重要。"

计划信息流的改造时,扎克伯格将其与摩尔定律做了对比,该定律由英特尔公司的高登·摩尔(Gordon Moore)在 20 世纪 60 年代提出。摩尔认为,计算机芯片上的晶体管数量将随着时间实现指数增长,在社交网站中也会出现类似的指数增长现象。"比如说,社交信息流中的项目数量也许会每年翻倍。"扎克伯格推测道,"这就意味着,十年之后,信息流中的信息量将是今天的上千倍。"这个推断出的结论让他心醉神迷:"你可以想象,要展示这些信息,就必须得开发多种形式的产品。人们将不得不随身带着能够自动分享信息的设备,你可以预料到这些。"

Facebook 一直在驱使人们更多地将自己的动态和其他形式的更新公开发布,而且它也在试图让人们把自己的商业行为和与朋友的互动混在一起。扎克伯格在这样做的同时也在赌博,赌人们会随着时间增长而越来越不重视自己的隐私。

潜在的问题不仅仅是规模逐渐增加的信息，还关系到人们是否能够容忍自己的信息在网上不受控制地流传。随着世界各地大量人口的涌入，Facebook 可能已经成了一场巨大的个人曝光实验。扎克伯格说自己依然承诺让用户能控制他们想保留的隐私。他能否通过改进拥有 3 亿用户的软件来解决这些矛盾，人们拭目以待。

4 月底，Facebook 悄悄地完成了一项创立以来最激进的变革。他们推出了开放式信息流 API（Stream API），为转变用户使用方式这一工作奠定了基础。信息流 API 伴随 Facebook 联谊会而生。如果说联谊会在整个互联网的范围内延展了 Facebook 的平台，信息流 API 则提供了在 Facebook 服务站点之外运用 Facebook 功能的体验。可能听起来有些奇怪，起码现在我们理所当然地认为，用户们都是在 Facebook 的网页使用 Facebook 信息。

信息流 API 允许任何网站取得订阅的新闻并且在其他地方发布，甚至有可能允许他们以在 Facebook 站内不可能实现的方式转换和添加内容。这个功能会让其他的服务商建起外观和感觉上都更像 Facebook 的站点，然而信息流仍然由 Facebook 的服务器掌控。如果我愿意，我甚至可以建立起一个自己的网站，让所有的 Facebook 用户可以在上面查看到他们订阅的新闻，用户们在 Facebook 站内所做的，在其他网站也能做。而用户在其他网站的活动数据也会传回 Facebook 站内好友的新闻订阅。

信息流 API 发表两天后，我在纽约西村的一家意大利餐厅和肖恩·帕克共进晚餐。进餐时，帕克在绝大部分时间里都在指责这个新功能。"这是公司最大的战略赌博，前无古人，后无来者。"在安静昏暗的餐厅后排，帕克一边和我吃着意大利面，一边急促而抑扬顿挫地说道，"向整个世界开放信息流可能会破坏 Facebook 的网络效应。作为一个封闭的网络，每一次转型都耗资巨大，而且每个人都必须在 Facebook 的沙盘模型中进行游戏。但是当信息流对外界开放时，其他的可能性也同时出现，即出现更精明的 Facebook 客户，他们能够与 Facebook 网站一样处理信息内容。"

一周之后，在帕洛阿尔托，我和扎克伯格单独坐在离他办公桌不远的一个拐角会议室里，采访了他用了很长时间。就在那时，帕克此前的那些话语仍然回响在我的耳边。扎克伯格并没有驳斥那些言论，但也不是对此无动于衷。他开始与我谈到公司"固步自封"带来的危害。"我们最该做的就是与周围的世界一起平稳前进，"他继续说，"要不断有竞争，但不能筑起藩篱。到目前为止，我们认为大部分的分享无论如何都将要在 Facebook 站外出现，所以衷心鼓励这样的发展。我不能够保证我们会成功，只是觉得如果不这么做，最终我们是会失败的。"

我问他是否担心构想如此大胆的行动会伤及公司的财务运作，他承认如果自己在未来 3 年中希望最大程度上提升公司的市值，就不会这么做。因为允许他人建立类似于 Facebook 的站点意味着要牺牲 Facebook 对自己用户活动的部分控制权，而这些控制权迄今为止依然全部为 Facebook 所拥有。"试图去创造未来几十年内产生价值的东西才是正确的决策，我们的许多改变都是以这样的一个时间跨度来决定的。大家要知道，我们所做的一切都只是起步，这一点很重要。"Facebook 主管公司发展的查玛斯·帕里哈皮提亚（Chamath Palihapitiya）说，"在我认识的人里面，马克是眼光最长远的。这个家伙总是非常、非常、非常关注长期前景。"

同一周我也再次采访了 Facebook 的设计师阿伦·西锡格，他也是扎克伯格的知己。西锡格进一步解释了扎克伯格关于信息流 API 的想法："我们越想坚持控制掌握的信息，并在 Facebook 的所有活动中保持主导地位，我们就越让自己偏离整个发展轨道。是的，我们基本上就是赌了一把，我们就是在基本顺应这种更为开放的趋势"。

等等，我问道，你不是肖恩·帕克最好的朋友吗？在这一点上他没有反击你吗？"肖恩基本上是那种适合操作微软式战略的家伙，"西锡格回答说，"我们确实可以建起一个很有价值的封闭系统，然后平衡控制这个大系统就能转移到其他的垂直市场上去。但我觉得，我们能够做出比那有趣得多的事情。"

Facebook 在联谊会和信息流 API 上野心依然不小。西锡格说："如果我们保留 Facebook 的独家私有，我们很可能就无法在网上得到最广泛的应用，因为每个互联网用户都有自己的社交圈子。但如果我们慢慢地开放，最终会拥有最广泛的占有率。"

让 Facebook 的发展走出 Facebook 网站这一想法还需要时间来适应，但公司的高管们已经开始这样描述。Facebook 会超越"网站"本身，其服务会在大范围内运用。它将成为一个信息的大宝库，像银行一样，同时也是一个票据交换中转站，类似于邮局或电话公司。

然而我没有听任何关于 Facebook 可能会彻底消失的预测，有些经理们说网上的 Facebook 可能会变成像 PC 机里的英特尔芯片，是一个你经常用，但很少会想到的东西。扎克伯格的密友，同时也担任高级平台经理的戴夫·莫林说："你今天所看到的 Facebook 可能会在一段时间以后渐渐减弱自身的重要性。"已经离开 Facebook 但仍然与它有密切工作接触的马特·科勒说："5 年之内，在或不在 Facebook 网站将不会再有明显差别。因为 Facebook 将成为一种你与人交流时总是伴随左右的东西。"

将它想象成一个包含你所有联系方式的软件，或者至少是一种持久而潜在的实时在线联系方式，它能联系到你的任何一位朋友。你将可以第一时间获知他们的情况，并且只要你选择告诉他们，就能让他们得知你的动态。当我们在线做任何事情或是碰到问题，无论何时我们都能求助朋友，并且通过 Facebook 库中的数据学习他们的经验。我们也可以通过聊天工具、音频或视频与他们实时联系。

在现实世界，我们也会越来越多地拥有这种体验，因为我们已经越来越常见地携带各种连接互联网的工具。Facebook 的 iPhone、黑莓和 GoogleAndroid 以及其他许多的移动电话上的应用程序已经在全世界拥有几千万用户。在某些国家，手机上网已经成了人们登录 Facebook 的最主要方式。

这是一个可能的图景：想象你正在一个足球比赛的现场，而你的移动设备显示你的那些朋友也同样在这个体育场里，甚至具体到他们的座位位置。或者它也可以显示谁曾经在所在的看台看过同样的比赛，或者谁和你一样是某支队伍的拥趸。这对于某些人来说很酷，然而对于另一些人，他们会觉得这像是在失去人性的机器专制社会。

在线购物也可能被这种趋势改写。当你在准备花一大笔钱购置汽车，或者是冰箱、相机时，难道你不想知道你的哪个朋友曾经买过，或者仅仅是考虑过购买同样的东西吗？开发者们最终会想出怎样在 Facebook 上实现这种功能，当然，这些信息的传递也会建立在用户同意的前提下。

Facebook 甚至可能具有类似于辅助存储器的功能。走在一条街上，你可以从自己的档案中了解自己什么时候、和谁一起曾经到过这里，或者你的移动设备可以提醒你已经靠近了在 Facebook 上的好友，并且告诉你如何与好友相会。软件甚至可以开始代表你作一些低级的决定。平台营销负责人伊森·比尔德说你可以设置你的 Tivo 录下你朋友录的所有内容。他也提出了一个场景："想象一下，我可以钻进我的车里，然后说'我想去大卫·柯克帕特里克家'，它知道我是

谁，并且可以上 Facebook 找出大卫的住址，还会通过 GPS 把我引向那里。这样的创意如此真实可行，怎么可能不会成真呢？"

2009 年 8 月初，Facebook 用 5 000 万美元收购了 Friendfeed，这是 Facebook 迄今为止最大的一次并购。这下它真的成了 Friendfeed 化的 Facebook。著名的博客作者和技术评论家几乎一致认为这次并购给 Facebook 带来了 Friendfeed 的科技以及 Friendfeed 的创始人，同时也是 Google 的前员工。这些明星级程序员会在 Facebook 与 Twitter 的竞争中立下汗马功劳。

为了与 Facebook 越来越弹性化的概念相适应，9 月份，Facebook 启用了清新版的 Facebook。这是第一次真正的品牌延伸，清新版本对于原版的 Facebook 来说就好像健怡可乐之于可乐一样，是为了没有宽带网的用户，或是出于某种原因需要而提供一个更小的、资源不太密集但要求带宽更少的 Facebook 窗口。这是一个 Facebook 的简化版本，剥离了视频类的服务，摒弃了许多最新版 Facebook 的复杂工具。正当 Facebook 冲向 5 亿用户大关时，扎克伯格却开始细分用户。他知道，随着用户的数量如此剧增，对网站的服务需求会越来越多样化。

Facebook 在不断改变着，用户也在不断地作出反应。8 月份，Facebook 已经实现了当年的发展目标，活跃用户达到了 2.75 亿人。从 2008 年秋天到 2009 年秋天，Facebook 策划了一系列惊人巨变，而其用户总数仍在飞速增加。只要总体数据显示越来越多的人在网站提供的服务中找到了价值，扎克伯格就会开始顺从于人数相对较少的反对派。他开始说快等不及 2010 年的到来了，到那时自己就不用打该死的领带了。

第 17 章
我的目标绝不仅是创造一家公司

世界将会变得越来越透明。	🔍

    2009 年达沃斯世界经济论坛上，马克·扎克伯格坐在一个精致典雅的古老瑞典餐馆里。这个著名的年会上，齐集了当代政要和业界领袖。他右手边是一年前从 Google 挖来的谢丽·桑德伯格，现年 40 岁的 Facebook 首席运营官。小桌子的另一端坐着拉里·佩奇，Google 的创始人。Facebook 的主要风险投资人，阿克塞尔合伙公司主持了本次达沃斯年会中科技界的晚餐，这次晚餐有个有趣的名字"网虫晚餐"。今年阿克塞尔专程从美国带来了两个品酒师，奉上用不同种葡萄酿造的价值 600 美元一杯的加州葡萄酒。扎克伯格喝了几杯昂贵的葡萄酒后，身体前倾问拉里·佩奇：

"拉里，你用 Facebook 吗？"

"没有，我没用过。"佩奇用他一贯尖锐略带鼻音但不露声色的语调回答道。

扎卡伯格看上去有点失望。

"为何不用呢？"他穷追不舍地问道。

"那玩意儿不太适合我。"佩奇答道。扎克伯格不甘心，开始问他其他问题，但桑德伯格打断了他。

"马克！别在大卫面前谈这个。"她语带责备。（她说的是我，我当时坐在扎克伯格左手边。）桑德伯格深谙应对传媒之道。

如此公开地问佩奇这样的问题，暴露了扎克伯格性格的某些方面，要知道佩奇可是硅谷之王，Facebook 许多业务的竞争对手。扎克伯格可能有点幼稚，但同时他也无所畏惧，争强好胜，超级自信到甚至有点狂妄。他不怕 Google，尽管对 Google 仍有些许依赖。他是真的希望佩奇会喜欢 Facebook，但他更想知道他这么问时，佩奇会怎么反应。

几乎可以肯定，扎克伯格仍会继续大权独揽地领导 Facebook。他想统领的不仅仅是 Facebook，在某种意义上，他甚至想主宰这个星球上一切通信基础架构。他甚至坚信 Facebook 的持续成功源自它有能力给用户以信心，他知道未经权力斗争的训练，他难达目的。正如他在一次服务项目的票选活动中对用户所说，他想通过"公开透明"的对话，公正公平地领导 Facebook。对这个年轻的CEO 而言，如今当务之急仍然是要深化他所坚信的，一贯的透明度，促进更多的分享和交流，而不是将 Facebook 变成一个赚大钱的公司。尽管如此，他坚信他可以两手抓，两手都硬。

有次我问过扎克伯格，他是否会担心公司陷入财务危机。"好吧，财务危机有很多种。"他说，"公司是可持续发展的吗？它开不下去了吗？我从不费时去想这些问题。它好得很。它能长成一个价值 10 亿美元的大公司或者差不多那样大的吗？我看看我们有机会走到那一步。"

扎克伯格的一些同事认为他对开放和公平的渴望超过了对利润的追求，以至于他从未真正地感到满足。或者，也许他是如此的积极上进以至于满足感对他而言，已经无足轻重了。"他总是致力于做接下来要做的事。"一位曾在他身边工作过的执行管理人员说，"大部分人都会为自己的事业设定奋斗积累期和里程碑，达到某个里程碑后，可以稍事休息庆贺，从而获得一些满足感和征服感。但这一切对马克而言好像是不存在的。"

扎克伯格对业务成长的追求超过对利润的追求，看来这并没有削弱Facebook 的赚钱潜力。2008 年 6 月，加入 Facebook 董事会的硅谷老手马克·安德森在这个问题上和大家的看法一样。"马克从未说过 Facebook 赚不了钱。"安德森留意到，"就财务方面而言，的确是时机问题。在全球性的特许经营权尚未建立之前，花时间在任何这些事情上都是浪费。"

扎克伯格经常向一个由几个人组成的团队征询意见，安德森是这个小组成员之一，所以他的话很具有参考意义。（来自 Facebook 的大投资公司格雷洛克合伙人施戴维称，"安德森在小组里提的建议总能令扎克伯格信服，我确信我们这些人做不到这一点。"）

安德森强烈建议 Facebook 继续在业务成长方面加强投资。在硅谷的一家舒适的酒店大厅里，他接受了我的采访。他语速很快，幸好我有录音笔。"到现在为止，公司花了多少钱了？"我问道。"大概几亿，对吧，那么发展了多少活跃用户呢？3 亿？所以公司等于是以每人 1 美元左右的价格建立了全球经营架构，建立了一个全球品牌，打造了真真正正的可持续性，具有亲和力、网络影响力、研发能力、竞争优势和通向未来科技世界的路线图。每个用户才 1 美元，换做是你，也会重复重复再重复地这么做。"

"好吧，再问个问题——如果有个可以达到 5 亿活跃用户的机会，你会花钱做到 5 亿吗？当然！答案当然是做到 5 亿。与任何一个达到同等规模的事情的花费相比，你得说，你捡到了本世纪最大的便宜啦。"

安德森高高大大，说话时，他硕大的光头向我靠过来，就像他坚定有力的话语倒向他看来无可辩驳的结论。你很难和他争论什么。如果你邀他加入，他会给你带来许多影响。不管怎么说，他和扎克伯格方向一致。

Facebook 的核心管理团队总是很小。鉴于 2004 年肖恩·帕克的叛变，扎克伯格一直控制着核心团队。他希望团队支持他管理公司的长远策略。当我问安德森如何看待扎克伯格对 Facebook 的控制时，他脱口而出："这是个好事儿。"他说只有年轻的 CEO 能持久运营一个大的科技公司。他拿扎克伯格和比尔·盖茨、杰夫·贝索斯和史蒂夫·乔布斯进行比较。

每个管理团队核心成员都以自己的方式和扎克伯格一起工作。2005 年随阿克塞尔投资加入的吉姆·布雷耶，主要负责公司架构和招募。（"马克喜欢黑客文化和创造性的混乱状态，"布雷耶说，"我给他的建议是在产品创新方面可以这样，但在另外的领域比如销售、人力资源部，或者法务部可不行。"）安德森主要负责管理，但也参与部分产品设计。他感到扎克伯格保护意识很强，努力防止他犯那些年轻的创业者们惯犯的错误。彼得·泰尔 2004 年向 Facebook 投资 50 万时加入公司，他对管理不是很感兴趣，他和扎克伯格说得最多的是长期的公司策略和整个经济环境。扎克伯格如此描述他们正在进行的讨论："通常是这样的，赶紧筹钱，别集资。把这笔钱存银行里。你应该现在就把公司卖掉。现在别卖公司。我听他说起的大都是这样的话。"泰尔和安德森是好朋友，安德森给泰尔对冲基金投了很大一笔钱。

扎克伯格说，早在 2005 年，他打算引入华盛顿邮报集团的丹·格雷厄姆，但当时阿克塞尔注资高于格雷厄姆。但即便引入了两方的投资，Facebook 也还是个小公司。扎克伯格最终还是在 2009 年引入了格雷厄姆，至此 5 个董事位置齐了（包括已撤销的肖恩·帕克）。扎克伯格对格雷厄姆在商业方面的长远眼光很是敬佩，同时他也佩服华盛顿邮报集团允许他这么做。

对于邮报集团和纽约时报集团以及许多媒体集团，股票分成两类。普通股民和机构可以持有普通股份，还有一类更优质的股份则主要被该报的创始家族持有。这样做增强了家族成员投票权，确保股民持有的普通股票不会超过家族成员的份额。这种结构有效地将管理层家族成员和普通股东隔离开，以防止普通股东可能会过于关注短期利益对企业造成影响。当然他们说这么做的目的是保持编采独立和公司服务公众的精神。

2009 年 11 月，扎克伯格在 Facebook 内做出了类似的规划。把他和他的合作伙伴们的股份转变成 B 级股，确保在 Facebook 面向公众上市时，他们仍能保持控制权。2004 年 8 月，Google 也对它的 IPO 做出了如是规划。之后，通过手中持有的优质股份，管理层和经理人拥有 61% 的投票权，因为这个类别股值较之普通股民持有的股票可以以一当十。Facebook 的新股份分享结构有类似的投票规定。在达到年度盈利 10 亿之前，Facebook 不会向公众公开发行股票，这个目标几乎肯定会在 2010 年实现。

目前 Facebook 的股份构成：扎克伯格占 25%，第二大股东阿克塞尔合伙公司占 12%，大约 1% 由吉姆·布雷耶个人控股（也就是他 2005 年个人投入的 100 万）。达斯汀·莫斯科维茨约 6.8%，彼得·泰尔 6%，爱德华多·萨维林 5%，肖恩·帕克 4%，格雷洛克合伙人 2%，美林泰克资本合伙人 1% 多一点，微软大约 1.5%。香港亿万富翁李嘉诚大约 0.75%，广告界巨擘埃培智集团大约 0.5%，这是 Facebook 早期和该公司"广告和资本运营"交易一次合作愉快的产物。俄罗斯的数字天空科技公司 2009 年 5 月通过公司购入 2%，稍后又从不同的雇员手中购得 1.5%。数字天空的 CEO 尤里·米尔纳希望最终能持股 5%。一小部分在职员工和离职员工拥有一笔可观的大概超过 0.5% 的股份。包括马特·科勒，杰夫·罗斯柴尔德，亚当·德安杰罗，克里斯·休斯和范·纳塔。其他投资人和雇员大约占 30%。

尽管数字天空在 Facebook 市值 100 亿时购买了这部分股票，但很难说是否划算。正如最近 2008 年末所谓"公平市场值"评估，Facebook 的总市值大约只有 25 亿美元，这是阿克塞尔为了做长期投资买入 Facebook 股份时做的估值。"我知道某一天，它会涨到一个很大的数值，"布雷耶告诉我说，"所以我不是很在意它现在值多少。"（他的阿克塞尔风投公司在 2009 年中，市值 75 亿美元时，和数字天空同时买入了部分 Facebook 员工的股票。）但是，布雷耶的伙伴董事会成员泰尔，就没那么确定了。"Facebook 的市值涨落空间相当大，"2009 年初的一次受访时他说，"或许会很值钱，也可能变得一文不值。"这帮人在董事会上的交流一定相当好玩，泰尔还谈道："民众对 Facebook 的期望值难以置信的高——将来究竟这会是个巨大的成功还是一个无法控制的怪兽呢？"

与此同时，大家都把目光聚焦在微软于 2007 年的注资，当时 Facebook 估值 150 亿，大家没有注意到，那其实不过是微软在市场高峰期以广告交易的形式收购优质股份的一次赌注，那从来不是 Facebook 的真正估值。事实上，它出那么多风头也许不是件好事，最终可能会给公司带来伤害。因为期望过高，最终难免失望。

因为之前对不断增长的透明度做出的种种承诺，最近几年扎克伯格开始关注到一个逐渐显现的问题——谁掌控着你的信息？2009 年中的一次访谈中，回答他对 Facebook 最大心愿时，他的回答出奇地长，像是一次主题演讲。

"世界将会变得越来越透明，这种趋势会是未来 10~20 年所有变化的动力。"他一开始就说。"假定未来没有大规模的暴力活动或者其他政治性的分裂和瓦解，但究竟会发生什么，谁也难料到。你问人们如何看待透明度，人们脑海中的画面是很负面的——一个充满监视的世界图景，人们可能会描摹一个反乌托邦的未来，透明度会导致集权还是权力的消解？我确信更大的透明度将是不可避免的趋势，但是坦白说，我不知道其他部分是（是否我们会不断受到监视）如何运作的。"

"我给大家描绘两个场景，和硅谷中的两间公司有关。当然，实际情况没这么极端，但他们代表两个极端。一面是 Google，主要取得和追踪已有信息，他们称为爬网。他们爬网，取得网络上的资料放入他们自己的系统。他们想打造 Google 地图，于是派出拍摄车辆，认认真真地去拍你家，然后做出 Google 街景系统。他们利用搜集整理的用户资料做广告，还通过 DoubleClick 和 Adsense 的 Cookies 追踪用户的上网记录。他们就这样建立了一套用户对什么感兴趣的档案。Google 是个伟大的公司。"他犹豫了一下，接着说，"但是，如果照此逻辑，推向极端，就有点可怕了。"

　　"另一个场景是在我们公司。允许人们分享他们想分享的东西，给他们提供优秀的工具控制如何分享，你可以获得越来越多的共享信息，但是想想那些在 Facebook 上不想分享给所有人的内容，是不是？你可不想这样的信息被爬网，被索引，比如你和家人的度假照片，你的电话号码，所有发生在公司局域网里的事儿，所有私人短信和邮件，所以很大一部分信息变得越来越透明化了，但是仍然有另一大部分不可以对所有人开放的。"

　　"这是未来 10~20 年里最重要的问题之一，如果世界朝着越来越多分享的方向前进，就一定要确保它以一种自下而上的方式发生，而不是集中的方式，人们自行把信息放在网上，并且自行控制他们的信息和整个系统的交互，而集中的方式会导致人们被一些监控系统监视，我认为这对未来世界很重要。"他笑了笑，但笑得有点紧张。意识到他的声音有点激情过头了。"这是我个人最关注的部分。"

　　尽管扎克伯格语调傲慢，Facebook 在整个未来图景中的地位仍未开始确立。就算不考虑 Google，迄今为止，对 Facebook 本身而言，是否有足够的能力保护个人信息而不泄漏，这仍是一个挑战。在新闻订阅，服务条款风波，贝肯事件上，Facebook 一开始就作错了选择。

　　尽管 Facebook 提供了一系列防止用户资料被盗用的保护措施，一些公司仍然会永远能够看到我们的数据。Facebook 本身是一个中心者，将我们的信息聚集至集团的大伞下。扎克伯格本人致力于保护用户信息不被盗用的热情让人感觉欣慰，但是什么让 Facebook 用户能够相信扎克伯格的良好意愿能够永久持续？在最坏的设想中，也许在将来，扎克伯格对自己的产品失去了控制的时候，Facebook 本身可以变成一个巨大的监视工具。扎克伯格会尽力预防这样的事情发生，也许新的科技会出来救驾，会有一种既能享用 facebook 连接的种种好处还能将自己的数据自己保管起来的新方法出现。

　　扎克伯格的整体目标咨询师和董事会成员彼得·泰尔对于 Google 也提出了类似的观点，很显然他们花费了很多时间来讨论这个问题。"从许多方面来说，Google 都是一个不可思议的公司，在成立时就有令人不可思议的远见，"泰尔说，"但我认为，一个深远的问题是在 Google 的核心价值中，他们相信在这股全球化浪潮的最后，世界会以电子计算机为中心，并且电子计算机会完成所有事情。"这同时也是 Google 错过这一波社交网络公司潮流的原因。我并不想诋毁 Google，Google 的模型认为，信息以及归整来自全世界的信息是最重要的事情，而 Facebook 的模型从根本上是不同的。在我的观念里，对于全球化进程的批判之一就在这一点，是人们掌控科技，而不是反过来。Facebook 公司的经济、政治和文化价值以及其他方面的价值的根源思想是，人才是最重要的东西。让这个世界上的人们自己组织起来，才是最重要的事情。"

扎克伯格和泰尔指出的对比现象已经非常明显了。在索引和组织全世界的信息方面，Facebook 对 Google 的统治已经构成了实在的威胁。"在 Facebook 服务器上发生过的事情将永远留在那里。"弗雷德·沃格斯坦（Fred Vogelstein）在 2009 年 7 月的《连线》杂志上写了一篇非常有洞察力的文章，标题是《Facebook 的万里长城》(The Great Wall of Facebook)。"这正代表了 Google 巨大的且正不断变大的发展盲点。"一位 Google 的内部人士也证实，这是他们公司内部经常讨论的头疼事情。如果这个最大且增长最快的网站中的数据对 Google 禁止使用，那么他们搜索引擎的权威性地位将岌岌可危。这个数据量是非常可观的，据公司内部人士估计，仅仅 Facebook 上的状态更新的字数，就已经超过了世界上所有的博客的 10 倍之多。

当个人信息已经开始帮助我们完成在线信息搜索时，Google 的问题就已经变得复杂了。如果一个朋友觉得某个资料源很有用，或是曾经买过你正在看的某个东西，这就是你在搜索时最想知道的信息。2009 年 5 月的东京会议上，Google 的一个产品经理非常罕见地公开对媒体承认，当信息来自某个朋友时，用户会觉得更加可靠，而 Facebook 有潜力在这一方面帮助用户做得更好。之后在 2009 年底的一次公开露面中，Google 的 CEO 埃里克·施密特谈到了自己公司面临的许多挑战，其中最大之一就是：解决如何搜索、索引和呈现类似于 Facebook 的服务中的社交媒体内容。他称这个问题为"这个时代的大挑战"。

Facebook 也在不断改进搜索自己内容的工具，但不是特别出色。现在能够搜索到内容包括 Facebook 的商业页面的内容和个人用户不设隐私控制的"每个人"都能看到的数据。Facebook 公司在改进搜索工具的同时，也计划进一步鼓励用户们使用公开至"每个人"的设置。这不仅仅是对 Google 的制约，同时也是阻挡 Twitter 攻势的方法，因为 Twitter 的功能很大一部分取决于推文内容能够很容易被搜索到。更有甚者，Facebook 采用微软的必应搜索作为站内的标准搜索，而必应正是 Google 的夙敌。

Facebook 和 Google 的竞争将进一步升温，而解决之道也有许多——尽管克伯格和泰尔曾经严正表态，两家重归于好也不是没有可能，甚至未来仍有商业融合或是交易的可能，使得两家公司的数据能够融合起来。如果价格足够高的话，Google 甚至可能会试图收购 Facebook。

扎克伯格将很难抵挡这种可能。如果 Facebook 与微软走得更近，那么他们与 Google 的竞争将变得更加激烈复杂。所以最可能的情况是 Facebook 会继续和两个巨头的其中之一一起对抗另一个，现在在微软注资 Facebook 的前提下，情况也正是如此。

在争夺在线市场份额和品牌影响力的同时，Facebook 和 Google 也在争夺高管和工程师方面展开竞争。从用户数量而言，Facebook 显然已成为世界上仅次于 Google 的第二大网络公司，而其用户花在 Facebook 上的时间已超过 Google 和其他网站。在雇员方面，扎克伯格挖走谢丽·桑德伯格和 Google 的顶级信息官员艾略特·施拉奇（Elliot Schrage）让 Google 很不好过。2008 年 1 月，扎克伯格搭乘 Google 的顺风机去参加达沃斯论坛，一路上大都在与桑德伯格交谈。而在 2009 年，他俩都没有再被邀请上飞机。在 2008 年 Google 实施报复，收买回另一个著名的背叛者，在负责 Facebook 的平台部分仅 10 个月后，才华横溢的程序员和经理人凌建彬又回到了 Google。今天，Facebook 有大量员工都是 Google 的前雇员。

也许 Facebook 很快又要和 Google 拥有一个共同点——就是规模变得过于庞大。微软曾经因为实力过于强大而被美国司法部提出议案将其分割，尽管最后并未通过。Facebook 在控制用户和平台伙伴的野心和潜力方面也不可小觑，"Facebook 对自己平台的控制程度比微软一直以来的做法还要紧，"一个关系紧密的观察员说，"Facebook 轻触开关就可以把你扔出去，任何人和任何时间。"如果 Facebook 继续增长下去，而扎克伯格又不能够坚持他预想的用户协商机制和企业道德，那么他们可以开始邀请世界上的反托拉斯执行者们来监视管理它。

Facebook 离成为互联网统一身份系统的梦想越近，他们就越容易引起政府的注意。Facebook 拥有的公民信息甚至可能比政府的还多。2009 年 8 月，在谈判和一系列改变宣布之前，加拿大的国家隐私专员用了一年的时间来检查 Facebook 的隐私政策，揭示了加拿大正在浮现的问题，根据 Facebook 全球监控系统在公司内部公布的数据，加拿大有 42% 的网民都在 Facebook 上，比任何一个主要发达国家都多。

针对 Facebook 包含如此多个人信息的公开政策的意见也有戏剧化的分歧，Facebook 的俄罗斯大股东尤里·米尔纳（Yuri Milner）说："Facebook 联谊会基本上就是你的护照——线上护照。理论上只有政府才能签发护照，但突然间，有人在世界范围内给人们签发了护照，毫无疑问，这是很有竞争力的。但谁说护照只能由政府来颁发？这也许只是一定历史时期内的产物，而 Facebook 将成为一种全球公民身份。"

持有相反观点的有约翰·克里平格（John Clippinger），他是哈佛大学伯克曼（Berkman）互联网与社会研究中心的工作人员，同时也是《个体群集：个体身份的未来》（*A Crowd of One: The Future of Individual Identity*）的作者。"Facebook 遇到了一个至关重要的公民，法治和国家安全基础结构问题，而他们的身份识别系统正在阻碍我们的公民自由。诚然，创造社交图标是一个鉴别人们真实身份的新方法。但 Facebook 有权利拥有，并且没有任何限制地拥有它吗？这是奥威尔式的极权式玩法。我不认为这些信息应该被某家公司独占。Facebook 正在试图控制一种非常基本的资源和权力。"

这种观点预示了 Facebook 前方的坎坷道路，也许就像我和克里平格的谈话中接下来谈到的，他开玩笑说："如果扎克伯格认为这是在创造公民社会的一种新型基础结构，那么也许他真的要扮演一个真正善良的角色。"有一件事情是很清楚的：如果扎克伯格要扮演政治家的角色，今后他将需要用很多时间来解释自己的做法。

当 Facebook 朝着会员数 10 亿的大关迈进时，成功地实施大量规章制度将毋庸置疑地变成一件压力更大的头疼事。我曾向董事会成员泰尔询问他对政府干预的风险有何看法。"当我思考法律或者是政策问题时，一个很重要的环节就是大众是否认为这东西从根本上来说是好的或是坏的。"他回答说，"当 Facebook 被看成是友好的无威胁的网站时，它将在世界上获得最大限度的法律和政治灵活性。我觉得 Facebook 没有威胁性，不会疏离任何人。 我认为有一个充满希望的信号，这个公司已经取得了如此的进步，但收到的阻挠却如此之少。我们已经拥有了 1.75 亿用户（这是 2009 年 2 月的数据），然而国会里却没有人游说 Facebook 应该被关掉。"

他说得没错，但 Facebook 对用户的监视确实在增加。举个例子，纽约著名的技术投资家约翰·博思威克（John Borthwick）（他手中掌控的公司中就包括

Twitter 的一部分）就认为，2008 年底时 Facebook 故意重新设定了决定用户是否能够收到站内动态提醒的设置。Facebook 称重设行为是技术故障的偶然结果，但博思威克说，在这个过程中，他们能够重新开始给所有的用户发送邮件，提醒他们收到了什么样的信息。尽管没有证据，他还是认为这是一个故意的举动，意在将用户拉回站内，以提高站内活动和页面浏览量。

Facebook 真正卷起袖子准备大干一场的，是建立起强大的外部回应，比如他们有一段时间在研究一个内部的支付系统，甚至已经启动了一部分研发。用户们用信用卡买 Facebook 的"信用点"，然后用信用点支付游戏和虚拟物品的购买费用；也许在以后，任何东西都可以这样购买。这样的信用点可以负起虚拟货币，而且是跨国虚拟货币的功能。

"这样的货币变成了一种与用户的关系货币化的方法。"负责商业发展和货币化的丹·罗斯说。人们可以使用它在个体之间转账，并且这种新的购物机制是基于身份识别的，信用卡诈骗也许会因此减少。而且他也可以带来新的便利，例如你可以在线为朋友买礼物，而不用知道他们的地址，只需要选择礼物，然后告诉零售商你朋友的名字。两家公司的系统可以帮你处理剩下的事宜，并从你的 Facebook 里扣掉相应的信用点。一个为世界范围内的数十亿消费者服务的在线支付系统会带来极大的方便，甚至可以使 Facebook 跨过国家之间的界限而真正成为一个全球化的经济体。但不用吃惊，银行和其他部门很快又要追问这是否应该是 Facebook 的角色了。

扎克伯格曾经宣称，他保持着将 Facebook 打造成一个对互联网和社会都是良性动力的深切愿望。"你必须得善良，才能得到人们的信任。"他说，"在过去，人们从来不指望商业公司能够善良，我认为现在这种观念正在改变。"

"我经常在公司里说，我的目标绝不仅是创造一家公司，"当我们两个单独坐在办公室里，扎克伯格专注地看着我，一边解释说，"许多人都误读了这一点，仿佛我不在乎收益、利润或是任何类似的东西。事实上，要获得任何意义上的成功，这些东西都是必不可少的。建立一个良好的经济引擎能够使所有这些平台公司、广告商们和其他伙伴公司都能够生存，并且成为整个生态系统的一部分。不仅要完成这些，还要做出能够使整个世界真正有所改变的东西。"他的眼神有些飘忽，但神情依然很专注。他将头扭向一边，好像要拧一下脖子，然后继续道：

"我每天都在问自己，'我在做的事情是我所能做的最重要的吗？'"他带着一点点不无典型的自大说，"因为如果不是这样，我们已经将这个公司做到一个足够好的水平，我就不用再做现在的或是其他的工作了。这就是在过去很多人问我的，为什么我们当年不把公司卖掉，然后就可以到处去玩了。所以现在你面临着这个'什么对你最重要'的问题。除非我觉得我在做最重要的事情。"他一直重复强调这些词语，"否则我就无法觉得自己时间花费得对。而最重要的事情，就是这个公司。"

到最后，马克·扎克伯格的梦想是赋予每一个个体以权力。对于他自己来说，Facebook 能解决的最重要的问题就是给人们提供工具，使得他们能够更有效地交流，并在这个我们不管做什么时，都有越来越多的信息包围着我们的世界中更好地生活。最终的目标是在大型商业和政府机构获得大量计算信息资源，帮助用户个体们不再受压制。

他的下属们也开始支持这种想法。"我们能做到现在的关键原因是什么？"长久服务于 Facebook 的广告销售总监凯文·科勒兰（Kevin Colleran）问道，"关键原因就是马克不是被金钱所激励的。"几乎每天都和扎克伯格一起工作的产品副总裁克里斯·考克斯说，"马克宁愿希望看到我们的生意为尝试某件正直的、伟大的、有意义的事情而失败，也不愿意看到一个大型的差劲公司。我们经常说'别做差劲的事'——别因为会赚更多的钱而做差劲的事，也别受某个人的教唆而去做差劲的事，这是我们公司对应'不作恶'（Google 公司的格言）的一句话。"

虽然 Facebook 公司补充进了各年龄段的一些高管们，20 多岁的年轻人仍然占很大一部分。他们理解扎克伯格的想法，因为他们都很像他，都非常重视自己的工作所带来的影响。尽管看上去他们没有那么多时间像他一样大部分的时间都在两轮的 RipStick 滑板上在巨大的办公室周围扭来扭去。在深知他们每天使用的这个社交网站的社会意义后，他们更是自然地被 Facebook 这个公司所吸引。当我在他们的办公室里时，我时常觉得，这也许是今天这个星球上最聪明的一批年轻人，1 200 个雇员的平均年龄是 31 岁。

Facebook 表现出了一种特殊的耐力。从公司组建开始，不断拥有批评声音指出它在处于失去"酷劲"的风险，并且很快要走向下坡路。"如果他们允许哈佛教职工也加入……如果他们超过哈佛的范围……如果他们让常青藤之外的大学准入……如果高中生也能加入……如果成年人也允许加入……那么每个人都会走调的。"这些"Facebook 末日"的言论早已经成了陈词滥调。

同时，Facebook 在稳步增长的同时也没看出丢失了任何一个阶层、年龄段或是国籍用户的集体拥趸。这种增长自然不会永远持续，但随着 Facebook 不由分说地国际化过程的进行，目前还没有任何要停止增长的迹象。"虽然我们现在还在试图弄清楚我们所创造的这个产品的规模和价值，"负责增长和国际化的副总裁卡玛斯·帕里哈皮提亚说，"我们认为这个公司会为今后的数十年创造巨大的价值。"

Facebook 正在改变我们对社区、邻里之间的级别和整个星球社区的概念。在这个步伐不断加快的现代生活中，个体之间的距离不断拉远，而 Facebook 帮助我们重拾人与人之间的一种亲密感 。许多人提到在 Facebook 上我们可以和朋友一起组建出类似于古老小镇的世界，在那里人们通过每天的活动经常探望并和邻居渐渐熟悉。与此同时，Facebook 的全球规模，结合其用户托付给 Facebook 的个人数据量，预示着一场人类社会上真正新出现的全球联合的联系模式。哲学家和媒体理论家马歇尔·麦克卢汉（Marshall McLuhan）是这个公司的最爱，原因不难理解：他在 1964 年的著作《理解媒介：人类的延伸》中创造了"全球村"的概念，并预测了一个会将整个星球联系在一起的统一交流平台。"很快，我们就要到达人的延伸的最后阶段——人类意识的科技化模拟，"他写道，"认知过程将会延伸至整个社会集体团结完成。"我们还没有到那一步，Facebook 也不是他所描述的东西，整个世界依旧是分崩离析的，但是从来没有一个工具能够将"认知的过程"拓展得这么宽。

Facebook 的整个贡献是 Facebook 的所有用户构成一个想法和感受的全球组合体。许多人预言称这可能会朝着一个原始的全球性大脑的方向进化。人们有时候会这样说的原因是，当所有的个人信息集聚一处，这些信息就可以被复杂的软件分析，并且了解这种感情与想法的聚合体中的新东西。在 2009 年晚些时候发布的一个公司项目叫做国民总幸福指数。分析软件可计算 Facebook 上能够反映幸福或是不幸福的词汇短语的出现次数。Facebook 的官方博客中展示了一个据此制作出来的图表，用来显示"我们共同情感的表征"。在最初的阶段，研究范围仅限于美国的英语用户的数据，但随着时间过去，这个范围将会扩展到更广，并且创造出一个前所未有的全球情感的度量。类似的工具将越来越稳定和有用。

Facebook 在全世界连接的有效性非常惊人。在搜索框里键入任何一个你遇到的人的名字，就很有可能会被直接带到显示他们名字和照片的页面。如果你想要，你可以从那里给他们发个消息。Facebook 的目标是做出一个整个人类的索引，至少是上网的那一部分人的索引，创造出任何两个个体之间直接的联系途径。

这些性能也许会带来更多全球化理解，也许不会。也许我们用 Facebook 仅仅更紧密的和我们已经认识的人们交流。也许这样会加深我们部落化分离的感觉。

但扎克伯格对 Facebook 的最初概念是做一个方便你与现实生活中熟悉的人交流的服务网站，并且这个概念延续至今。当 Facebook 面临需要扩大受益的需要时，他们启用了商业页面并且和个人联络文化并存的市场文化。接着，当 Twitter 的挑战出现时，他们将自我定位拓展至一个人们可以和除了自己的朋友之外的每个人交流的工具。在某些程度上来说，这些都是扎克伯格组建 Facebook 的另一个前提的自然结果，即分享和透明正在成为现代化体验中无法抵挡的元素。

但也许涉及隐私数据的个人化互惠交流与无限制的分享并不能很好地共存。将 Facebook 的组建初衷与 Twitter、MySpace 和其他的许多约束性更低的网站混合在一起，真的可行吗？

答案取决于当 Facebook 修正或改进自己的服务时所作出的决定。扎克伯格深切地关心 Facebook 成为人们之间桥梁的潜质。他将致力于将 Facebook 变成全球村里的城市广场，但就像我们所听到过的，他对保护人们最敏感信息的重要性的坚定近乎宗教信仰。Facebook 的数亿用户最初加入进来都是为了和自己的朋友交流，如何保持他们的热情仍然是他所面临的挑战。这绝非易事。

我有一个朋友住在帕多奥罗，离 Facebook 办公室几个街区远的地方。有个周末，他们一家白天出去活动，到很晚才回来，车里坐着闹人的孩子们。最后到家时，他和妻子才觉得解脱了。但这时，当他正接近自家车道的时候，车灯照亮了路边一个人的轮廓，他站在便道上拦住了他们的去路。

这个头发卷曲身材小巧的男人并没有注意到他们，他站立原地不动，双手紧扣于身后，低着头陷入深深的思考，姿势看上去很严肃。即使家人都已

275

经很累了，我的朋友还是停下车子，直觉告诉自己不该打扰他，于是他静静地
等着。

差不多过了一分钟，这个人抬起头来并缓慢地从便道上走开。

马克·扎克伯格的艰难思考才刚刚开始。

作者后记

The Facebook Effect

当读者看到这本书时，Facebook 的活跃用户人数很可能已逾 6 亿。2010 年 7 月时，对外公布的这一数字为 5 亿，并且每月以 2 500 万的速度递增。

Facebook 这家公司正不断地融入现代文化和生活。世界上不论哪个国家、不论在哪种语言区，几乎都能在公开场合不经意地听到 Facebook 这个词出现在人们的对话中。2009 年，有一部字典将"移除好友"（unfriend）选为当年的年度词汇。Facebook 也走进了电视荧屏。

Facebook 的社会影响力还在继续扩大。世界各地的人们因它而重新点燃人际交往的热情。在书中，美国得克萨斯州奥斯汀的一位营销顾问乔恩·威斯布拉特（Jon Weisblatt）为本书写下了一段赠言，其中有一个他自创的说法"Facebook 眩晕"。这个词语描述的感觉就发生在他突然在网上见到多年老友的名字和面孔之时。而对那些寻觅爱侣的人而言，Facebook 提供了一个旧情复燃的机会。既然几乎每个从前的朋友都能以简单的 Facebook 信息保持联系，许多人就此可以重燃高中或大学时的爱火，因而出现了一个指代这种现象的词——"重拾旧爱"。

但 Facebook 也成了又一个滋生不良社会影响的地带。一些蓄意破坏的商业流氓如今常常建立些看来像 Facebook 的虚假网站，以此获取登录者的 Facebook 密码。然后，他们用窃取的密码登录 Facebook，向密码名下用户的朋友们发送垃圾信息，企图以这些信息得到更多用户的密码。 这样一种"网络钓鱼"的网页甚至欺骗了美国联邦通信委员会（FCC）主席朱利斯·吉纳乔斯基（Julius Genachowski）。他在 Facebook 上的一群朋友都收到了一则莫名其妙的信息，上面提到"亚当让我开始用这种方法赚钱"。

在利润攸关的社交网络领域，Facebook 的竞争对手们如今都在盈利线上，挣扎。MySpace 正在亏损。社交网 Bebo 于 2008 年被 AOL 以 8.5 亿美元价格收购，而今又被转售。着眼于联系高中时代老朋友的初级社交网络 MySpace 与 Classmates.com 都将自己的服务搬上了 Facebook 的平台，并且开始使用 Facebook 联谊会这项服务。

对扎克伯格而言，成名让他觉得不自在。因为在硅谷时他出外吃饭也会被人认出来，进餐中途还会有人索要签名或请求合影。这也算是为成功付出的代价。

由 Facebook 独家撰写网络社交史

我是在差不多两年前听说了 Facebook，当时慕名上去注册了一个帐号，结果弄得我很郁闷。我发现这个网站和我见过的其他网站都不一样，在填完个人信息后就只看见一个光秃秃的个人主页在那里，其他什么都没有。我要的可是新闻啊！

大约时隔一年的样子，Facebook 此时已经如日中天，然而一年前留下的阴影还是让我觉得这个网站没什么好的。直到有一天我莫名其妙地又上去了。

我发现了一个导入功能，可以把 Gmail 里的邮件地址导入进去，抱着试试看的心理我尝试了一下，结果就这样找到了我在 Facebook 上的第一批朋友，而这些朋友都是我在现实中认识的，我的 Facebook 首页也终于动了起来，我可以知道朋友们在做些什么了。

从朋友找到朋友，Facebook 就是这么一个神奇的地方。其他网站提供的是全世界的内容，而 Facebook 提供的是你朋友的内容。我可以在里面做生意，打广告，玩游戏，举办活动，邀请我的朋友们看电影。我可以自由地做想做的事情。

Facebook 开创了网络新纪元，让网络不再虚拟，而是无比真实（真实的朋友）。今天的网站，如豆瓣、土豆、腾讯等等的许多功能都是从 Facebook 上学来的，而开心网简直就是把 Facebook 的游戏部分给抄了过来，还是不给版权费的那种。

今天如果我要认识一个人，我会问他的 Facebook 帐号，因为它简直可以当身份证来使用，而且比身份证上提供的资料更加全面。

友情的力量令 Facebook 的影响力变得越来越大，普通人拿它来做同学录和找寻新朋友的工具，政要用其竞选，明星艺人用来做宣传。也许你会觉得 Facebook 的诞生故事是一个奇迹的产物。然而，和人类社会的所有伟大发明一样，它其实早已存在于我们每一个人的头脑中。扎克伯格把它一步步由梦想变为现实，乘着信息时代的新浪潮，这个原来貌不惊人的校园工具迅速成长壮大，其必将对人类的社交关系产生深远影响。

本书从不同方面给我们展示了 Facebook 发展的各种内幕。而本书的主人公扎克伯格——一个 22 岁的大学生，如今驾驭着世界上数一数二的大公司，也许出入富豪和精英云集的盛宴时，他还有点拘谨，一时间不适应自己的身份转变，然而，这是美国，一个可以靠创意和科技而持续提升自我阶层的社会，这是又一个美国梦得以实现的故事。为什么引领新时代的科技总在美国诞生？为何在美国，一个仅有梦想和一副聪明头脑的小伙子就能实现自己的梦想，前有斯皮尔伯格和他的梦工厂，后有扎克伯格和他的 Facebook。

我想这本书所讲述的 Facebook 故事，在这一点上，对我们中国的青年一代有很好的激励作用。毕竟，书中的主人公就是一群 80 后，甚至可以说是新一代美国人的代表，他们的成功应该可以为有些迷惘的中国 80 后甚至 90 后带来启迪。当然，我并不是说美国的生活方式和做生意的方式是我们可以完全照搬的，我们需要根据中国的国情来加以调整，学习他们身上的创新精神和对事业的全情投入，对工作的敬业以及敢于冒险的勇气。

念及至此，我们再来看看扎克伯格——如果没有成立公司、如果成立的公司没有这么大影响力，扎克伯格只不过就是个桀骜难驯的浑小子。正如小时候喜欢看的罗宾汉、彼得潘，我不会、也不能想象：罗宾汉当了国王、彼得潘干上了大天使的差事。对，他们只是故事、童话，而我们这些肉体凡胎终究是要长大的。所以，我会想你的——那个把寝室搞得乱糟糟连妈妈都忍不住替自己向室友道歉的扎克伯格，那个说自己偏好拉丁语、希伯来语是因为这些语言用口语的机会少的扎克伯格，那个边和同伴讨论边挥舞击剑的扎克伯格、那个只是觉得酷就掏腰包主办全美大学生喝啤酒游戏大赛的扎克伯格，这样的扎克，是只属于森林的罗宾汉、是长不大的彼得潘。那么，在罗宾汉要离开森林放眼全英伦的时候，在彼得潘要接受试炼去向上帝靠近的时候，让我们祝福他吧。今后不只有出些钱就能搞定的诉讼指控，还有企业经营时更多的困难危机，还有更多咄咄逼人的后起之秀。但这都没有关系，摔跤、出血都是人生的必然体验，机遇和彩虹只垂青那些敢于与命运抗争的人。我真心希望那些意气风发的追风少年都能化作不死鸟，昂然于风头浪尖，带着比前一次更华丽的羽翼翱翔在蓝天之中。

本书的翻译也可以视作是一个网络交际群体的小产物。我们几个译者地处天南地北，未曾谋面。在协作翻译本书的过程中，交流得最多的方式还是电子邮件。将图书的术语通过群体邮件的方式发给其他的译者，同时也从他们的邮件中了解他们对于一些词语的理解与感悟。甚至是本书的审核稿件也是以这样的方式来实现的。

感谢互联网，感谢译言网，让我们这些远在天边、各处一方的译者能得以沟通与交流，而这本书则让我们再一次了解到了互联网的魅力所在。

译言网

沈路、梁军、崔筝、王维丹、马伦、孙微洋、秦宏伟

2010 年 9 月

> ★ 您知道自己为阅读付出的最大成本是什么吗？
>
> ★ 您是否常常在阅读过一本书籍后，才发现不是自己要看的那一本？
>
> ★ 您是否常常发现书架上很多书籍都是一时冲动买下，直到现在一字未读？
>
> ★ 您是否常常感慨书籍的价格太贵，两百多页的书，值三十多元钱吗？

阅读的最大成本

读者在选购图书的时候，往往把成本支出的焦点放在书价上，其实不然。**时间才是读者付出的最大阅读成本**。

阅读的时间成本＝选择图书所花费的时间＋阅读图书所花费的时间＋误读图书所浪费的时间

选择合适的图书类别

目前市场上的**图书来源**可以分为**两大类，五小类**：

1. 引进图书：引进图书来源于国外的出版公司，多从其他语种翻译成中文而出版，反映国际发展现状，但与中国的实际结合较弱，这其中包括三小类：

a）教科书：这类书理论性较强，体系完整，但多为学科的基础知识，适合初入门的、需要系统了解一门学问的读者。

b）专业书：这类书理论性、专业性均较强，需要读者拥有比较深厚的专业背景，阅读的目的是加深对一门学问的理解和认识。

c）大众书：这类书理论性、专业性均不强，但普及性较强，贴近现实，实用可操作，适合一门学问的普通爱好者或实际操作者。

2. 本土图书：本土图书来源于中国的作者，反映中国的发展现状，与中国的实际结合较强，但国际视野和领先性与引进版相比较弱，这其中包括两小类，可通过封面的作者署名来辨别：

a）"著"作：这类图书大多为作者亲笔写就，请读者认真阅读"作者简介"，并上网查询、验证其真实程度，一旦发现优秀的适合自己的作者，可以在今后的阅读生活中，多加留意。系统地了解几位优秀作者的作品，是非常有益的。

b）"编著"图书：这类图书汇编了大量图书中的内容，拼凑的痕迹较明显，建议读者仔细分辨，谨慎购买。

阅读的收益

阅读图书最大的收益，来自于获取知识后，**应用于**自己的**工作和生活**，获得品质的**改善和提升**，由此，油然而生一种无限的**满足感**。

找"小红帽"

为了便于读者辨认，我们在每本图书的书脊上部50mm处，全部用红色标记，称之为——"小红帽"。同时，"小红帽"上标注"湛庐文化·策划"字样，小红帽下方标注所属图书品牌名称与编号。这样便于读者在浩如烟海的书架陈列中清楚地找到我们。

关注阅读体验

我们目前所使用的字体、字号和行距，是在经过大量调查研究的基础上确定的，符合读者阅读感受。每页设计的字数可以在阅读疲劳周期的低谷到来之前，使读者稍作停顿，减轻读者的阅读疲劳，舒适的阅读感觉油然而生。

所有的一切都为了给您更好的阅读体验，代表着我们"十年磨一剑"的专注精神。我们希望我们能够成为您事业与生活中的伙伴，帮助您成就事业，拥有更为美好的生活。

The Facebook Effect: The Inside Story of the Company That is Connecting the World.

ISBN 978-1-4391-0211-4

Copyright © 2010 David Kirkpatrick

Chinese (Simplified Characters only) Trade Paperback Copyright © 2010 by Sinoculture Press.

图书在版编目（CIP）数据

Facebook效应/（美）柯克帕特里克著；沈路等译.
— 北京：华文出版社，2010.10
ISBN 978-7-5075-3280-7

Ⅰ.①F… Ⅱ.①柯…②沈… Ⅲ.①网络公司-企业管理-经验-美国
Ⅳ.①F279.712.444

中国版本图书馆CIP数据核字（2010）第 182210 号

Facebook 效应

著　　者：	（美）大卫·柯克帕特里克
译　　者：	沈路　等
责任编辑：	刘超平
出版发行：	华文出版社
社　　址：	北京市西城区广外大街305号8区2号楼
邮政编码：	100055
网　　址：	http://www.hwcbs.com.cn
投稿信箱：	hwcbs@126.com
电　　话：	总编室 010–58336255　责任编辑010–58336202
经　　销：	新华书店
印　　刷：	三河市西华印务有限公司
开　　本：	170×230 1/16
印　　张：	19.5
字　　数：	265千
版　　次：	2010年10月第1版
印　　次：	2011年2月第4次印刷
标准书号：	ISBN 978-7-5075-3280-7
定　　价：	49.80元

湛 (zhàn) 庐 (lú)

铸剑大师欧冶子『十年磨一剑』，炼就了『天下第一剑』湛庐剑。

——《吴越春秋》记载